항공학 시리즈 ⑥

항공정비실무

서홍적·한용희·이성종 공저

머리말

항공 산업 분야가 크게 발전함에 따라 우리나라의 항공 산업도 급속도로 성장하여 오늘날에는 항공기의 정비, 수리는 물론 조립, 생산을 비롯해 설계, 제작까지도 가능한 단계에 이르렀다. 이러한 성장은 항공 정비사에게도 항공기에 대한 폭넓은 지식과 실무 능력을 요구하게 되었으며, 이에 따라 실제 항공 실무 분야에 사용할 수 있는 본서를 만들게 되었다.

본서는 항공 정비에 대한 다양한 실무와 이론을 국토 교통부 항공종사자 표준교재를 토대로 저술하였다. 본서는 항공기 무게와 평형, 항공기 부식, 검사원리, 유관작업, 항공기 하드웨어, 지상취급, 정비관리 등 총 7장으로 구성되어 항공 실무 분야에 종사하는 분들에게 도움을 드리고자 출간하게 되었으며, 본서의 미비한 점은 계속 수정 보완하여 좀 더 좋은 책자가 될 수 있게 노력하겠다.

마지막으로 본서를 출간할 수 있게 적극적으로 도와주신 모든 분들과 출간을 허락해 주신 노드미디어 관계자분들께 감사드린다.

차 례

제1장 항공기 무게와 평형

항공기의 무게와 평형 조절의 근본 목적은 안전에 있으며, 이차적인 목적은 가장 효과적인 비행을 하는데 있다. 부적합한 하중은 상승 한계(ceiling), 기동성(maneuverability), 상승률, 속도, 연료 소비율의 면에서 항공기의 효율을 저하시키며 비행하는데 이미 출발에서부터 실패의 요인이 되는 수도 있다. 과도 응력 상태의 구조, 갑작스런 화물의 이동, 비행 특성들의 변화로 생명위험과 장비의 파괴를 유발한 가능성이 있는 것이다. 모든 민간 항공기의 자기 무게와 이것에 대한 무게 중심은 인가시에 결정되어야 한다. 항공기 제작사는 항공기의 무게를 측정하고 무게와 평형을 계산한다. 이의 대체 수단으로 제작사는 생산된 같은 형식의 항공기 10~20%를 승인받아 무게측정을 하고 나머지 모든 항공기는 실제로 측정된 항공기의 평균값에 의거한 계산으로 무게와 평형이 적용된다. 자기 무게를 결정할 때에 항공기 조건은 잘 정의되고 쉽게 되풀이 될 수 있어야 한다.

1. 무게 재측정의 필요성(Need for Reweighting)
2. 용어의 의미(Terminology)
3. 측정과 계산(Measurement & Computation)

1. 무게 재측정의 필요성(Need for Reweighting)

항공기는 여러 장소의 잘 세척되지 않는 먼지나 기름의 누적으로 무게가 증가되는 경향이 있다. 일정기간 동안에 늘어난 무게는 항공기의 기능, 비행시간, 대기 조건, 작동 시의 활주로 형태를 좌우한다. 이 때문에 정기적인 무게 측정이 필요하고 여객기의 경우에는 미연방 항공규정(FAR: Federal Aviation Regulations)에 의해 검사가 실시된다.

개인 소유의 항공기는 정기적인 무게 측정이 법적으로 제도화되어 있지 않으나 보통 처음 허가시나 무게와 평형에 영향을 미치는 주요한 변화가 있을 때는 실시되고 있다. 비록 항공기의 무게 측정이 필요 없을 때라도 비행 시의 최대 무게와 무게 중심의 한계가 초과되지 않게 하중이 작용하도록 해야 한다.

승객과 화물을 운반하는 정기 노선 항공기의 소유주는 비행 시에 제한된 무게와 평형의 한계점을 초과되지 않게 적절히 적재되어 있음을 보고해야 하는 법의 규제를 받아야 한다.

1.1 무게 재측정 시기

(1) 주기적 측정 : 여객기의 경우는 매 3년마다 재측정

(2) 필요시 측정 : 항공기 중량에 영향을 미치는 중요한 수리, 개조 작업 시, 완전 분해/수리 및 단계적 분해/수리 완료 시, 기타 감항 당국에서 필요하다고 인정 시

1.2 무게와 평형이론

평형 이론은 평형이론 수평점인 받침점에 받침대를 놓았을 때 양쪽이 수평을 이룬 상태를 말한다. 무게의 영향은 받침점에서부터의 거리와 관계가 있다. 수평을 만들기 위해서는 기움성(turning effect)이 받침점의 양쪽에 서로 같도록 무게가 분포되어 있어야 한다. 수평 거리와 무게의 곱이 받침점에 대한 기움성이며, 이 기움성을 모멘트(moment)라 한다.

2. 용어의 의미(Terminology)

2.1 용어와 정의

2.1.1 기준선(Datum Line)

항공기 세로축에 직각인 가상의 수직평면을 말한다. 기준선(datum line)은 평형을 목적으로 취해지는 모든 수평 거리를 말하는 가상의 수직면이다. 오른 각에서 항공기의 세로축으로의 면이다. 기준선의 위치는 바뀌지 않는다. 대부분의 경우 항공기의 노즈(nose)에 위치하거나 또는 항공기 동체 위에 위치한다. 가끔은 항공기 노즈에서 일정한 거리 앞부분에 가상으로 설정한 한 곳에 위치한다. 항공기 제작사는 가장 편한 측정거리, 장비위치, 무게와 평형 측정에 따라 기준선을 선택하며, 대부분 항공기 명세서에 제시되어 있다. 한번 기준선이 선택되면 확실히 하여 누가 보더라도 기준선에 대해 의혹을 가지게 해선 안 된다. 항공기의 동체(fuselage station) 위치 표시를 위해 동체 위치선(body station), 수위선(water line) 및 버턱선(buttock line)이 사용된다. 예를 들면, Boeing 747-400 항공기의 기준선 위치는 노즈 레이돔(nose radome) 끝에서 90인치 전방에 위치하고 MDC MD-11 항공기는 노즈 레이돔(nose radome) 끝에서 139인치 전방에 위치하고 있다.

2.1.2 거리(Arm)

거리(Arm)는 기준선에서부터 장비가 위치한 곳까지의 수평거리를 말한다. 거리의 길이는 항상 인치(inch)로 써서 주어져 있고 기준선을 정확히 "0"으로 기준하여 +, -의 대수 기호로 나타낸다. +부호는 기준선에서의 뒷부분을 -부호는 앞부분을 나타낸다. 만약 항공기 제작사가 기준선의 위치를 항공기의 머리끝 부분(nose)이나 또는 여기서 좀 더 앞 방향으로 얼마 떨어진 곳에 정했다면 기준선 뒤의 모든 거리들은 +가 될 것이고, 항공기 동체 위의 어떤 다른 점에 기준선을 정했다면 기준선의 앞부분은 -의 거리가, 뒷부분은 +의 거리가 될 것이다.

각 장비의 거리는 항공기 명세서에 각 장비의 바로 다음에 무게는 괄호를 사용하여 seat(+23)과 같이 나타낸다. 이러한 표시가 되어 있지 않다면 직접 측정에 의해 구해야 한다. 기준, 거리, 무게 중심 등이 그림 1-1에 나타나 있다.

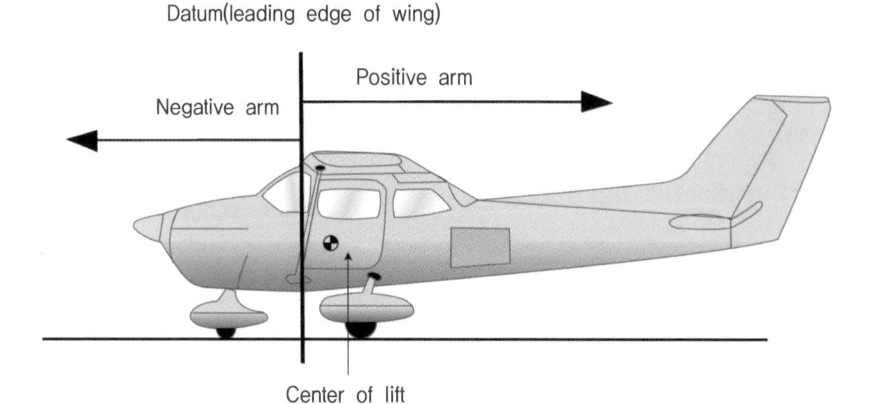

그림 1-1 기준선과 음(-), 양(+)의 거리

2.1.3 모멘트(Moment)

모멘트는 무게와 수평 거리의 곱으로 정의된다. 기준에 대한 어떤 장비의 모멘트는 그 장비의 무게에 기준선에서의 수평 거리를 곱함으로써 얻어진다. 이와 마찬가지로 무게 중심에 대한 어떤 장비의 모멘트는 그의 무게에 C·G에서의 수평 거리를 곱한 것이다. 200파운드 무게가 기준선에서 25인치되는 곳에 있다면, 200×25(lb-in)의 모멘트를 갖게 될 것이다. 5000(lb-in)의 값이 +인가 아닌가를 무게의 증감과 기준에 대한 위치에 관계된다.

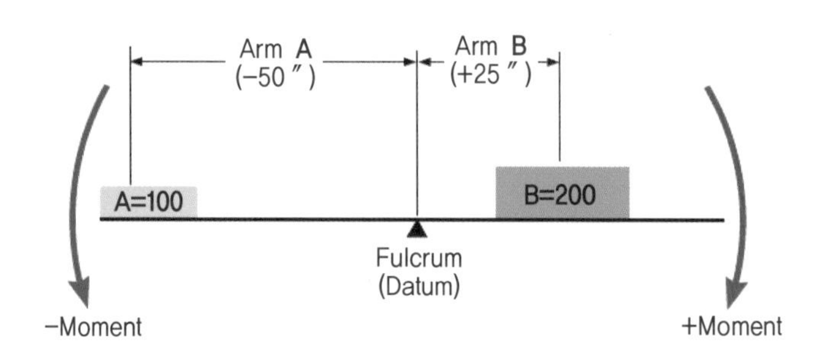

그림 1-2 모멘트의 합이 0일 때 지렛대의 평형 상태

기준(datum)의 어느 한쪽에 증가된 무게는 +무게이며, 제거된 무게는 -무게이다. 무게가 거리와 곱해질 때 만약 부호가 서로 같다면 모멘트는 +가 되고 부호가 서로 다를 때 -가 된다.

그림 1-2에서와 같이 시계방향으로 돌리려는 모멘트와 반시계 방향으로 작용하는 모멘트가 같을 때 평형상태가 된다. 그림 1-2에서 받침점에서 좌측 50인치 거리에 100파운드 중량이 작용하고 있고, 받침점에서 우측 25인치 거리에 200파운드 중량이 작용하고 있다. 이들 양쪽 모멘트의 합은 "0"이 된다. 이것은 지렛대의 법칙으로 시계방향으로 돌리려는 모멘트와 반시계방향으로 돌리려는 모멘트가 같아 지렛대가 평형을 이룬다.

2.1.4 무게 중심(C·G: Center of Gravity)

항공기의 C·G는 앞부분의 중량과 뒷부분의 중량에 의한 모멘트의 크기가 같은 점이다. 즉, 항공기가 기울어짐 없이 어느 한 점에서 균형을 이루는 점을 말한다. 이 점은 항공기의 무게가 집중되어 있는 점이므로 이 점에 지지된 항공기는 위로 기울거나 아래로 기우는 자세로 회전하려는 경향이 나타나지 않는다.

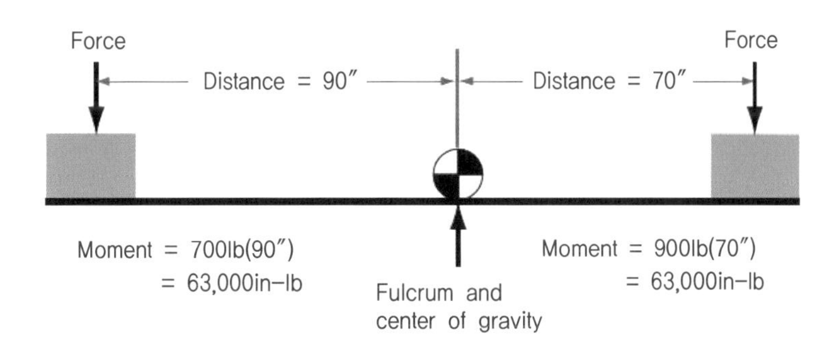

그림 1-3 무게중심과 지렛대

2.1.5 평균 공력 시위(MAC)와 %MAC

평균 공력 시위는 항공기 날개의 공기역학적 특성을 대표하는 시위로 항공기의 무게중심을 대표하는 기본 단위로 쓰이기도 한다. 한쪽 날개 평면의 도심을 지나는 시위이다. 항공기의 무게 중심 위치는 비행 안정성을 위해 MAC상 풍압 중심의 전방에 위치한다. MAC 위의 어떤 점이나 기준선을 나타낼 때 기준선에서 미터(meter) 단위로 표기할 수도 있지만 중량과 평형에서는 MAC 길이의 백분율로, 즉 %MAC으로 나타낸다. 만약 날개 길이가 1m이고, 항공기의 무게 중심이 MAC 위의 30cm에 있다면, 30%MAC에 무게 중심이 있다고 한다. MAC은 항공기 날개의 면적을 날개 span의 길이로 나누어 구한다.

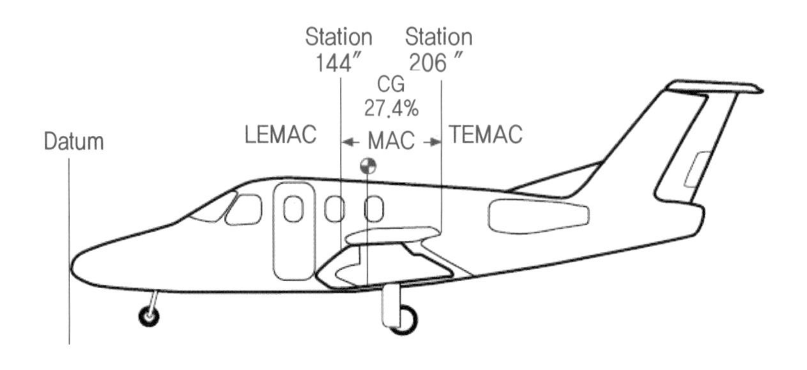

그림 1-4 항공기 무게와 평형

그림 1-4에서 기준선에서부터 CG까지가 160in일 때

MAC = 206 - 144 = 62 inches

LEMAC = station 144

CG = 160 -144 = 16.0 inches

CG in % MAC = $\frac{16}{62} \times 100 = 25.8(\%\ \text{MAC})$

2.1.6 최대 무게(Maximum Weight)

최대 무게는 항공기에 인가된 최대 무게이며, 이에 대한 자세한 내역이 항공기 설계 명세서 또는 형식증명 자료집에 기재되어 있다. 많은 항공기에 있어서 비행의 목적이나 비행중의 조건에 따라 최대 허용 무게 변화가 있다. 예를 들면 어떤 항공기는 정상 영역(normal category)에서 비행할 때 최대 총무게(maximum gross weight)가

2750파운드로 되어 있으나 유효 영역(utility category)에서 비행할 때는 최대 허용 총무게는 2175파운드가 되는 것이다.

2.1.7 자기 무게(Empty weight)

항공기의 자기 무게(자중)는 항공기내의 고정위치에 실제로 장착되어 있는 모든 작동 시설을 포함한다. 여기에는 기체, 동력장치, 필요 장비, 선정 장비 혹은 특수 장비, 고정 밸러스트(fixed ballast), 작동유, 잔여 연료와 오일(oil)의 무게를 포함하고 있다. 잔여연료와 오일은 연료관, 오일관, 탱크들에 들어 있어 완전히 제거될 수 없기 때문에 항공기의 자기 무게에 포함되어져야 한다. 자기 무게에 포함되는 항공기 계통내의 잔여유체에 관한 자료는 항공기 명세서(Aircraft Specification)에 표시되어 있다.

2.1.8 유효 하중(Useful Load)

유효 하중은 최대 허용 총무게에서 자기 무게를 뺀 것을 의미한다. 정상 영역과 유효 영역에서 인가된 항공기에 있어서는 무게와 평형 기록에 두 개의 유효 하중이 기재되어 있다. 만약 정상 영역의 최대 무게가 1750파운드일 때 900파운드의 자기 무게를 갖는 항공기는 850파운드의 유효 하중을 갖게 된다. 그러나 항공기가 유효 영역에서 운항할 때 최대 허용 무게는 1500파운드로 감소되어 여기에 따르는 유효 하중도 600으로 줄어들게 된다. 어떤 항공기는 인가된 영역에 무관하게 똑같은 유효 하중을 갖는다.

유효 하중에는 오일, 연료, 승객, 화물, 조종사, 부조종사, 승무원들이 포함된다. 무게의 변화는 항공기가 비행하는 영역에 따라 허용된 최대 무게 내에 있을 때만 가능한 것이다. 이러한 무게의 분포를 결정하는 것을 무게 점검이라 한다.

2.1.9 자기 무게의 무게 중심(Empty weight center of gravity)

항공기 자기무게의 무게 중심은 자중조건에 있을 때 무게 중심을 이룬 지점을 중심으로 평형을 이루게 된다. 항공기를 무게 측정을 하는 이유가 이 자기무게의 무게

중심을 알고자 함이다. 비행을 위해 항공기에 승객 탑승, 화물의 탑재, 장비 장착이나 장탈로 무게 중심 변화를 계산하는 점검 등 중량과 평형 계산은 알고 있는 자기 무게와 자기무게의 무게 중심에서 시작된다.

2.1.10 영 연료 무게(Zero fuel weight)

영 연료 무게는 연료를 제외한 적재된 항공기의 최대 허용 무게로써 여기에는 화물, 승객, 승무원의 무게가 포함된다. 영 연료 무게를 초과한 모든 무게는 사용되는 연료무게가 된다.

2.1.11 최소 연료(Minimum Fuel)

최소 연료란 말은 항공기를 비행하는데 소요되는 최소량의 연료를 의미하는 것으로 해석되어서는 안 된다. 무게와 평형에 적용될 시의 최소 연료란 항공기가 최대 조건 점검(extreme-condition check)에서 적재되었을 때의 무게와 평형 보고서에 나타난 연료의 양을 말한다.

평형의 목적을 위하여 왕복 엔진을 갖는 소형 항공기의 최소 연료 하중이란 엔진 마력 당 12분의 1갤런을 말한다.

이것은 METO(maximum-except-take off) 마력으로 계산되며, 조사되는 C·G 한계점에서 최대 임계 하중을 얻을 수 있도록 연료 하중이 감소되어져야 할 때 사용되는 숫자다. 파운드로 최소 연료를 결정하기 위하여 전체 METO 마력을 2로 나눈다. 만약 METO 마력이 1300이라면 2로 나누어진 650이 앞 방향 또는 뒷방향의 무게 점검(Weight check)에 대한 연료의 최소 파운드가 될 것이다. 터빈 엔진을 가진 항공기는 최소 파운드가 될 것이고, 최소 연료 하중은 항공기 제작사에 의해서 규정되어 진다. 계산에 의하여 영향을 받는 C·G 한계와 관계있는 연료탱크 위치는 최소연료의 사용을 결정한다.

예를 들면, 전방의 무게 점검이 끝났을 때, 만약 연료탱크들이 앞 C·G 한계점의 앞에 위치한다면 연료탱크들이 가득 찬 것으로 간주되고 앞 C·G 한계점의 뒤에 위치한다면 텅 빈 것으로 간주된다. 만약 특수한 항공기에 필요한 최소 연료가 앞 C·G 한계의 앞에 있는 탱크들의 용량을 초과한다면, 초과 연료는 앞 C·G 한계의 뒤에 있는 탱크에 적재되어야 한다. 뒤쪽의 무게 검토가 이루어졌을 때 연료 적재 조건들은 전방 무게 검토에서 사용된 것과 반대이다.

2.1.12 테어 무게(Tare weight)

항공기를 저울 위에 놓고 무게를 측정할 때에 항공기를 고정하는 보조 장치가 필요하다. 예를 들어, 항공기 꼬리날개 쪽이 쳐진 항공기는 수평 자세를 확보하기 위해 잭(jack)으로 받쳐야 하고, 잭은 저울 위에 위치된다. 잭의 무게가 항공기 무게에 포함되어 측정된다. 이 여분의 잭 무게는 테어 무게라 하고 측정된 중량에서 제외하여야 정확한 항공기 무게가 측정된다. 테어 무게의 예는 저울 위에 놓여있는 고임목(wheel chock)과 착륙장치의 지상 고정 핀(ground lock pin)등이다.

3. 측정과 계산(Measurement & Computation)

3.1 무게중심의 범위(C·G Range)

항공기 무게중심 범위는 수평비행 상태에서 무게중심이 이 범위 안에 유지되어야 하는 한계로 전방 한계와 후방 한계로 구별된다. 항공기의 연료, 승무원, 승객, 탑재물, 연료 소모량 등에 따라 항공기의 무게중심도 앞뒤로 이동하게 된다. 그러므로 항공기가 안전하게 비행할 수 있는 중심의 이동 범위도 MAC 위에서 어떤 기준이 되는 중심 위치에 대하여 전방, 후방 한계를 정하는 것이다. 예를 들어, 파이퍼 세네카 항공기의 형식증명서에 무게중심 범위는 다음 표 1-1과 같다.

표 1-1 파이퍼 세네카 항공기의 무게중심 범위

CG Range:(Gear Extended)
S/N 34-E4, 34-7250001 through 34-7250214(See NOTE 3): (+86.4[inch]) to (+94.6[inch]) at 4,000[lb] (+86-0[inch]) to (+94.6[inch]) at 3,400[lb] (+80.7[inch]) to (+94.6[inch]) at 2.780[lb] Straight line variation between points given. Moment change due to gear retracting landing gear(-32[inch-lb])

이 항공기는 착륙장치가 전개되었을 때 범위로 착륙장치가 들어간다면 총 모멘트는 32in 감소된다고 명시되어 있다. 착륙장치가 들어갔을 때 무게중심의 변화를 알려면 탑재된 중량으로 나누면 된다. 항공기가 3500파운드 중량이라면, 무게중심은 전방으로 32/3500=0.009in 이동된다. 항공기에 탑재된 중량이 증가할 때, 무게중심 범위는 점점 더 작아진다. 전방 한계는 뒤로, 후방 한계는 동일하여 작아지는 것이다.

3.1.1 표준 무게 (Standard Weights used for Aircraft weight & balance)

무게와 평형에서 사용되는 표준 무게는 다음 표 1-2와 같다.

표 1-2 표준 무게

1	Aviation Gasoline	6.0[lb/gal]
2	Turbine Fuel	6.7[lb/gal]
3	Lubricating Oil	7.5[lb/gal]
4	Water	8.35[lb/gal]
5	Crew and Passengers	170[lb per person]

3.2 무게 중심의 계산

받침점을 기준으로 한 쪽에 놓인 무게와 받침점에서 거리를 곱한 값은 반대쪽에 놓인 무게와 받침점에서 거리를 곱한 값은 같아 평형을 이룬다는 것이다. 지렛대의 양쪽 모멘트 합이 대수적으로 "0"일 때 평형 상태가 된다.

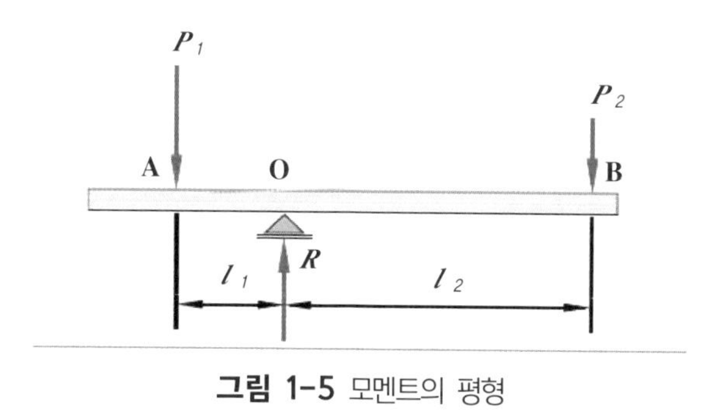

그림 1-5 모멘트의 평형

$$\Sigma M_0 = -P_1 l_1 + P_2 l_2 + R \times 0 = 0$$

3.2.1 평형 계산(Balance Computation)

하중을 가진 항공기의 총무게와 C·G 위치를 알기 위하여 먼저 자기 무게와 EWCG(Empty Weight Center of Gravity: 자기 무게의 무게 중심)의 위치를 먼저 정해야 한다. 이것을 알 때 연료, 승무원, 승객, 화물 등의 가중된 무게나 소모되는 무게들을 계산하는 것은 쉽다. 이것은 모든 무게의 합계, 부과된 항들의 모멘트 합계, 적재된 하중에 대한 C·G의 재계산으로 구해진다.

3.2.2 자기 무게

항공기의 자기무게는 각 무게점에서의 순 무게(net weight)를 가산하여 구해진다. 순 무게는 테어 무게(tare weight)를 제외한 실제의 측정치가 된다.

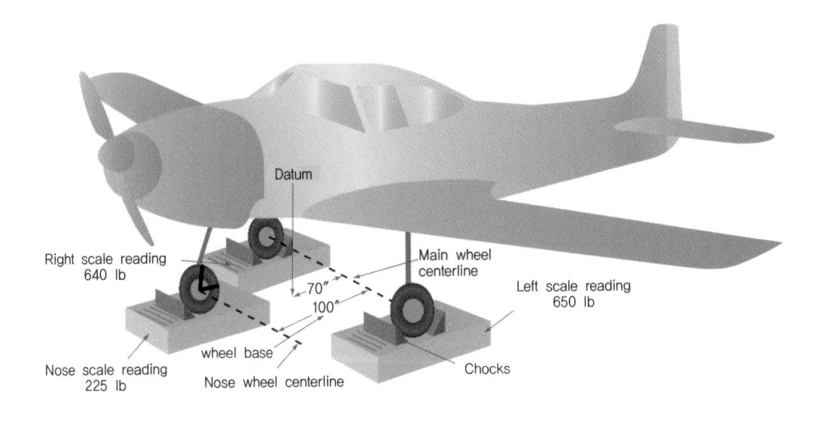

그림 1-6 플랫폼(platform)을 이용한 항공기 무게측정

그림 1-6에서와 같이 무게 측정을 했을 경우 다음과 같이 자기 무게를 구한다.

무게 측정점	측정치(lbs.)	테어무게(lbs.)	순무게(lbs.)
좌측 주바퀴	650.00	-5.00	645.00
우측 주바퀴	640.00	-5.00	635.00
앞 바퀴	225.00	-4.00	221.00
계			1,501.00

각 무게 측정점에서 측정된 무게는 테어 무게가 포함된 무게이므로 테어 무게를 제외한 순 무게의 합은 1,501파운드가 된다.

3.2.3 C·G 거리

C·G 위치는 두 공식을 연속적으로 사용하여 구할 수 있다. 처음의 계산식은 각 지점의 모멘트를 계산하고, 두 번째로 총 모멘트의 합을 총무게로 나누어 기준선에서 C·G까지의 거리를 계산할 수 있다.

모멘트 = 거리 × 무게

$$CG = \frac{총모멘트}{총무게}$$

무게점	순무게(lbs.)	거리(in.)	모멘트(lb-in)
좌측 주바퀴	645.00	70"	45,150.00
우측 주바퀴	635.00	70"	44,450.00
앞 바퀴	221.00	-30"	-6,630.00
계	1,501.00		82,970.00

C·G까지의 거리를 계산해야 하므로

$$CG = \frac{총모멘트}{총무게} = \frac{82,970}{1,501} = 55.28$$

결과적으로 무게 측정에서 C·G는 기준에서부터 55.28in에 있다. 만약 이 항공기에 사용 가능한 연료가 연료 탱크(기준선으로부터의 거리가 +95in)에 30gallon이 들어 있다고 가정한다면, 연료 탱크내의 사용 가능한 연료도 무게에 측정되었으므로 자기 무게 C·G를 구하기 위해서는 사용 가능한 연료의 양은 제거해야만 한다.

연료의 표준 무게는 표 1-2에 6.0[lb/gal]으로 산정되어 있다.

항	순무게(lb.)	거리(in.)	모멘트(lb-in.)
측정된 항공기 총 무게	1,501.00	55.28	82,974.28
30Gal 연료제거(6lb/gal)	-180.00	95	-17,100.00
항공기 순 무게와 모멘트	1,321.00		65,875.28

다시 공식을 사용하여 계산하면

$$C \cdot G = \frac{총모멘트}{총무게} = \frac{65,875.28}{1,321.00} = 49.87 \text{이 되며,}$$

따라서, 항공기의 EWCG(자기무게의 무게중심)은 기준(datum)으로부터 후방 49.87in에 위치한다.

3.2.4 무게측정을 위한 항공기 준비(Prepare Aircraft for weighing)

항공기가 수평 고도에서 측정기가 0이 되도록 연료계통을 비워야 한다. 만약 연료가 탱크에 남아 있다면 항공기는 더 무거워질 것이고 유효하중에 대한 그 이후의 모든 계산과 평형이 영향을 받게 될 것이다. 단지 사용될 수 없는 연료(잔여연료)는 항공기의 자기 무게의 일부로 취급된다. 연료 탱크 뚜껑들은 무게 분포가 정확히 되도록 탱크위에 있거나 그들의 정확한 위치에 될 수 있는 한 가깝게 놓여 있어야 한다. 특별한 경우로써 만약 연료의 정확한 무게의 측정 방법이 가능하다면 연료가 가득 찬 상태에서 측정되어 질 수도 있다. 특수형 항공기가 연료가 가득 찬 상태에서 측정될 것이냐의 결정은 항공기 제작사의 지시를 고려해야 한다. 가능하다면 계통의 모든 배유 밸브가 열린 상태에서 오일 탱크의 전 엔진오일을 배유시켜야 한다. 이러한 조건 하에서 오일 탱크와 송유관, 엔진에 남아있는 오일 량은 잔여 오일로써 자기무게에 포함된다. 만약 배유하기가 불가능한 상태라면 오일 탱크가 완전히 채워진 상태이어야 한다.

스포일러(spoiler), 슬랫(slat), 헬리콥터 로터(helicopter rotor)장치들의 위치가 항공기 무게측정 시 주요한 요소가 된다. 항상 이러한 장비들의 정확한 위치에 대해 제작사의 지시에 유의해야 한다.

항공기 명세서나 제작사의 지시서에 기록되어 있지 않을 때 작동유 저장 탱크(hydraulic reservoir)와 그 계통은 채워진 상태에서, 음료와 세척용수 저장 댕크와 세면실용 물탱크는 배수된 상태에서, 정속구동장치(CSD: Constant Speed Drive)의 오일 탱크는 채워진 상태라야 한다.

허가된 자기 무게에 포함되어 있는 모든 장비들이 정확한 위치에 있는지 조사해야 한다. 비행 시에 정규적으로 탑재되지 않는 장비들은 모두 제거해야 한다. 또한 수화물실이 비어 있는지도 확인해야 한다. 모든 점검판, 오일과 연료탱크의 뚜껑, 정션 박스 덮개(junction box cover), 엔진덮개(cowling), 문, 비상구 등과 이미 제거되었던 다른 장비들은 재장착해야 한다. 모든 문과 창문, 미끄럼 캐노피(sliding canopy) 등이 정상 비행 위치에 있는지 확인한다. 과도한 먼지, 기름, 습기는 항공기에서 제거되어야 한다.

정확히 0으로 눈금을 맞추고 제작사의 지시에 따른 무게 눈금을 사용해야 한다. 어떤 항공기는 바퀴를 척도위에 두고 측정하지 않고 받침점이나 특별한 무게점에 둔 척도로 측정을 한다. 항공기의 척도 위에서 측정되었는지 받침점 위에서 행하여졌는지에 관계없이 그것이 떨어지거나 옆으로 기울어져, 이 때문에 항공기 장비가 파손되지 않게 주의해야 한다. 척도위에 바퀴를 둔 상태에서 측정할 때 척도위의 옆 하중에 의해서 부정확한 관측의 가능성을 배재하기 위하여 브레이크를 풀어줘야 한다.

모든 항공기는 수평점과 돌기(lug)를 갖고 있으며 항공기를 수평으로 하는데 세심한 주의가 필요하다. 특히 세로축에 대해서는 더욱 많은 주의를 해야 한다. 가벼운 고정날개를 가진 항공기는 가로방향의 수평이 무거운 비행기에서처럼 힘들지 않으나, 가로축에 대하여 수평으로 하는데는 많은 노력이 필요하다.

3.3 무게와 평형 측정

3.3.1 저울

항공기 무게를 측정하는 저울은 기계식과 전자식이 있다. 기계식 저울은 균형추와 스프링 등으로 구성되어 기계적으로 동작된다. 전자식 저울은 로드셀(load cell)이라고 부르는 것으로 전기적으로 동작하는 것이다. 전자저울은 착륙장치 아래에 놓고 측정하는 플랫폼형과 잭의 상부에 부착하는 잭 부착형으로 나뉜다. 플랫폼 위에 착륙장치를 올려서 측정하는 플랫폼형 저울은 내부에 무게를 감지하여 전기적 신호를 발생시키는 로드셀이다. 로드셀 내부에는 가해진 무게를 전기 저항으로 변화하는 전자 그리드(electronic grid)가 있고, 이 저항 값은 케이블에 의해 지시계기로 전달되며, 지시계기는 저항의 변화량을 디지털 숫자로 지시하게 된다.

그림 1-7은 경항공기의 무게를 휴대용 플랫폼 저울로 측정하고 있다. 항공기 수평 비행 자세 유지를 위해 노즈 타이어의 압력은 제거되어야 한다. 이 저울은 이동이 쉽고, 가정용 전기 또는 내장된 배터리로 작동이 가능하다.

그림 1-7 휴대용 플랫폼을 이용한 경항공기의 무게 측정

3.3.2 수평 측정기

정확한 무게 측정값을 얻기 위해 항공기가 수평 비행자세에 있어야 한다. 항공기 수평 상태 확인에 사용하는 방법은 수평측정기로 수평 상태를 확인하는 것이다.

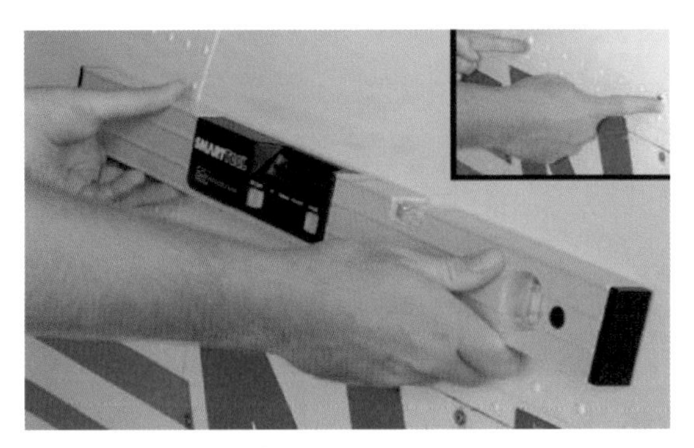

그림 1-8 수평 측정기

그림 1-8에서는 수평 측정기를 이용해 항공기 수평 비행자세를 확인하는 작업을 보여주고 있다.

3.3.3 측량 추

측량 추는 무겁고 날카로운 원추형 추를 줄에 매달아 놓은 형태로 만약 날개의 앞전이 기준점이었다면, 날개의 앞전 기준점에서 줄을 고정하고 추의 끝이 지면에 거의 닿을 정도로 늘어뜨려서 추 끝이 닿는 지면과 줄의 고정된 곳이 직각이 된다. 추가 닿는 지면에 표시를 하고, 또 다른 측량 추를 이용해서 주 착륙장치의 바퀴 축 중심에서 줄을 내려뜨려 닿는 지면에 표시를 하고 줄자를 이용해서 이 두 지점 사이의 거리를 잰다면 기준점에서 주 착륙장치까지의 거리를 구할 수 있다. 여기서 측량 추는 항공기의 수평을 유지하는데 사용할 수 있다.

3.3.4 비중계

항공기 연료 탱크에 연료가 가득 찬 상태로 중량(무게)을 측정하는 경우에는 연료를 산술적으로 저울의 지시 중량에서 연료 중량을 제외하여야 실제 항공기의 무게가 될 것이다. 따라서 연료량을 중량으로 환산해야 한다. 표준 중량은 항공용 가솔린 6.0 lb/gal, 제트 연료는 6.7 lb/gal 으로 정해져 있으나, 비중은 온도에 영향을 크게 받으므로 항상 이 표준 중량을 사용할 수는 없다. 예를 들어 기온이 높은 여름철에 비중계로 측정한 항공용 가솔린 중량은 5.85~5.9 lb/gal 정도이다. 100gal의 연료를 탑재하고 중량이 측정되었다면 표준 중량으로 환산한 연료의 중량의 차이는 10~15 lb 정도 차이가 발생한다. 갤런 당 연료의 중량은 비중계로 점검한다.

3.4 무게와 평형의 양극단 상태

무게와 평형의 양극단 상태 점검은 가능한 한 기수방향으로 무겁게 또는 그 반대방향(미익방향)으로 무겁게 하여 무게 중심이 허용 한계 이내인지 계산하여 점검하는 것이다. 무게 중심 전방 한계의 앞쪽에 모든 유효하중이 탑재되고 그 뒤쪽은 비워둔 상태로 점검하는 것을 무게 중심 전방극단 상태 점검이라고 한다. 만약 무게 중심 전방 한계의 앞쪽에 2개의 좌석과 수화물 실이 있다면, 170lb 무게 두 사람은 좌석에 앉고, 최대 허용 수화물을 탑재한다.

무게 중심 전방 한계 뒤쪽에 있는 좌석 또는 수화물 실은 비워둔다. 만약 연료가 무게 중심 전방 한계 뒤쪽에 위치했다면, 최소 연료 무게를 고려해야 한다. 최소 연료는 엔진의 METO 마력을 2로 나누어 계산한다. 무게 중심 후방 한계의 앞쪽에 모든 유효하중이 탑재되고, 그 뒤쪽은 비워둔 상태로 점검하는 것을 무게 중심 후방극단 상태 점검이라고 한다.

무게중심 후방한계 뒤쪽에 모든 유효하중이 탑재되고 그 앞쪽은 빈곳으로 남긴다. 비록 조종사의 좌석이 무게 중심 후방 한계의 앞쪽에 위치하겠지만, 조종사의 좌석은 빈곳으로 남겨둘 수가 없다. 만약 연료 탱크가 무게중심 후방 한계의 앞쪽에 위치했다면 최소 연료로 계산해야 한다.

3.5 밸러스트의 사용

밸러스트는 항공기의 평형을 얻기 위해 사용된다. 보통 무게 중심 한계 이내로 무게중심이 위치하도록 최소한의 무게로 가능한 전방 또는 후방에서 먼 곳에 위치시킨다. 영구 밸러스트는 장비 제거 또는 추가 장착에 대한 보상 무게로 장착되어 오랜 기간 동안 항공기에 남아있는 밸러스트이다. 이것은 일반적으로 항공기 구조물에 볼트로 체결된 납봉이나 납판이다. 빨간색 페인트로 'PERMANENT BALLAST DO NOT REMOVE'라고 표시된다. 대부분의 경우에는 영구 밸러스트는 항공기의 자기 무게를 증가시킨다.

임시 밸러스트는 'BALLAST, ×× LBS. REMOVE REQUIRES. WEIGHT AND BALANCE CHECK'라고 표시된다. 보통 임시 밸러스트의 설치 장소로 수화물 실이 이용된다. 영구 밸러스트는 항상 인가된 장소에 위치해야 하고, 적절히 고정되어야 한다. 영구 밸러스트를 항공기 구조물에 장착하려면 사전에 그 장소가 밸러스트 장착을 위해 설계된 곳으로 승인된 장소이어야 한다. 대개조 사항으로 감항당국의 승인을 받아야 한다. 임시 밸러스트는 항공기가 난기류나 비정상적 비행 상태에서 쏟아지거나 이동되지 않게 고정되어야 한다. 필요한 밸러스트의 무게는 다음과 같다.

$$\text{필요 밸러스트의 무게} = \frac{\text{적재 시 항공기 무게} \times \text{한계점에서의 거리}}{\text{여러 무게점에서 관계된 한계점까지의 거리}}$$

밸러스트의 장착에 대한 다음 사항을 고려해야 한다.

(1) 무게 중심이 한계를 벗어났을 경우 어떻게 측정하였는가를 고려한다.
(2) 무게중심이 한계를 벗어난 간격은 무게 중심 위치와 무게 중심 한계 위치의 차이다.
(3) 영향을 받는 한계는 초과된 무게 중심 한계이다.
(4) 후방 한계와 밸러스트 사이의 거리가 이 식의 분모이다.

제2장 항공기 부식

1. 부식 관리
2. 부식의 형태
3. 부식 발생 요인
4. 부식 예방 관리
5. 부식 경향 부분
6. 부식 처리
7. 철금속의 부식
8. 알루미늄과 그 합금의 부식
9. 마그네슘 합금의 부식
10. 티타늄과 티타늄 합금의 부식
11. 이질 금속간 접촉의 보호
12. 부식의 한계
13. 부식방지에 사용되는 재료와 절차
14. 화학적 처리
15. 부식방지 도색작업
16. 항공기 세척
17. 동력장치 세척
18. 솔벤트 클리너
19. 이멀젼 클리너
20. 비누와 세정제 클리너
21. 기계적 세척제
22. 화학 세척제

1. 부식 관리(Corrosion Control)

금속 부식은 화학적 또는 전기 화학적 작용에 의한 금속의 악화로서 표면상에서와 마찬가지로 내부적으로도 생길 수 있다. 나무가 썩는 것과 같이 이런 악화 현상은 평활한 표면을 변화시키고 내부를 약하게 하고 주위의 부품을 손상시키거나 이완시킨다. 물 또는 염분을 포함한 공기방울은 항공기에 있어 주된 부식의 원인이 될 수 있도록 대기 중의 산소와 결합한다. 해변 주위에서 또는 부식성의 공장 매연 등에 오염된 대기의 영역에서 운항되는 항공기는 특히 부식되기 쉽다.

부식에 대한 처리 없이 방치해두면 부식은 마침내 구조 파손의 원인이 된다. 부식의 모양은 금속에 따라 차이가 있다. 알루미늄 합금과 마그네슘의 표면에는 움푹 패임(pitting), 표면의 긁힘(etching) 형태 등으로 나타나고 가끔은 회색 또는 흰 가루모양의 파우더 형태의 부착물로 나타나고, 철금속의 경우에는 보통 녹슨 것처럼 보이는 불그스레한 부식의 형태로 나타나며, 동과 동합금에서는 초록색깔의 피막이 나타난다. 회색, 흰색, 초록색 또는 붉은색의 침전물을 제거할 때 각각 그 표면은 노출된 기간과 침해받은 심각한 정도에 따라 움푹 패인 표면을 확인할 수 있다. 그 부식의 흔적은 구성품의 취약한 부분으로 남으며, 결국 파단의 형태로 진전될 수 있다.

1.1 부식의 종류

부식은 일반적으로 직접 화학적 침식과 전기 화학적 침식 등 두 가지 형태로 구분할 수 있다. 이 두 가지 형태의 부식은 금속을 산화물, 수산화물 또는 황산염과 같은 금속의 화합물로 화학적 성질의 변화를 가져온다. 침식되거나 산화된 금속은 양극 변화(anodic change)라고 하는 손해를 입고 부식성 물질은 감소되어 음극 변화(cathodic change)를 겪는 것으로 알려져 있다.

1.2 직접 화학적 침식(Direct chemical attack)

직접 화학적 침식 또는 순수한 화학적 부식은 벗겨진 금속을 부식성 액체 또는 기체상의 물질에 직접 노출함으로서 초래되는 현상이다. 양극 및 음극 변화가 얼마간의 거리를 떨어져 발생되는 전기 화학적 침식과는 달리 직접 화학적 침식에서의 변화는 동일한 지점에서 동시에 발생된다. 항공기의 직접 화학적 침식의 원인이 되는 대부분의 일반적 물질로는 다음과 같다.

그림 2-1 배터리실의 직접 화학적 침식

- 배터리로부터 흘러나온 배터리 산 또는 가스
- 부적절한 세척, 용접, 납땜 등 접합부로부터 초래된 용재의 침전물
- 고여 있는 부식성의 세척용액

그러나 흘러나온 배터리 산의 경우에는 밀폐된 단위로 되어 있는 니켈-카드뮴 배터리의 사용에 의해 문제점이 크게 줄었다.

납땜이나 용접 등에 사용되는 많은 종류의 용제들은 부식성이기 때문에 그들이 사용되는 금속 또는 합금 등을 화학적으로 침식시킨다. 그러므로 용접 작업 후 남아있는 용제를 금속 표면으로부터 즉시 제거하는 것이 매우 중요하다. 용제의 잔재들은 습기를 흡수하는 능력이 있어서 주의 깊게 제거하지 않는다면 심각한 부식을 초래하게 될 것이다.

농축된 형태의 부식성 세척용액은 마개를 단단히 조여 가능한 한 항공기로부터 멀리 보관해야 한다. 부식 제거에 사용되는 일부의 세척용액은 그들 자체가 잠재적으로 부식성의 물질이기 때문에 항공기에 사용된 후 완전하게 제거될 수 있도록 주의 깊은 관리가 필요하며 세척제의 선택 시 부식의 위험성이 낮은 용제를 선택하여 사용하도록 한다.

1.3 전기화학적 침식(Electro chemical attack)

전기 화학적 침식은 전기 도금, 양극처리 또는 배터리에서 일어나는 전해작용에 대해 화학적으로 비유된 것이다. 이런 부식성 침식에 있어서의 작용은 작은 전류를 흘려 줄 수 있는 물이라는 매개물질이 필요하다. 금속이 부식성 물질과 접촉을 갖고 또한 전자를 흘려줄 수 있는 액체 또는 기체 통로에 의해 접촉될 때 전자가 흐르게 되고 액체 또는 가스 형태로 연결될 때, 금속 산화의 침식 형태로 부식이 나타나며 소금물과 같은 형태로 전도성이 강한 물질과 연결되면 부식이 빠른 형태로 진행된다.

모든 금속과 합금들은 전기적으로 활동적이며 주어진 화학적 환경에서 독특한 전위를 갖는다. 또한 합금내의 조직들은 일반적으로 서로 다른 독특한 전위를 취한다. 전도성, 부식성 매개물질에 대한 합금 표면의 노출은 활동성이 강한 금속은 양극으로 하고 활동성이 약한 금속은 음극을 띄게 하는 원인이 되어 결과적으로 부식의 조건을 성립시키게 된다. 이와 같은 것을 로컬 셀(local cell)이라고 부른다. 두 금속간의 전위가 크면 클수록 전개되어 나가는데, 적절한 조건이 따라 준다면 더욱 더 심각한 부식이 발생될 수 있다.

이미 알고 있는 바와 같이 이러한 부식작용에 대한 조건이란 서로 다른 전위를 갖는 전도성의 액체와 금속의 존재이다. 만약 정기적인 세척, 표면 재가공에 의한 전도성 매질을 제거하여 전기회로 구성을 제거한다면 전기 화학적 부식은 일어날 수 없으며 항공기 구조물과 부품의 연결 부위에 발생하는 부식 형태의 효과적인 방지 원칙이 될 것이다.

2. 부식의 형태(Forms of Corrosion)

부식에는 많은 형태가 있다. 부식의 형태는 금속의 크기와 모양, 대기 조건 및 부식 생성 물질의 존재를 포함하는 금속에 따라 좌우된다. 이 장에서는 항공기 기체 구조물에서 찾아볼 수 있는 다양한 형태들의 부식을 설명한다.

2.1 표면 부식(Surface Corrosion)

그림 2-2와 같이 표면 부식은 직접 화학적 침식 또는 전기 화학적 침식에 의해서 형성되며 가루모양의 부식 생성물로 확인이 가능하고, 표면의 거침, 긁힘, 패임 등의 형태로 나타난다.

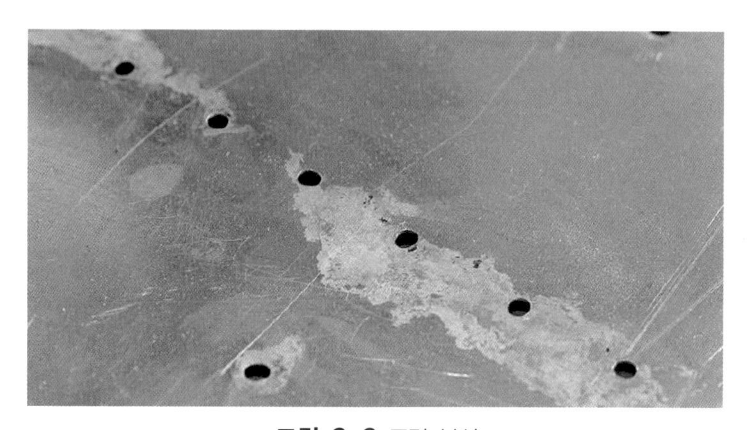

그림 2-2 표면 부식

하지만 때로는 부식은 표면 밑으로 전개되며 표면의 거침이나 가루모양의 형태로 확인하기 어려운 경우도 있다. 그림 2-3에서처럼 사상 부식(Filiform corrosion)은 페인트 작업 전 화학적 처리의 부적절로 발생되며 페인트 아래에 연속된 작은 벌레 같은 형태로 나타난다.

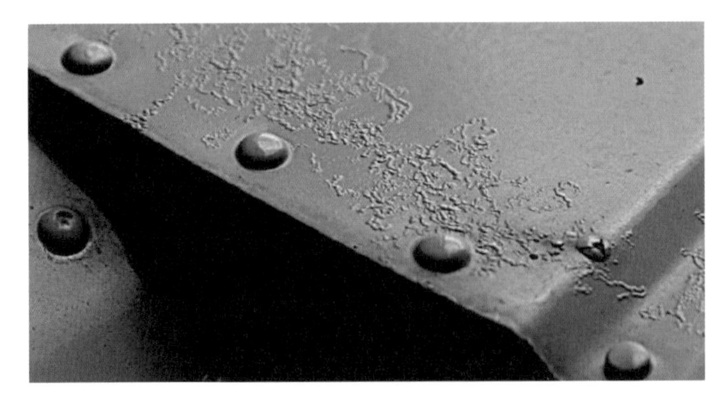

그림 2-3 필리폼 부식

2.2 이질 금속간 부식(Dissimilar Metal Corrosion)

광범위하게 표면이 떨어져나가는 손상은 전도체가 이질 금속들 사이에 접촉하여 부식을 진행시킨다. 전식작용(Galvanic action)은 서로 다른 성질의 금속 표면에서 절연이 파괴되었거나 빠뜨려진 곳에 접촉이 일어나 발생한다. 전기 화학적 침식은 보이지 않는 곳에서 발생하는 경우가 많아 상당한 위험을 초래한다. 이러한 위험을 찾아내는 방법은 정기적인 분해 검사 방법이 효과적이다. 또한 기계적인 접촉에 의한 금속의 표면 손상이나 오염 또한 이질 금속간의 부식을 유발하는 원인이 되기도 한다.

그림 2-4 이질금속 간의 부식

2.3 입자간 부식(Intergranular Corrosion)

입자간 부식은 합금의 결정 경계(grain boundary)로 침식이 발생되며, 보통은 합금 구조물 성분의 불균일성이 그 원인이다. 균일성의 결여는 재료의 제조과정 동안에 가열, 냉각 작업 시에 합금에서 일어나는 변화에 기인하는 것이다. 입자간 부식은 보통 다른 부식처럼 눈에 띄는 표면의 흔적 없이 존재하게 된다. 그림 2-5와 같이 심각한 입자간 부식은 때때로 금속의 표면을 들뜨게 하는데 이것은 부식 부산물이 형성될 때 발생하는 압력에 의해 일어나는데 결정 경계가 얇은 조각이 갈라짐으로 인하여 표면에서 금속 조각들이 들뜨거나 떨어져 나간다. 입자간 부식은 부식 발생 초기 단계에서 검출해 내기가 어렵다.

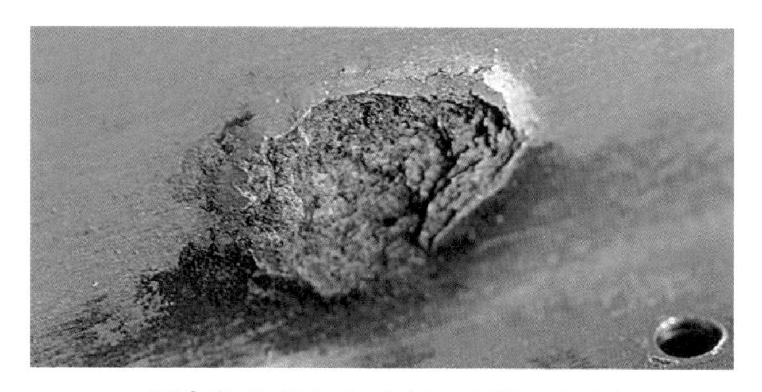

그림 2-5 입자 간 부식으로 인한 금속박리

2.4 응력 부식(Stress Corrosion)

응력 부식은 지속적인 인장 응력이 집중되고 부식 발생이 높은 환경이 공존하면서 발생한다. 응력 부식 균열은 대부분 금속 재료의 구성품에서 찾아볼 수 있지만, 특히 알루미늄, 구리, 스테인리스 강 그리고 240,000psi 이상의 고강도 합금강에서 많이 발생한다.

응력 부식은 보통 냉간가공 과정을 따라 일어나며 입자 내부 또는 입자간에 발생한다. 힘으로 끼워 넣는 부싱(bushing), 벨 크랭크(bell crank), 그리스 피팅(grease fitting), 쇼크 스트러트(shock strut), 클레비스(clevis), 접합부분(joint), B 너트

(B-nut) 등은 응력 부식 균열에 쉽게 노출된다.

2.5 마찰 부식(Fretting corrosion)

마찰 부식은 두 금속 간의 접합면에서 미세한 부딪힘이 지속되는 상대운동에 의하여 발생하며 부식성의 침식에 의해 손상되는 형태로 나타난다. 마찰 부식은 표면의 점식(pitting)과 가늘게 쪼개진 파편이 발생되는 특징을 가지고 있다. 그림 2-6과 같이 2개 표면의 상대운동은 제한된 영역에서 마멸이 발생하며 수분의 침투는 마찰 부식의 진행을 빠르게 한다. 베어링의 접촉면과 같이 접촉면이 작고 날카로운 형태인 경우 브리넬(Brinell) 표식을 닮은 깊은 가는 홈 또는 압축력에 의해 움푹 들어간 형태로 마모된다. 따라서 이런 종류의 부식을 펄스 브리네링(false brinelling)라고도 부른다.

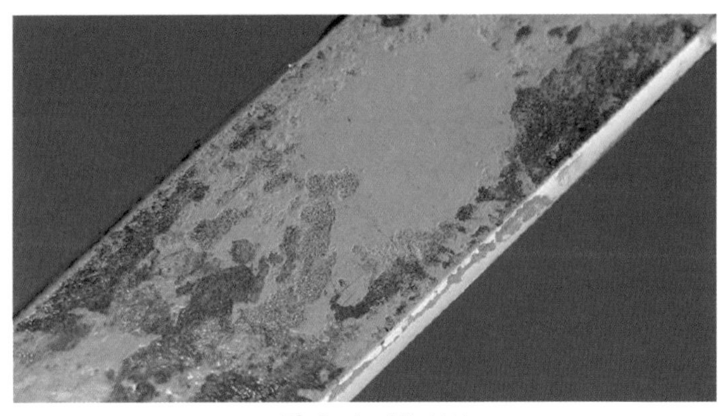

그림 2-6 마찰 부식

3. 부식 발생 요인(Factors Affecting Corrosion)

부식 발생의 많은 요인들이 금속 부식의 종류, 속도, 원인 및 심각성에 영향을 미친다. 이런 요인들은 통제될 수 있는 요인이 있고, 그렇게 할 수 없는 요인도 있다.

3.1 기후(Climate)

항공기가 운항하고 정비되는 주위 환경조건은 부식 특성에 많은 영향을 준다. 압도적인 해양환경(바닷물과 염분 공기)에서 습한 공기는 건조한 기후에서 대부분 운항을 행하는 것보다 항공기에 상당히 유해하다. 습도 요건에 대해서는 전기 화학적 침식의 속도는 덥고 습한 기후에서 증가하기 때문에 중요하다.

3.2 금속의 크기와 종류(Size and type of metal)

어떤 금속들은 다른 것들보다 빨리 부식된다는 것은 잘 알려진 사실이다. 금속의 크기와 모양의 변화는 그것의 부식저항에 간접적으로 영향을 미칠 수 있다는 것은 잘 알려지지 않은 사실이다.

물리적 특성의 변화가 더 크기 때문에 두꺼운 구조 부분이 얇은 부분보다 부식성 침식에 대해 더욱 민감하다. 큰 조각을 열처리한 후 기계적 또는 화학적으로 평삭할 때 얇은 부분이 두꺼운 부분보다 더 다른 물리적 특성을 가질 것이다.

부식 억제라는 입장에서 가장 좋은 접근책은 주요한 구조 부품의 완전성과 강도의 한계적 성질을 알아내는 것과 퇴화의 초기 침해를 방지하기 위해 언제나 그와 같은 부분에 영구적인 보호책을 유지시키는 것이다.

3.3 외부물질(Foreign Material)

부식이 시작되는 침식과 부식의 확대에 영향을 미치는 요소의 대표적인 것은 외부 오염 물질로서 정비 절차에 의해 충분히 관리할 수 있다. 외부 오염 물질은 다음과 같은 물질들이 포함된다.

(1) 흙과 대기중의 먼지
(2) 오일, 그리스 그리고 동력장치, 배기 잔유물
(3) 소금물 그리고 염분 습기의 응축
(4) 흘러내린 배터리 용액 그리고 세척액
(5) 용접, 땜질 등의 용재 찌꺼기

항공기를 항상 깨끗하게 유지하는 것이 중요하다. 얼마나 자주 또 얼마만한 범위로 항공기를 세척해야 될 것인지는 지리학적인 위치와 항공기의 종류 및 운항의 형태와 같은 여러 요인에 의해 좌우된다.

4. 부식 예방관리(Preventive Maintenance)

항공기의 내식성을 개선하기 위해 많은 방법들이 적용되는데 재료의 개선, 표면처리, 절연 그리고 마감처리 등이 있다. 이러한 방법들을 통해 구조부재의 신뢰성을 높일 뿐만 아니라 항공기 정비 비용의 절감 등을 목표로 한다. 이러한 개선활동에도 불구하고, 부식과 부식의 관리는 지속적인 예방정비를 필요로 하는 피할 수 없는 과제이다. 부식방지를 위한 예방 정비는 다음의 기능들을 포함한다.

(1) **적절한 세척**
(2) **철저히 주기적인 윤활**
(3) **부식과 파손에 대한 정밀한 검사**
(4) **부식의 신속한 처리와 손상된 페인트**(paint) **부분의 터치업**(touch up)
(5) **항공기 하부에 장착된 드레인 홀**(drain hole) **유지**
(6) **연료 탱크의** sump drain
(7) **오염원에 노출된 취약 부분의 클리닝**(wipe)
(8) **수분 침투 예방을 위한 항공기** sealing **상태 유지와 적절한 환기 유지**
(9) **주기된**(parking) **항공기에 보호용** cover**의 최대한의 사용**

장기 저장 상태에 들어간 항공기의 경우 오랫동안 부식 예방관리 절차를 수행하지 않으면 항공기를 비행 가능한 상태로 환원하기는 어려울 것이다. 이처럼 정기적으로 부식 발생 취약 부분은 일상점검의 형태를 적용하여 주기적인 부식 예방관리 절차의 수행이 요구된다.

4.1 검사(Inspection)

부식에 대한 검사는 지속적으로 수행되어야 하는 일상적인 업무로서 부식이 발견되면 심각한 문제로 인식해야 하고, 지속적인 관리가 이루어지지 않으면 복구하는데 더 많은 비용이 투입되어야 하는 문제로 확대될 수 있다. 부식 발생을 예방하기 위한 절차는 항공기 기체와 엔진을 포함하며 보통 구역별 점검(Zonal Inspection)으로 운영된다.

5. 부식 경향 부분(Corrosion prone Area)

대부분의 항공기에서 부식이 발생하기 쉬운 부분에 대하여 정비 교범을 참고하여 항공기 형식별 특성을 포함하여 관리해야 한다.

5.1 배기구 부분(Exhaust trail area)

제트와 왕복엔진 모두의 배기 오염물질들은 부식성이 상당하고 배기의 통로에 위치한 Gap, Hinge, Exhaust pipe, 및 Fairing, Nozzle 등이 포함되며 부식을 예방하기 위한 관심을 가져야 할 부분이다. 이러한 부분의 정확한 점검을 위해서 점검창을 분리한 후 세밀한 검사가 이루어져야 한다. 배기구에서 떨어져 있는 꼬리 쪽 동체 부분에 생긴 배기 오염물을 못보고 지나쳐 버려서는 안 된다. 점검절차에서는 제외되기 쉬우나 부식이 서서히 진행되어 결국 큰 결함으로 나타날 수 있다는 사실을 상기해야 한다.

그림 2-7 배기구 부분

5.2 배터리실과 배터리 환기구 주변 (Battery Compartments and Battery vent Opening)

보호를 위한 페인트 칠 및 밀폐와 환기 조치로 개선했음에도 불구하고 배터리 실은 계속 부식에 대한 문제거리가 된다. 과열된 전해액으로부터 나오는 증기와 누설된 전해액은 주위의 공간으로 퍼져 모든 금속 표면에 급속히 부식성 침식을 초래하게 된다. 따라서 전해액의 피해를 예방하기 위해서는 배터리실과 환기구 주변에 대해 주기적인 세척과 중화작업이 반드시 필요하다.

5.3 항공기 바닥 부분(Bilge area)

항공기 바닥 부분은 작동유, 물, 오염물질들이 자연스럽게 모여드는 공간이다. 이곳은 세심한 관리가 요구되는 부분으로 심각한 항공기 표면의 파단으로 이어질 수 있는 부식의 취약 부분이다. 또한 이 부분은 스트링거, 링, 프레임, 스킨 등 기체 구조가 결합되는 부분으로 화학적 피막, 프라이머 그리고 부식방지 용액 등을 추가적으로 도포해야 하는 등 관리가 필요하다. 또한 하부에 마련된 드레인 홀이 막히지 않도록 오염물의 제거 등의 관리도 추가되어야 한다.

5.4 휠 웰과 착륙 장치(Wheel well & Landing gear)

이 부분은 항공기의 어떤 다른 부분보다 진흙, 물, 염분, 자갈 및 기타 파편 등에 의해 더 많은 침해가 발생한다. 따라서 휠 웰과 착륙 장치 부분은 부식방지를 위한 특별한 관리가 필요하다.

복잡한 구성물들의 연결 때문에 완전히 페인트를 칠하기 어렵고 작동유, 연료, 그리스 등 오염 물질로 인한 페인트의 벗겨짐 등으로 갖가지 형태의 부식의 위험성에 노출되어 있으므로 주기적인 세척 관리 프로그램이 적용되고 있으며, 세척 작업 후 잔류 세척제가 남지 않도록 세심한 주의가 필요하다. 또한, 브레이크 작용에 의해 발생되는 열과 반응할 수 있기 때문에 부식 방지제의 사용이 제한되며 다음에 열거하는 부분들을 주의 깊게 점검하여야 한다.

(1) 마그네슘 휠, 특히 볼트 헤드(bolt head), 러그(lug) 및 휠 웹(wheel web) 부분

(2) Tube, B-nut, Clamp와 튜브 식별 데칼의 밑 부분
(3) Position Indicator Switch
(4) 수분이 침투하기 쉬운 구조부, 외부 표면의 갈라진 틈

5.5 물이 고이는 부분(Water Entrapment Area)

항공기 설계 시부터 항공기 하부에 모인 수분이 배출될 수 있는 드레인 홀이 장착되어야 하는 조건을 부여하였으며, 장착된 드레인 홀은 주기적인 점검 절차에 포함되어야 한다. 적절한 점검 절차의 수행은 모인 찌꺼기, 오염 물질 등으로 홀의 막힘 현상을 제거함으로써 항공기 하부 취약 부분에 발생할 수 있는 부식의 영향을 제거할 수 있다.

5.6 엔진 전면 부분과 냉각공기 환기 부분 (Engine front area & Cooling air vent)

엔진 흡입구 부분은 비행 중 공기와 활주 중 작은 모래 등과의 마찰 그리고 오염 물질들로 인하여 지속적인 침식의 위험에 노출되어 있어 주기적인 점검이 필요하다.

5.7 외부 표면 부분(External skin Area)

항공기 외부 표면의 부식 검사와 정비는 다른 부분들보다 쉽게 생각할 수 있는데, 제작 상태에서 시간이 지나면서 발생하는 페인트의 벗겨짐, 수리를 위한 작업을 수행하면서 발생하는 드릴 가공, 리벳 작업 절차를 기골 수리 교범에 맞게 수행하지 않는다면 이러한 부분을 통하여 부식의 발생 가능성이 높아지게 된다.

그림 2-8과 같이 피아노형 힌지의 핀과 알루미늄 힌지는 이질 금속의 접촉에 의한 부식이 발생할 수 있기 때문에 주의 깊은 점검이 요구되며 적절한 윤활제의 사용을 통하여 부식 방지 처리를 하여야 한다. 점(spot) 용접에 의해 접합된 금속 표면의 부

식은 금속 표면 사이에 자리 잡은 부식성 물질에 의해 발생된다. 이러한 부식은 갈라진 틈에 나타나는 부식 생성물에 의해 발견된다.

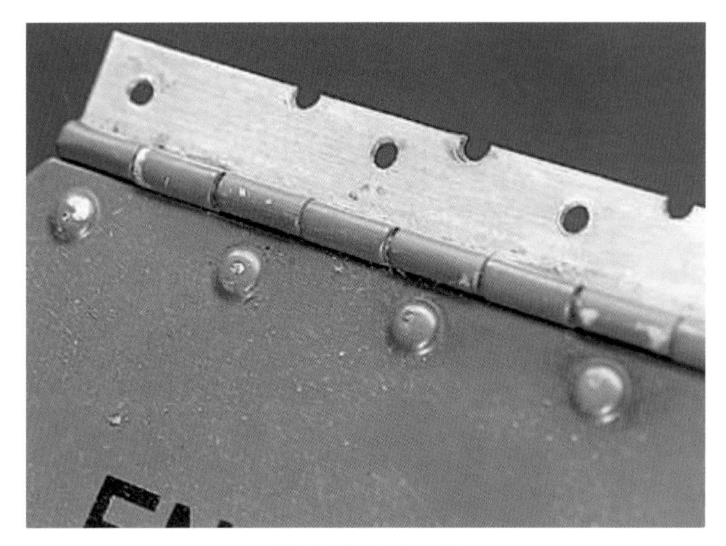

그림 2-8 피아노 힌지

부식이 더욱 커지게 된다면 표면을 주름지게 하고 결국에는 점용접을 떨어지게 한다. 초기 단계에 있는 표면의 주름은 점 용접된 부위를 따라 관찰하거나 또는 스트레이트 에이지(straight edge)를 사용함으로써 탐지할 수 있다. 이러한 조건을 방지하기 위해서 접합된 부분과 점 용접의 실수로 생긴 구멍을 포함한 습기가 침투할 수 있는 잠재된 곳을 밀폐제 또는 적절한 방부제로 메꾸는 방법을 사용할 수 있다.

5.8 기타 장애 부분(Miscellaneous Trouble Area)

헬리콥터의 로터 헤드(rotor head)와 기어박스(gear box) 뿐만 아니라 벗겨진 강철 표면을 포함한 빈번하게 노출되는 요소들, 많은 외부 작동 부품들 및 이질 금속 접촉면 등 이런 부분들은 부식의 형태에 대해 자주 점검이 이루어져야 한다. 적절한 정비, 윤활 및 방부제 피막의 사용은 이러한 부분에 대해 부식을 억제시킬 수 있다.

저탄소강이거나 내식강을 막론하고 모든 조종 케이블(control cable)은 매 점검 주기 때마다 그들의 상태를 알기 위하여 검사하여야 한다. 케이블은 솔벤트를 적신 헝겊으로 짧게 부분 부분 손에 잡히는 대로 세척해 가며 검사해야 한다. 만일 외부적인 부식이 발견되면 케이블 장력을 늦추고 이 케이블은 내부적 부식에 대해 검사를 받아야 한다. 내부로 부식된 케이블은 교환해야 하고, 가벼운 외부적 부식은 스틸 와이어 브러시(steel wire brush)로 제거해야 한다. 부식 생성물을 제거했을 때는 방부제로 케이블에 재코팅을 입혀야 한다.

6. 부식 처리(Corrosion Removal)

일반적으로 완벽한 부식처리는 다음 사항을 포함한다.

(1) 부식된 부분의 세척과 벗겨내기 작업
(2) 최대한 많은 부식 생성물을 제거하기
(3) 움푹 패인 곳과 갈라진 틈 속에 남아있는 잔유물 제거와 중화 작업
(4) 제거된 부분의 보호막 재생 작업
(5) 부식 방지 코팅 및 페인트 작업

6.1 표면 세척과 페인트 제거 (Surface cleaning & Paint removal)

부식 제거 작업을 할 때는 침식이 발생된 부분뿐만 아니라 부식이 의심되는 부분까지 보호막을 제거해야 한다. 부식 생성물의 완전한 제거를 위해서는 부식 발생 부분에 존재하는 그리스, 오일, 오염물과 방부제를 깨끗하게 제거해야 한다. 이러한 세척 작업은 부식 손상 부위 전체가 드러날 수 있도록 해야 하며 정확한 판정 작업을 할 수 있도록 한다.

세척 작업에 사용하고자 하는 세척제의 종류는 제거하고자 하는 부식 물질의 종류에 따라서 선택되는데, 최근 환경오염에 대한 걱정으로 인하여 수용성 물질과 중독성이 없는 세척 화합물의 사용이 선호되고 있다. 폭넓게 사용되는 수용성 세척제는 대부분 세척 작업에 사용할 수 있다. 항공기 구조에 최소한의 영향을 주면서 페인트를 벗겨 낼 수 있는 친환경 제거제가 사용된다.

넓은 지역에 화학적 페인트 제거 작업을 할 경우는 가능하면 그늘진 옥외에서 적절한 환기를 확보하고 실시해야 한다.

이 때 항공기의 Tire, Fabric 또는 Acrylic을 포함한 합성 고무 표면에 페인트 제거 용액이 접촉하지 않도록 최대한 주의해야 한다. 그리고 제거제는 항공기에 적용된 밀폐제의 기능을 약화시킬 수 있고 방수 및 가스 누출을 막기 위한 이음 부분의 손

상을 유발할 수 있기 때문에 숙달된 작업 능력이 요구된다. 이때 제거된 이물질들이 중간 중간에 위치한 드레인 홀을 막지 않도록 주의 깊게 살펴봐야 한다. 페인트 제거제는 독성을 포함하고 있으며 피부와 눈 모두에 위험한 성분을 함유하고 있으므로 고무장갑을 사용하고 보안경을 착용하는 작업자를 보호하기 위한 보호구를 상시 착용하도록 한다. 일반적인 페인트 제거 작업의 절차는 다음과 같다.

(1) 1/32~1/16in 의 깊이로 벗겨 내고자 하는 전체 영역에 솔질을 실시한다. 페인트 제거제는 페인트 붓을 활용하며 이때 사용된 붓은 다른 목적으로 재사용해서는 안 된다.

(2) 페인트 제거제를 도포한 후 충분한 시간 동안 표면에 남아 있도록 유지하면 페인트가 부분 부분 일어나게 되는데 온도와 습도 등 그날의 환경에 따라서 10분에서 수 시간 동안 유지되는 것이 요구되기도 한다. 효과를 높이기 위하여 강한 붓에 제거제를 발라 표면을 세게 문지르면서 도포한다.

(3) 페인트가 남아 있는 부분은 강한 붓에 제거제를 발라 반복해서 도포하도록 하고, 잘 벗겨지지 않는 부분은 비금속 재질의 스크레퍼를 활용하여 제거할 수 있으며, 연마용 수세미를 활용하여 깨끗하게 제거할 수 있다.

(4) 물, 빗자루, 붓과 연마용 부직포 패드로 부드러워진 페인트를 제거할 수 있고 분무기가 사용 가능할 경우 저압이나 중압으로 직접 물을 분사하면서 페인트를 문지르면서 제거한다. 만약 증기 세척 장비를 사용할 경우 넓은 지역에서 실시하여야 한다.

7. 철금속의 부식(Corrosion of Ferrous Metals)

가장 일반적인 부식의 일종은 일반적으로 강철 표면에 대기 중 산화작용으로 발생되는 산화철(녹)이다. 일부 금속 산화물은 산화피막 하부의 모재를 보호하기도 하지만 일반적인 녹은 어떠한 가공물 입장에서도 보호용 피막은 아니다. 녹의 존재는 공기로부터 수분을 끌어당겨 추가적인 부식의 촉매제 역할을 한다. 만약 부식성의 침식을 완전히 제거하기 원한다면 모든 강제 표면으로부터 녹을 제거해야 한다. 그림 2-9와 같은 녹은 제일 먼저 볼트나 너트의 나사산 등 보호되지 않는 하드웨어에 주로 나타나며 이러한 녹의 발생이 위험한 것은 아니고 주요 부품의 구조 강도에 즉각적인 악영향을 주지는 않는다.

녹 찌꺼기들은 주변의 다른 금속 부품들의 부식의 원인이 되고 부식을 촉진시키는 역할을 한다. 이렇듯 녹은 심각한 부식의 가능성을 나타내고 정비의 필요성을 강하게 대변하는 것이고 장비의 일반적인 상태를 말해주는 지표로서 작용하기도 한다. 페인트가 벗겨지거나 부품의 기계적인 손상이 발생한 상태에서 공기 중에 노출되면 아주 작은 녹이라 할지라도 잠재적인 위험 요소이며 적극적인 정비 작업으로 제거되어야 한다.

그림 2-9 Rust(녹)

7.1 철금속의 기계적 부식 제거 (Mechanical Removal of Iron rust)

철금속의 부식을 제어하는 가장 좋은 방법은 기계적으로 부식 생성물을 완전하게 제거하고 부식 방지제를 활용하여 표면의 보호막을 복원시키는 방법이다. 심하게 부식된 철 금속의 표면을 제외하고는 연마지와 연마제, 와이어 브러시 등을 활용하여 제거할 수 있다. 그러나 연마제를 사용하여 제거한 뒤, 홈과 가느다란 틈에 남겨진 녹 부산물들을 전부 제거할 수 없으며, 연마제와 기계적인 연마 작업만으로 모든 부식 생성물을 제거하는 것은 불가능하다. 일반적인 연마의 방법으로 부품의 녹을 제거하고 세척한 상태라면 더욱 쉽게 부식이 재 발생할 것이다.

그림 2-10과 같은 부직포 수세미는 표면 녹 제거를 더욱 다양한 방법으로 선택할 수 있게 해준다. 수세미는 전동공구와 함께 사용되거나 수작업에 단독으로 사용될 수 있고 절을 함유한 부품의 부식을 제거하기 위해 오일과 함께 사용할 수 있다.

그림 2-10 부직포 수세미

7.2 녹의 화학적 제거(Chemical Removal of Rust)

최근 환경에 대한 관심이 높아지고 있으며 녹 제거 방법도 영향을 받아 비가성의 화학적 녹 제거 방법의 중요성이 증가하고 있다. 모재를 화학적인 변화 없이 산화철을 적극적으로 제거시키는 다양한 상업용 제거제들의 선택을 고려하게 되었다. 일반적으로 모든 녹을 제거하는 것은 불가능하므로 철 금속 제품에 발생한 녹을 제거하기 위해서는 제품을 장탈하여 완벽하게 녹을 제거하는 방법을 활용하여야 한다. 부식성의 녹 제거제를 사용할 때 비철금속으로부터 분리시키는 것이 필요할 것이고 아마도 정확한 치수에 대한 검사를 필요로 하게 될 것이다.

7.3 강철의 화학적 표면 처리 (Chemical Surface Treatment of Steel)

인산염을 활용하여 녹의 발생을 보호막으로 변환시키는 방법이 입증되었고, 상용화된 화학 물질 중 사용으로 인한 공차가 심각하지 않고 잔여 물질의 세척과 중화가 가능한 녹 제거 제품이 있다. 이러한 녹 제거 제품은 철 금속 부품이 장착된 상태에서 사용하는 것은 아니며 장착된 상태로 화학적인 억제제의 사용은 상당한 위험을 초래할 수 있다. 이러한 제품을 일상적인 환경에서 사용하는 것은 부식성 물질의 잔류와 조절되지 못한 침식의 위험성이 크기 때문에 사용하지 않는 것보다 못한 결과를 가져올 수 있다.

7.4 고 응력 강철류의 부식 제거 (Removal of Corrosion from Highly stressed steel Part)

큰 응력이 가해진 철 금속 부품의 표면에 존재하는 부식은 잠재적인 위험 요소이며 부식 생성물을 조심스럽게 제거해야 된다. 표면의 긁힘이나 가열에 의한 표면 구조의 변화는 그 부품의 급격한 파손의 원인이 될 수 있다. 부식 생성물은 가는 석질 산화알루미늄과 같은 부드러운 연마지 또는 연마제를 사용하여 조심스러운 공정으로 제거되어야 한다. 연마용 수세미도 사용할 수 있으며, 철 금속 제품의 연마작업 시에는 가열되지 않도록 주의해서 작업하여야 하고, 작업 후에는 보호용 페인트 작업을 마무리해야 한다.

8. 알루미늄과 그 합금의 부식 (Corrosion of Aluminum & Aluminum alloy)

알루미늄 표면에 발생하는 부식은 흰색의 생성물이 발생하고 일반적으로 원래의 모재보다 부피가 늘어나는 형상으로 나타나기 때문에 쉽게 발견할 수 있으며 부식 발생 초기에도 에칭(Etching), 떨어져 나간 부분, 거칠어진 표면 등으로 나타난다.

알루미늄 합금은 일반적으로 0.001 ~ 0.0025in 두께의 매끄러운 표면에 산화 현상이 나타나는데 이러한 현상은 심각하게 다루는 부식들과는 다른 성질이며, 표면의 코팅 처리는 부식 발생 원인 물질의 침투를 막아주는 방어벽을 만들어 준다.

알루미늄의 일반적인 표면 부식은 비교적 속도가 느리지만, 침투한 염분 성분에 의해 그 발생 속도를 빠르게 만든다. 좀 더 심각한 부식은 보통 구조 강도의 극심한 손실이 전개되기 전에 발생한다. 알루미늄 합금의 부식 중에서 심각하게 다루어져야 할 세 가지 형태는 알루미늄 튜브의 벽에 발생하는 핏 타입(Pit-Type) 부식, 지속적인 응력 발생으로 인한 재료의 응력부식균열(Stress-Corrosion Cracking) 그리고 알루미늄 합금의 특성을 벗어난 부적절한 열처리로 인한 입자 간 부식(Inter Granular Attack)이다.

알루미늄의 부식은 항공기에서 발생하는 다양한 구조재료의 부식과 비교할 때 효과적으로 발생된 부식을 관리할 수 있다. 일반적으로 부식방지 처리는 부식 생성물의 최대한의 기계적 방법의 제거, 화학적 용제를 할용한 진류 부식 생성물의 제거 그리고 부식 방지제의 도포 등의 순서로 복원이 진행된다.

8.1 페인트 안 된 알루미늄 표면의 처리 (Treatment of Unpainted Aluminum Surface)

순수 알루미늄은 강도 증가를 위해 만들어진 알루미늄 합금에 비해 상당히 큰 내부식성(Corrosion-Resistance)을 갖는다. 이러한 이점을 확보하기 위해 알루미늄 합금 표면에 순수 알루미늄을 접착, 코팅 처리한다. 순수 알루미늄으로 보호 처리된 표면은 부식에 양호한 저항성을 가지며 알크래드(Alclad)라 부른다. 순수 알루미늄으로 코팅된 표면은 광택을 만들어준 상태로 사용될 수 있다. 이러한 알크래드 표면은 세척 시에 손상되지 않도록 보호되어야 한다. 내부에 존재하는 알루미늄의 합금 부분이 노출되지 않도록 세심한 관리가 필요하다.

알크래드 합금 부분의 알루미늄의 부식 처리 방법은 다음 순서와 같다.

(1) 적절한 부드러운 클리너를 활용하여 알루미늄 표면의 오일과 오물을 제거한다. 클리너를 선택할 때는 알루미늄 판재의 접합부 사이에 잔류하여 부식의 원인 물질로 작용할 수 있기 때문에 신중하게 선택하여야 하며, 중성의 ph 제품을 사용할 것을 권장한다.
(2) 고운 연마제 또는 금속 광택제를 활용해 부식 발생 부분을 손으로 닦아낸다. 알크래드 처리된 항공기 표면 광택 생성을 위해 만들어진 금속 광택제를 사용할 때에는 양극산화 피막(Anodized Film) 처리된 부분에 사용하는 것은 금지해야 한다. 금속 광택제의 연마제는 양극 처리된 피막을 제거하기에 충분한 연마성을 가지고 있다. 금속 광택제는 효과적으로 부식 얼룩을 제거하고, 알크래드 표면에 페인트 처리를 하지 않고 반짝거리는 윤이 난 상태로 사용 가능하도록 하는데 효과적이다.
(3) 부식 방지제를 활용하여 표면 부식을 처리한다. 부식 방지제는 중크롬산나트륨(Sodium Dichromate)과 3산화물 크롬(Chromium Trioxide)을 사용하며 5~20분 동안 부식 발생부분에 도포한 상태에서 화학 작용이 일어나도록 노출시킨 후 방지제를 제거한 후 깨끗한 수건으로 닦아낸다.
(4) 방수 왁스로 표면에 광택과 보호막 코팅을 만들어준다.

페인트칠을 하는 알루미늄 표면은 더욱 강한 화학 물질을 활용한 세척 절차에 노출될 수 있고, 내부 표면의 부식방지 처리는 페인트 칠을 하기 전에 가능하며 일반적인 적용 절차는 다음과 같다.

(1) 일반적인 세척 방법에 따라서 부식 방지 처리 전에 오물과 그리스 찌꺼기 등을 세심하게 제거한다.
(2) 부식방지 처리를 적용할 부분에 페인트가 남아 있다면 페인트 제거제(Paint

Remover)를 활용하여 제거한다.

(3) 크롬산(Chromic Acid)과 유산(Sulphuric Acid)의 10% 용액으로 외부 표면의 부식 발생 부분을 처리한다. 걸레 또는 브러시로 용액을 바른 후 부식 발생 부분을 세게 문지른다. 뻣뻣한 브러시를 활용하면 대부분의 부식물들을 분해시키거나 제거할 수 있고 갈라진 틈이나 숨겨진 부분까지 용제를 침투시켜서 쉽게 제거할 수 있다. 적어도 5분 동안 크롬산이 작용할 수 있도록 유지한 후 물로 씻어 내리거나 젖은 수건으로 여분의 용제를 제거한다.

(4) 이렇게 처리된 표면은 건조시키고 항공기의 제작서 절차에 따라 보호막을 복원시킨 후 페인트 칠을 한다.

8.2 양극처리된 표면의 처리 (Treatment of Anodized Surface)

앞에서 기술한 바와 같이 양극산화 처리는 알루미늄 합금의 일반적인 표면 처리 방법 중의 하나이며 양극산화 처리된 부분의 손상은 다시 화학적인 방법으로 복원시킬 수 있다. 수리를 할 경우 해당된 부분 이외의 산화 피막이 손상되지 않도록 주의가 필요하며, 철제 섬유, 와이어 브러시 또는 연마제를 사용하지 말아야 한다. 보통 연마용 수세미는 일반적으로 양극산화 처리된 표면의 부식의 세척에 사용되는 도구로서 알루미늄 섬유, 와이어 브러시 등을 대체한다. 인접한 보호 피막의 불필요한 손상을 막기 위해 세척 작업도 주의 깊게 수행해야 하며 보호 피막이 유지되도록 가능한 방법을 취해야 한다.

8.3 열처리된 알루미늄합금 표면의 입자 간 부식 처리 (Treatment of Inter-granular Corrosion in Heat-treated Aluminum Alloy Surface)

앞에서 언급한 것처럼 입자간 부식은 불충분하거나 부적당하게 열처리된 합금의 결정 경계에 발생한 부식이다. 입자간 부식의 심각한 형태는 그림 2-6처럼 금속의 층간 부풀어 오름 같은 들어 올려지는 현상이 발생한다. 세밀한 세척 절차는 입자간 부식 발생 부분에 필수적인 절차이다. 부식 생성물과 눈에 보이는 얇은 층으로 갈라진 금속 층의 기계적인 제거는 부식의 정도와 구조 강도의 평가를 위해 제거되어야 하며 부식의 깊이와 제거의 한계는 정비 교범을 적용한다.

그림 2-11 마그네슘 부식

9. 마그네슘 합금의 부식 (Corrosion of Magnesium Alloy)

마그네슘 합금은 항공기 구조물에 사용되는 금속 재료 중에서 화학적으로 가장 활동적인 재질이며 보호하기에도 어려운 물질이다. 보호막의 훼손은 구조 손상을 피하기 위해 신속하고 완벽한 복구 작업이 필요하다. 마그네슘 부식은 부식 생성물이 원래의 마그네슘 금속보다 부피가 몇 배 크게 나타나는 특징으로 인해 초기 단계에 쉽게 부식현상의 발생을 찾아낼 수 있는 타입이다. 그림 2-11과 같이 마그네슘 부식의 시작은 페인트의 들어 올림과 마그네슘 표면의 흰색 반점으로 나타나며 눈(snow)과 같은 결정과 흰색 콧수염 모양의 부식 진행으로 빠르게 진전된다. 이러한 마그네슘 합금의 부식 처리는 부식 생성물의 제거, 약품 처리를 통한 표면 코팅의 부분적인 복원과 보호막의 재적용을 포함한다.

9.1 단조된 마그네슘 판금과 단조물의 처리 (Treatment of Wrought Magnesium Sheet & Forging)

마그네슘 판재의 부식은 보통 패널 가장자리 주위, 와셔의 아래, 전단, 드릴 홀 작업과 충격 등에 의한 물리적으로 손상된 지역에서 발생한다. 만약 외판이 쉽게 장탈이 가능하다면 떼어내어 완벽한 수리작업을 실시하도록 한다. 보호막 역할의 와셔가 사용되었다면 스크루는 그 와셔의 아랫부분의 마그네슘 부분의 부식 제거를 위해 충분하게 풀어야 한다. 부식 생성물의 완전한 기계적인 제거는 가능한 충분하게 수행되어야 한다. 뻣뻣한 브러시, 연마용 수세미를 포함한 비금속성의 세척 도구를 활용하여야 하고 어떠한 경우라도 철제 공구, 알루미늄 공구, 철, 청동 등과 다른 금속에 사용된 연마용 수세미는 마그네슘을 세척하는데 사용하지 말아야 한다. 이러한 경우 마그네슘 합금 표면에 부착된 오염 물질은 초기의 부식성 침식보다 더 큰 부식 발생의 원인이 될 수 있다. 부식이 발생한 마그네슘의 일반적인 처리 방법은 다음과 같다.

(1) 처리하고자 하는 부분의 페인트를 제거하고 세척한다.

(2) 뻣뻣한 브러시 또는 연마용 수세미를 사용하여 제거할 수 있는 만큼 부식 생성물을 제거한다. 이때 철제 브러시, 연마제 또는 절단 공구를 사용하면 안 된다.

(3) 황산(Sulfuric Acid)을 첨가한 크롬산 용액으로 부식된 부분을 처리하고, 크롬산 용액으로 적셔진 상태에서 페인 부분 등을 비금속의 브러시를 사용해 잔류물을 제거한다.

(4) 5~20분 동안 크롬산 용액에 노출 시킨 후 페인트의 들 뜸 현상 등이 일어나지 않도록 깨끗하고 축축한 수건으로 잔류물을 제거한다.

(5) 표면이 건조된 후 바로 페인트를 복원한다.

9.2 마그네슘 주조물의 처리 (Treatment of Installed Magnesium Casting)

일반적으로 마그네슘 주조물은 마그네슘 판제보다 더 다공성 형태를 가지고 있으며 부식 발생이 쉬운 경향이 있다. 그러나 엔진 케이스, 벨 크랭크, 피팅(Fitting) 그리고 다양한 덮개 또는 판재에 사용되는 마그네슘 주조물에 발생하는 부식의 처리방법은 앞서 제시한 마그네슘의 일반적 처리방법이 적용된다.

주조물에 위험한 부식이 발생하면 가장 빠른 처리 방법은 침투 물질을 제거하는 것이다. 만약 엔진 케이스가 밤새도록 소금물에 잠겨 있었다면, 이 케이스는 염분이 내부까지 침투되어 있을 것이고, 이럴 경우 가능한 케이스를 전부 분해한 후 효과적인 부식방지 처리를 수행해야 할 것이다. 일반적인 처리 절차는 앞서 설명한 마그네슘 판재의 부식 방지 처리 절차를 따르도록 한다.

만약 구조부의 주조물로부터 과도한 부식 발생물의 제거가 이루어질 경우 제작사의 기준에 맞는 점검 절차가 수행되어야 하며 구조 강도의 적합성을 점검하여야 한다. 특정한 기골 수리 교범에는 주요 구조 부재의 공차 한계가 포함되며, 안전에 대한 의문이 있을 때 참고하도록 한다.

10. 티타늄과 티타늄 합금의 부식처리 (Treatment of Titanium & Titanium Alloy)

타타늄 합금의 부식은 일반적으로 발견해 내기 어렵다. 본래 티타늄 합금은 내식성이 강하지만 고온에서 염분 부착물에 노출될 경우, 금속물의 불순물이 있을 경우 부식이 발생하게 된다. 세척 작업에서 티타늄 합금의 부식 제거를 위해 강모(Steel wire), 스크레퍼(Iron Scraper) 또는 철 브리시는 사용이 금지된다.

티타늄 합금의 세척이 필요한 경우 알루미늄 광택제, 부드러운 연마제를 활용해서 손으로 연마작업을 할 수 있으며, 섬유 브러시를 사용할 경우 중크롬산나트륨의 적용후에 허용할 수 있다. 여분의 용액 제거를 위해서 마른 천을 활용하여 표면을 닦아내야 하고 이때 물 사용은 피해야 한다.

11. 이질 금속간 접촉의 보호 (Protection of Dissimilar Metal Contacts)

금속들은 다른 금속과 접촉을 통해 부식이 발생할 수 있다. 이러한 현상은 대개 전기적 부식 또는 이질 금속간 부식으로 알려져 있다. 서로 다른 나금속(Bare Metal)의 접촉은 습기가 존재할 때 전해 작용을 만들어 낸다. 만약 습기가 소금 성분이 있을 경우 전해 작용은 가속된다.

이질금속의 접촉의 결과는 한쪽 또는 양쪽 금속의 산화에 의해 일어난다. 그림 2-12는 보호를 위해 분리되어야 하는 재료의 조합을 나타내며 분리되는 재료는 금속의 종류에 따라 금속 프라이머, 알루미늄 테이프, 와셔, 그리스 또는 밀폐제가 된다.

Contacting Metals	Aluminium alloy	Calcium plate	Zinc plate	Carbon and alloy steels	Lead	Tin coating	Copper and alloys	Nickel and alloys	Titanium and alloys	Chromium plate	Corrosion resisting steel	Magnesium alloys
Aluminium alloy												
Calcium plate												
Zinc plate												
Carbon and alloy steels												
Lead												
Tin coating												
Copper and alloys												
Nickel and alloys												
Titanium and alloys												
Chromium plate												
Corrosion resisting steel												
Magnesium alloys												

그림 2-12 전해부식을 초래하는 이질금속 간 접촉

11.1 마그네슘을 포함하지 않은 접촉 (Contacts not involving Magnesium)

마그네슘을 포함하지 않는 모든 접합 점은 보통의 요구사항에 추가하여 최소한 두 번의 크롬산 아연(Zinc Chromate) 또는 에폭시 프라이머(Epoxy Primer)에 의해 보호된다. 프라이머는 브러시 또는 스프레이로 바르고 6시간의 공기 건조를 실시한다.

11.2 마그네슘이 포함된 접촉 (Contacts involving Magnesium)

마그네슘이 포함된 곳에서 이질금속 접촉부분의 부식 방지를 위해 각각의 표면을 다음과 같이 격리시킨다.

적어도 크롬산 아연 또는 에폭시 프라이머를 두 번 코팅한다. 그런 다음 두께가 0.003inch 인 접착테이프를 다시 오므라들지 않도록 잡아당기지 않은 상태에서 바른다. 테이프의 두께가 부품의 조립에 방해가 될 때, 즉 상대운동이 존재하는 곳 또는 250°F 이상의 사용 온도가 예상되는 곳에는 테이프를 사용하지 말고 최소 세 번의 프라이머를 발라준다.

12. 부식의 한계(Corrosion Limits)

사소한 부식이라 하더라도 부식은 결함이다. 부식에 의한 손상은 네 가지 형태로 분류한다.

(1) 가벼운 손상
(2) 패치 수리가 가능한 손상
(3) 삽입물로 수리가 가능한 손상
(4) 부품의 교체를 필요로 하는 손상

가벼운 손상이라는 용어는 수리가 필요 없는 손상을 의미하지 않고 적절한 세척, 부식방지 처리 및 페인트 작업이 요구된다. 일반적으로 가벼운 손상은 표면의 보호막에 상처를 남기거나 금속을 침식하는 부식을 말한다. 패치 수리가 가능한 손상과 삽입물로 수리가 가능한 손상은 부식이 확대된 손상을 말하며 기골수리 교범(Structure Repair Manual)에 따라 수리한다. 이렇듯 수리가 가능한 손상의 범위를 벗어난 경우 부분품(Component) 또는 구조물을 교체해야 한다.

13. 부식 방지에 사용되는 재료와 절차 (Processes & Materials used in Corrosion control)

13.1 금속 다듬질(Metal Finishing)

항공기 부품들은 거의 언제나 어떤 형태로든 제작사에 의하여 표면 다듬질 처리된다. 그 목적은 부식 저항을 갖게 함이지만 표면 다듬질은 마모저항을 증가시키거나 또는 페인트 칠 하기에 적합하게 한다.

거의 대부분의 경우 다듬질의 원형이 설비나 기타 제한 조건의 부적절로 인해 옥외에서 본래대로 유지 보관될 수는 없다. 그러나 그것들이 옥외에서 적절히 유지 보관되려면 또 부식방지에 이용되는 부분적으로 복원시키는 기술이 유효하려면 여러 가지 형태의 금속 다듬질법에 관해 이해할 필요가 있다.

13.2 표면 준비(Surface Preparation)

철제 부품에 대한 표면 처리는 오염물, 오일, 그리스, 산화물 그리고 습기 등 모든 흔적을 제거하기 위해 세척처리작업을 포함한다. 세척 처리 작업은 금속 표면의 마지막 마무리 작업 사이에 효과적인 표면 처리를 위하여 필요하며 기계적 세척과 화학적 세척으로 구분한다.

기계적 세척은 다음과 같은 방법이 사용되는데, 와이어 브러시, 모래 분사(Sandblasting) 또는 증기 분사(Vapor Blasting) 방법이 있다. 화학적 세척 방법은 모재가 세척 자업에 의해 벗겨지지 않기 때문에 기계적인 방법에 우선하여 선호된다. 현재 사용되는 여러 가지 화학적인 과정이 있고 재료, 이물질의 종류에 따라 세척액이 좌우된다.

철 부품은 도금 전에 산화물, 녹 또는 다른 이물질을 제거하기 위해 묽은 산 용액으로 닦는다. 염산액 또는 황산액이 사용된다. 산 세척 용액은 도자기 탱크에 보관하고 보통 증기 코일로 가열한다. 산 세척 후 전기도금 하지 않은 부품은 산 세척 용액으로부터 산(Acid)을 중화시키기 위해 석회조에 가라앉힌다.

전해세정(Electro-Cleaning)은 그리스, 오일 또는 유기물질을 제거하기 위해 사용되며 또 다른 방법의 화학 세척 방법이다. 전해세정 과정에서 금속은 특수한 습윤제, 억제제 그리고 전기 전도율을 마련하는 재료를 함유한 뜨거운 알칼리인(Alkaline) 용액에 매단다. 그 다음 전기는 전기도금에서 사용되는 것과 유사한 방법으로 용액을 거쳐 지나간다. 알루미늄과 마그네슘 부품 또한 전해세정 방법이 일부 사용된다.

연마제를 사용하는 분사 세척 방법은 얇은 알루미늄 판재 특히 알크래드에 적합하지 않고 Steel Grit은 알루미늄 또는 내 부식성 금속에 사용하지 않는다.

금속 표면의 마무리에는 연한 가죽으로 닦기, 착색, 연마 등이 주로 사용된다. 연마, 연한 가죽으로 닦는 작업은 전기도금을 위해 금속 표면을 준비할 때 사용되고 이 세 가지 방법은 금속 표면의 광택 작업의 마무리를 필요로 할 때 사용된다.

14. 화학적 처리(Chemical Treatment)

14.1 양극산화(Anodizing)

아노다이징은 도금하지 않은 알루미늄 표면의 가장 일반적인 표면 처리 방법으로 MIL-C-5541E 또는 AMS-C-5541에 의거해서 특별하게 설계된 시설물에서 수행한다. 알루미늄 산화피막을 형성하기 위해서 알루미늄 합금 판재 또는 주조물은 전해조(Electrolytic Bath)안에 (+)극을 형성한다.

알루미늄의 산화는 자연적으로 표면 보호 기능을 가지고 있으며, 아노다이징은 그 피막의 두께와 밀도를 증가시키는 역할을 한다. 사용 중에 산화 보호막이 손상되면 부분적인 표면 처리를 통해 복원할 수 있다. 항공정비사는 부식 제거를 위해 세척을 수행할 경우 산화 피막이 함께 제거되지 않도록 주의해야 한다.

양극산화 처리된 피막의 코팅은 훌륭한 부식 방지 기능을 제공한다. 피막 코팅은 부드럽고 쉽게 긁힐 수 있기 때문에 프라이머를 도포하기 전에 조심스럽게 다루어야 한다. 알루미늄 섬유, 알루미늄 산화물을 포함한 나일론 띠, 연마 수세미 또는 섬유털로 만든 브러시는 아노다이징 처리된 표면의 세척을 위해 사용되며, 철제 와이어 브러시, 철 섬유 등의 사용은 금지해야 한다. 반면에 아노다이징 처리된 표면은 다른 알루미늄의 마무리 작업과 동일한 방식을 적용한다. 추가적으로 아노다이징 처리가 마무리되면 프라이머와 페인트 작업이 바로 진행되어야 한다. 양극산화 처리된 표면은 낮은 전도성 특징을 갖고 있으며, 본딩(Bonding)의 연결이 필요할 경우 양극산화 피막을 제거하고 장착하여야 한다. 알크래드 표면에 페인트 도포가 필요할 경우 알크래드 표면에 양극산화 처리를 하고 페인트 도포 작업을 함으로써 도료가 잘 달라붙도록 한다.

14.2 알로다이징(Alodizing)

알로다이징은 내부식성과 페인트 접착성을 향상시키기 위한 간단한 화학 처리 방법이며, 이러한 편리성으로 인해 항공기 정비 현장에서 빠르게 아노다이징을 대체하고 있다.

절차는 산성 또는 알칼리성 클리너로 세척하는 전처리 작업이 필요하다. 전처리 작업에 사용된 클리너는 10~15초 동안 깨끗한 물로 헹굼 처리한다. 완전히 행구고 난 후 Alodine을 담그거나 뿌리거나 브러시 하여 바른다. 얇고 두꺼운 코팅의 두께정도는 구리 성분이 포함된 합금에서 올리브 그린 색까지의 범위로 나타난다. 알로다인 용액은 처음 15~30초 동안 냉수 또는 온수에 행구고 추가 10~15초 동안 후처리제 욕조(Deoxylyte Bath)에서 헹군다. 이 욕조는 알칼리성을 중화시키고 얇은 알로다인 표면을 만들고 건조하기 위한 목적으로 사용된다.

14.3 화학적 표면 처리와 억제제 (Chemical Surface Treatment &Inhibitors)

알루미늄 합금과 마그네슘 합금은 다양한 방법의 표면처리를 통해 기본적으로 보호된다. 철 금속은 제작 작업동안 표면 처리가 된다. 대부분 표면 코팅처리는 현장에서 실용적이지 않은 절차에 따라서만 복구할 수 있다. 그러나 보호막이 손상되어 부식이 발생된 부분은 다시 마무리 작업을 실시하기 전에 몇 가지 처리 절차를 필요로 한다.

표면처리용 화학제품의 용기에 붙여진 표식에는 그 성분이 가지고 있는 독성과 가연성에 대한 경고를 제공할 것이다. 그러나 그 표식에는 혼합 금기의 물질과 혼합된 경우 발생 가능한 위험까지 설명할 만큼 충분하지 않다. 또한 물질안전보건자료(MSDS, Material Safety Data Sheet)를 참고하여야 한다.

예를 들어 표면처리에 사용되는 일부 화학제품은 만약 부주의로 페인트 희석제와 섞였다면 격렬하게 반응할 것이다. 화학적인 표면처리제는 매우 주의 깊게 취급되어야 하고 정확한 혼합 방법이 적용되어야 한다.

14.4 크롬산 억제제(Chromic Acid Inhibitor)

소량의 황산으로 활성화시킨 크롬산의 10%의 용액은 노출되었거나 부식된 알루미늄 표면 처리에 효과적이다. 또한, 크롬산 용액은 마그네슘의 부식을 처리할 때에도 사용된다. 이러한 부식방지처리는 보호피막을 복원시키는데 도움이 된다. 부식처리는 가능한 곧바로 페인트 마무리 절차가 수행되어야 하고, 크롬산 처리가 수행된 당일을 넘기지 말아야 한다. 3산화크롬의 조각들은 강력한 산화성을 갖고 있는 산이다. 이것은 유기용제와 다른 인화물로부터 멀리 보관되어야 한다. 크롬산을 정리하는데 사용된 걸레도 완전한 세탁을 하거나 폐기한다.

14.5 중크롬산나트륨(Sodium Dichromate Solution)

알루미늄의 표면 처리를 위해 보다 작은 활동성의 약품은 중크롬산나트륨과 크롬산의 혼합물이다. 이 혼합물의 크롬산 억제제 보다 금속 표면을 적게 부식시킬 것이다.

14.6 화학물질의 표면처리(Chemical Surface Treatment)

다양한 공업용 활성화된 크롬산 화합물은 손상되었거나 부식된 알루미늄 표면의 현장에서의 처리를 위해 Specification Mil-C-5541 하에서 이용할 수 있다. 사용된 스펀지 또는 헝겊은 건조시킨 후 가능한 화재의 위험을 피하기 위해 완전히 헹구어졌다는 사실을 확인해야 한다.

15. 부식방지 도색작업(Protective Paint Finished)

양호한, 완전한 페인트 작업의 마무리는 금속표면과 부식성 물질의 사이에 가장 효과적인 방어벽 역할을 한다. 가장 보편적인 마무리는 Catalyzed Polyurethane Enamel, Waterborne Polyurethane Enamel과 Two part Epoxy Paint이다. 휘발성 유기화합물의 발산에 관련된 새로운 규정이 시행됨으로써 Waterborne Paint System이 대중화되었다.

16. 항공기 세척(Aircraft Cleaning)

항공기를 세척하는 것과 깨끗한 상태로 유지하는 것은 매우 중요하다. 항공정비사의 시각에서 볼 때 항공기 세척은 항공 정비의 영역으로 인식해야 한다. 항공기를 깨끗하게 유지하는 것은 더욱 정밀한 검사 결과를 얻을 수 있고, 심지어 조종사가 결함 발생이 임박한 구성품의 결함을 탐지해 내는 것이 가능하도록 한다. 진흙과 그리스로 덮혀 있는 금이 간 착륙장치 피팅을 쉽게 지나치게 되고, 오염된 스킨의 갈라진 금을 숨길 수 있으며, 먼지 또는 석질은 힌지 피팅을 심하게 마모시키는 원인이 된다. 만약 항공기 동체 표면에 오염물질이 남아있다면 추가적인 무게 증가가 발생하고 비행 속도를 감소시킬 것이다. 항공기 내부의 먼지들은 짜증스럽고 위험한 요소로 작용 가능하다. 결정적인 순간에 그 먼지가 조종사의 눈 안으로 들어가면 조그마한 먼지 조각이지만 큰 사고를 유발할 수 있다. 가동부에 축적된 오염물과 그리스로 만들어진 오염 알갱이들은 가동부의 과도한 마모 원인을 제공할 수 있다. 소금물은 노출된 금속에 심각한 부식 작용을 일으킬 수 있기 때문에 발견 즉시 제거하여야 한다.

항공기 세척에 사용되도록 허가된 다양한 클리너들이 있지만 클리너는 제거하고자 하는 물질의 종류, 항공기의 내부 또는 외부 세척 등 다양한 환경에서 사용하고자 하는 목적이 달라질 수 있기 때문에 어떤 세척제로 한정짓기에는 비현실적이다. 일반적으로 항공기에 사용되는 세척제는 솔벤트, 비누 그리고 합성세제 등이 있다. 이들은 정비교범에서 제시하는 것들을 사용해야 한다.

세척제는 경성 세척제, 중성 세척제로 구분하고 있으며 비누, 합성 세제는 경성 세척제로 사용되고, 솔벤트와 이멀션 유형 클리너(Emulsion Type Cleaner)는 중성 세척제로 사용된다. 비독성이며 불가연성인 경성 클리너는 가능한 언제든지 사용되어야 한다. 앞에서 언급한 것처럼 효과적인 헹굼이 가능하고 중화시킬 수 있는 클리너가 사용되어야 한다. 알카라인 클리너(Alkaline Cleaner)는 리벳 작업된 판금 또는 점용접된 판금의 겹쳐 이어진 부분에서 부식 원인이 되게 한다.

16.1 외부 세척(Exterior Cleaning)

항공기 외부 세척 방법은 크게 세 가지가 있다.

(1) 습식 세척

(2) 건식 세척

(3) 연마

연마는 수동연마와 기계연마로 더욱 세분화 할 수 있다. 더럽혀진 형태와 크기 그리고 최후에 요구되는 형태에 따라 사용하고자 하는 청소 방법을 결정한다.

습식 세척은 오일, 그리스 또는 탄소 부착물 그리고 부식과 산화 피막을 제외한 대부분의 오물을 제거한다. 세척 화합물은 보통 고압의 물 헹굼으로 사용되고 분사 또는 자루걸레로 사용한다. 알칼리인, 유제 클리너는 습식 방법에서 사용된다.

건식 세척은 특별히 액체의 사용이 필요하지 않거나 먼지 오염물의 작은 축적을 제거하기 위해 사용한다. 이 방법은 특히 엔진 배기장치 부분에 있는 탄소, 그리스 또는 오일의 부착물을 제거하는 것에는 적합하지 않다. 건식 세척을 위해서는 스프레이, 자루걸레, 천 등이 활용된다.

연마는 항공기의 페인트를 칠했거나 또는 페인트를 칠하지 않은 표면에 광택을 복원시키고 보통 표면의 세척이 종료된 후 수행한다. 또한 연마는 산화와 부식을 제거하는 방법으로도 사용된다. 광택제는 여러 가지 형태와 연마의 정도에 따라 이용 가능하며 그 적용은 정비 교범을 따라 사용하는 것이 중요하다.

항공기 세척은 항공기 표면이 뜨거울 때 수행하면 표면에 얼룩이 남을 수 있으므로 가능하면 그늘진 곳에서 수행하도록 한다. 결함을 발생시키거나 수분이 침투할 수 있는 부분은 덮개를 장착하고 세척 작업을 수행해야 하며 특별히 Pitot Static Port 부분은 주의를 요한다.

무광 페인트로 마무리된 Radar, 조종석의 앞부분 등은 필요 이상으로 세척되지 않아야 하고 빳빳한 브러시나 거친 걸레로 문지르면 안 된다. 부드러운 스펀지나 엉성하게 짠 면직물을 이용한 손으로 문지르는 형태는 허용된다. 기름이나 배기가스의 오염물질로 얼룩진 부분은 석유를 원료로 한 솔벤트로 제거하고 표면에서 건조되는 것을 방지하기 위해 세척 후에는 곧바로 표면 헹굼 절차를 수행한다.

플라스틱 표면에 비누와 물을 적용하기 전에 염분 부착물을 용해시키기 위해 깨끗한 물로 플라스틱 표면을 씻어 내리고 먼지 입자를 씻어낸다. 플라스틱 표면은 되도록 손으로 비누와 물을 제거하도록 한다. 깨끗한 물로 헹구어 내고 새미가죽 플라스틱 윈드쉴드에 사용되도록 설계된 합성 물질의 수건 또는 탈지면으로 건조시킨다. 부드럽고 약한 표면에 대해서는 긁힌 자국뿐만 아니라 표면에서 먼지 입자를 끌어당기는 정전기를 발생시키기 때문에 플라스틱을 마른 걸레로 닦지 않는다. 먼지뿐만 아니라 전하는 깨끗하고 축축한 새미가죽으로 가볍게 두드리거나 서서히 빨아들임으로써 제거한다. 플라스틱 표면을 훼손하는 연마제 또는 다른 물질을 사용하지 않는다. 비누와 물에 젖은 섬유로 서서히 문질러 오일과 그리스를 제거한다. 플라스틱을 부드럽게 하게 잔금이 발생하게 하는 원인이 되기 때문에 플라스틱에 아세톤, 벤젠, 4염화탄소(Carbon Tetrachloride), 락카, 시너, 윈도우 클리너, 가솔린, 소화액 또는 제빙액을 사용하지 않는다. 항공기 윈도우와 윈드쉴드에서 의도된 플라스틱 광택을 적용함으로써 깨끗하게 마무리한다. 이 광택은 작은 표면의 긁은 자국을 최소로 할 수 있고 윈도우 표면에 쌓아 올리는 정전하를 제지하는데 도움이 될 것이다. 항공기 타이어에는 오일, 유압유, 그리스 그리고 연료는 순한 비눗물로 씻어낸다. 세척작업 동안에 씻겨 내려갈 의심이 되는 그리스 피팅, 힌지 등에는 해당하는 윤활유를 보급해 준다.

16.2 내부 세척(Interior Cleaning)

깨끗한 항공기의 내부를 유지하는 것은 깨끗한 외부 표면을 유지하는 것처럼 중요하다. 부식은 세척 작업이 어떤 특정 부분까지는 접근하기 어렵기 때문에 내부 구조물에 심각할 정도로 형성될 수 있다. 부주의하게 떨어뜨리거나 방치된 너트, 볼트, 와이어 조각들이 습기와 이질금속이 결합하여 전기적 부식이 발생 가능하다.

항공기 안쪽에서 구조물 작업을 수행할 때 가능하면 곧바로 모든 금속 부스러기를 제거하도록 한다. 좀 더 쉽게 청소할 수 있고 접근하기 힘든 곳으로 금속 부스러기 등이 숨어들어가는 것을 방지하기 위해 부스러기가 떨어질 부근에 천을 깔아 두고 작업을 하면 효과적이다. 진공청소기를 사용하면 객실과 조종석의 실내 먼지와 오물들을 손쉽게 제거할 수 있다.

항공기 내부를 세척을 하는 동안에 심각한 문제가 존재한다.

다음은 National Fire Protection Association(NFPA) Bulletin #410F Aircraft

Cabin Cleaning Operation에서 발췌한 내용이다.

> **문제점을 이해하기 위한 기본은 항공기 객실내부가 $feet^3$로 측정되는 좁은 공간으로 구성된다는 사실이다. 이러한 공간은 솔벤트나 분별없이 사용한 연소가능한 성분의 클리너의 사용으로 공기와 연소가능성분의 혼합가스의 배출이 제한되는 위험한 요소가 존재한다. 같은 공간에 진행 중인 작업, 전기적 결함, 마찰 또는 정전기 잠재적인 형태의 점화의 가능성이 존재한다.**

따라서 가능하면 화재와 폭발의 위험요소를 최소화하기 위해서 내부 세척작업을 수행할 때에는 불연소성 세척제를 사용해야 한다.

16.2.1 세척 방법의 종류

주기적인 세척을 필요로 하는 항공기 객실의 관심지역은 다음과 같다.

(1) 객실 부분

좌석, 사이드 패널, 헤드 라이너, 오버헤드 랙, 커튼, 창문, 도어, 데코레이션패널 등

(2) 조종석 부분

계기 패널, 컨트롤 패데스탈(control pedestal), 글레어 쉴드(Glare shield), 바닥재, 비행 조종 장치, 전기케이블 등

(3) 화장실과 갤리

변기, 쓰레기통, 캐비닛, 세면대, 거울, 오븐 등

16.2.2 불연소성 객실 세척용제와 솔벤트

(1) 세제와 비누

객실의 천, 헤드 라이너, 러그 창문과 비슷한 공간에 세척 작업을 수행할 때 변색의 위험이나 줄어드는 문제가 없기 때문에 물 세척을 광범위하게 사용한다.

특히 화염전파 특성을 감소시키기 위해 사용되는 물질인 수용성 내화염(Fire Retardant Salts)의 침투를 방지하는 것이 주기적으로 필요하다. 수분의 함유가 허용된 내화염이 좌석의 프레임과 레일에 접촉하면 부식을 유발할 수 있다. 따라서 좌석의 금속성분을 세척할 때 필요한 만큼의 수분만을 조심스럽게 사용해야 한다.

(2) 알카라인 클리너

알카라인 클리너의 대부분은 수용성 물질로서 화재위험 특성을 가지고 있지 않다. 알카라인 클리너는 본래 가지고 있는 가성의 특성으로부터 기인한 미미한 제한을 제외하면 세제나 비누처럼 동일한 방식으로 천, 헤드라인, 러그 등에 사용할 수 있다. 그러나 세척의 효과를 높일 수 있지만 일부 천이나 플라스틱의 성능을 약화시키는 결과를 초래하게 된다.

(3) 산 용제

일부 산 용제는 세척제로 사용하는 것이 가능하다. 산 용제는 일반적으로 탄소 덩어리 또는 부식성의 얼룩을 제거하기 위해 만들어진 용제이다. 수계용제(Water-Base Solution)이므로 인화점은 없지만 일부 천, 플라스틱 또는 표면의 손상을 방지하는 것뿐만 이니라 피부와 의복을 보호하는데 각별한 주의를 요구한다.

(4) 탈취 또는 소독제

항공기 객실의 탈취, 소독제에 주로 활용되는 일부 약품은 불연성(Nonflammable)이다. 대부분 약품들은 스프레이 유형으로 디자인되었으며 불연성 가압식 용제를 가지고 있지만, 가연성 충전가스를 함유하고 있으므로 조심스럽게 다루는 것이 최선의 방법이다.

(5) 연마재

연마재는 화재의 위험성이 없으며 불연성의 연마재는 표면을 광택지게 하거나 페인트칠한 부분을 활기차게 보이도록 만드는데 이용할 수 있다.

(6) 드라이클리닝 용제

주변 온도에서 사용되는 4염화에틸렌(Perchlorethylene)과 3염화에틸렌(Trichlorethylene)은 불연성 드라이 크리닝제의 예이다. 이들 물질들은 사용 시에 주의를 요하는 유독성 위험요소를 가지고 있으며 일부 장소에서는 환경법의 적용으로 인해 사용이 금지되거나 엄격하게 제한된다. 발화지연제 처리 물질은 드라이 크리닝제의 적용에 반대되는 영향을 받는다.

16.2.3 연소성 물질

(1) 고 인화점 솔벤트

스토다드 솔벤트(Stoddard Solvent)는 특별하게 정제된 석유제품으로 첫 번째로 개발되었다. 지금은 여러 회사에서 다양한 이름으로 판매되고 있다. 휘발유와 비슷한 성질을 갖고 있는 솔벤트이지만, 열을 가하지 않고 사용되는 일반적인 케로신과 비슷한 화제의 위험성이 없다. 대부분 스토다드 솔벤트는 비교적 낮은 등급의 유독성을 포함하고 있으며 100~140°F의 인화점(Flash Point)을 갖는 안정적인 제품이다.

(2) 저 인화점 솔벤트

인화점이 100°F 이하인 Class I 가연성 물질은 항공기 세척 또는 광택을 위해 사용하면 안 된다. Class로 구분되는 일반적인 물질들은 아세톤, 항공용 가솔린, 메틸에틸케톤(MEK, Methyl Ethyl Ketone), 나프타 그리고 공업용 톨루엔(Toluol) 등이다. 어쩔 수 없이 가연성 물질을 사용해야 하는 경우에는 고 인화성 솔벤트를 사용하여야 한다.

(3) 혼합 용제

일부 상용 용제인 솔벤트는 여러 가지 나프타(Naphtha)와 염소 처리된(Chlorinated) 물질 중 한 가지의 혼합물로서 서로 다른 증발특성의 혼합물이다. 서로 다른 증발특성은 유독성과 화재 위험 두 가지 관점에서 문제점이 있다. 이러한 혼합 용제는 적절한 예방책과 위험요소에 대한 충분한 지식을 가지고 사용하거나 보관되지 않는다면 사용해서는 안 된다.

16.2.4 용기 저장

가연성 물질은 인가된 저장 용기 또는 적절한 인식표를 부착한 안전한 저장 용기에 보관하여야 한다.

16.2.5 화재 예방 절차

항공기 세척 작업 또는 광택 작업이 진행되는 곳에서 가연성(Flammable) 또는 연소성(Combustible)물질을 사용하는 곳에서는 다음의 일반적인 안전 지침이 권고 된다.

(1) 항공기 객실은 가연성 증기의 축적을 방지하기 위해 항상 충분한 환기를 제공하여야 한다. 이러한 조건을 만들기 위해 객실 도어는 자연 환기를 최대한 얻기 위해 열어두도록 한다. 그러나 자연 환기가 확보되지 않는 곳에는 인가된 기계적인 환기시설을 갖추어야 한다. 사용되는 지점으로부터 5feet에서 측정된 용제의 가연성 증기가 최소 한계의 25%를 초과해서 연소 증기가 축적된다면 진행 중인 작업에 위험성으로 인한 재조정을 초래하게 될 것이다.
(2) 가연성 물질의 위험이 있는 지역으로 화염 또는 불꽃을 발생시키는 장비들은 접근시켜야 하는 경우에는 작동을 정지시켜야 하고 증기가 발생하는 동안에는 작동시키지 말아야 한다.
(3) 객실 내에서 사용하는 이동용 전동 장비는 미국전기공사 규정에 의해 규정된

Class I, Group D, 위험장소에서 사용이 입증된 Type이어야만 한다.

(4) 객실 세척이 진행 되는 동안 객실 조명과 전기계통의 구성품 스위치는 작동하지 말아야 한다.

(5) 가연성 액체가 있거나 세척, 광택 작업이 진행되는 도중에는 항공기 도어에서 눈에 띄는 장소에 적절한 위험 표시를 부착하여야 한다.

16.2.6 화재 예방을 위한 권고

가연성 물질이 사용하여 항공기 세척 및 광택 작업을 진행 중인 때에는 아래의 일반적인 화재 예방을 위한 안전 지침을 권고한다.

(1) 기상조건이 허락된다면 항공기의 세척 및 광택작업을 수행할 때에는 항공기를 격납고 외부에 주기하도록 한다. 이러한 절차는 자연적인 환기의 추가적인 공급을 위함이며 항공기에 화재발생 시 쉽게 접근할 수 있기 때문이다.

(2) 격납고 외부에서 항공기 객실의 세척 또는 광택 작업이 수행되고 있을 때에는 항공기 입구에 공항 소방대가 출동하기 전까지 사용 가능한 20-B급 이동용 소화기를 비치하여야 하고 객실까지 접근 가능한 가변식 물 분사 장치를 비치하는 것을 권고한다. 이것은 이전 권고사항을 대신하는 것으로서 A급 소화기 또는 B급 소화기를 항공기 객실 도어 부근에 비치하도록 한다.

(권고1.)

다목적 ABC급 소화기는 소화기를 사용하면 알루미늄 부식의 문제가 발생하는 곳에서는 사용하면 안 된다.

(권고2.)

항공기 제작 또는 정비 작업 중에 사용되는 이동용 화재 감지 및 제어 장비들은 항공기를 보호하기 위해 개발, 시험 및 장착된다. 운영자는 소화기의 항공기 객실 세척 및 광택 작업을 수행 중 사용가능 여부를 확인하여야 한다.

(3) 격납고 안에서 항공기 하부 세척 및 광택 작업을 수행할 때에 격납고는 자동소화 장치를 구비하고 있어야 한다.

17. 동력장치 세척(Powerplants Cleaning)

동력장치의 세척 작업은 중요한 작업이며, 철저하게 수행하여야 한다. 공랭식 엔진의 그리스와 오염 물질의 축척은 엔진 주위를 흐르는 공기의 냉각 효과를 차단하며 결함 발생 부분의 균열 및 결함을 감추는 역할을 한다.

엔진 세척 작업을 할 경우에는 가능하면 카울을 오픈하거나 장탈하고 수행하여야 한다. 케로신 또는 솔벤트 스프레이를 이용하여 엔진 상부에서부터 엔진과 액세서리를 씻어 내리며 일부 장소에서는 효과적인 세척작업을 위해 뻣뻣한 붓을 활용하기도 한다. 로터 깃과 프로펠러를 세척하기 위해 깨끗한 물, 비누 그리고 승인된 세척용 솔벤트를 활용한다. 에칭(Etching) 작업을 제외하고 가성의 물질은 프로펠러에 사용하면 안 된다. 물 분사, 빗물 또는 공중의 부유물들은 프로펠러가 회전하는 동안 프로펠러 깃의 앞전부분을 때린다. 만약 적절한 예방 절차가 취해지지 않는다면 이곳에서 부식이 발생하고 급속하게 진행되어 패임 현상이 발생할 것이다. 패인 곳은 앞전부분이 부드러운 곡면이 만들어질 때까지 줄 작업으로 가공하는 사이 결함 부위의 사이즈가 커진다.

철재 프로펠러 깃은 알루미늄 합금 깃보다 갈려나가는 현상과 부식에 대해 더 큰 저항력을 갖는다. 철재 프로펠러 깃은 매 비행 후 윤활유로 잘 닦아주고 관리해 준다면 오랫동안 동일하게 매끄러운 표면을 유지한다. 산화의 위험이 있는 오일이 철재 프로펠러 깃에 발생한 균열에 남아 있을 수 있기 때문에 주기적인 점검이 필요하고 이러한 결함은 쉽게 발견된다. 안전성을 고려해서 오일을 도포한 표면을 유지하는 것은 균열을 더욱 확실하게 구분할 수 있게 만든다. 프로펠러 허브는 균열과 다른 결함을 발견하기 위해 주기적으로 점검하여야 한다. 허브가 깨끗하게 관리되지 않는다면 결함은 쉽게 발견할 수 없을 것이다. 철제 허브는 비누와 깨끗한 물 그리고 인가된 클리닝 솔벤트를 헝겊 또는 브러시를 사용해 발라준다. 도금 처리된 부분의 긁힘과 손상을 막기 위해 연마제와 공구의 사용은 피하도록 한다.

고 광택이 요구되는 특별한 경우, 품질이 좋은 광택제의 사용을 권고한다. 광택 작업이 완료됨과 동시에 즉각적으로 잔여 광택제는 확실하게 제거되어야 하고 프로펠러 깃은 깨끗하게 닦은 후 엔진 오일을 발라 코팅시켜 준다. 프로펠러의 부품들의 세척 후에는 남아있는 세척제를 즉시 완벽하게 제거하여야 한다.

18. 솔벤트 클리너(Solvent Cleaners)

일반적으로 항공기 세척에 사용하는 솔벤트 클리너는 폭발의 위험성과 특별 예방 조치를 피하기 위해서는 105°F보다 낮지 않은 인화점을 가지고 있어야 한다. 염소계 솔벤트 클리너는 불연성의 특성이 요구되며 클리너를 사용할 때 유독성과 주의사항은 주의 깊게 살펴봐야 한다. 사염화탄소(Carbon Tetrachloride)의 사용은 피해야 한다. 각각의 솔벤트에 대한 물질안전보건자료가 제공되어야 한다.

솔벤트와 세척액은 환경 친화적으로 제작되었다고는 하지만 피부, 내부 장기와 신경계통에 유해한 영향을 발생시킬 수 있다. 특히 MEK(Methyl Ethyl Ketone)과 아세톤 같이 활성이 강한 솔벤트는 호흡기에 치명적일 수 있고 피부를 통해 흡수 되었을 때도 해로울 수 있다. MEK 사용 시 장갑, 방독면 그리고 보호면을 포함하는 보호장비를 착용하여야 한다.

18.1 드라이클리닝 솔벤트(Dry-Cleaning Solvent)

스토다드 솔벤트는 항공기 세척을 위해 사용되는 가장 일반적인 석유계 솔벤트이다. 스토다드 솔벤트의 인화점은 105°F보다 약간 높고 그리스, 오일을 제거하는데 적합하다. 드라이클리닝 솔벤트는 다방면의 클리닝 목적을 위해 사용할 때 석유계 솔벤트보다 성능 면에서 우수하지만 석유계 솔벤트처럼 사용할 때에 페인트 코팅 면에 증발 시 발생되는 찌꺼기를 남긴다.

18.2 지방족과 방향족 나프타 (Aliphatic & Aromatic Naphtha)

지방족 나프타는 페인트 칠 전에 세척된 표면을 문질러 닦는데 사용할 것을 권고한다. 또한 지방족 나프타는 아크릴과 고무를 세척하는 데도 사용할 수 있지만 거의 80°F에서 발화할 수 있기 때문에 조심해서 사용해야 한다.

방향족 나프타는 지방족 물질과 혼동해서는 안 된다. 방향족 나프타는 독성이 강하고 아크릴과 고무 제품의 성능을 떨어뜨리기 때문에 적절하게 제한된 사용이 요구된다.

18.3 안전 솔벤트(Safety Solvent)

안전 솔벤트, 3염화에탄(Trichloroethane)은 일반적인 세척과 그리스 제거를 위해 사용된다. 안전 솔벤트는 일반적인 사용 환경에서 불연성 특성을 가지고 있어서 사염화탄소를 대체하는 목적으로 사용된다. 사용 시에는 염소 처리된 솔벤트의 사용법을 준수하여야 한다. 또한 장기 사용 시 일부 피부염의 원인이 되기도 한다.

18.4 메틸 에틸 케톤(Methyl Ethyl Ketone)

MEK는 좁은 면적의 페인트 제거 작업과 금속 표면의 솔벤트 세척을 대신해서 사용할 수 있다. MEK는 약 24°F의 인화점으로 대단히 활성이 강한 세척액이다. 흡입할 경우 매우 독성이 강하기 때문에 안전 대책이 반드시 지켜져야 한다. 최근에는 성능을 대체할 환경 친화적인 종류의 솔벤트들로 대체되고 있다.

18.5 등유(Kerosene)

케로신은 단단한 방식으로 처리된 코팅을 제거하기 위해 연화제와 혼합하여 사용된다. 일반적인 세척 목적으로 사용되기도 하지만 보호용제를 이용해서 세척하거나 코팅 처리가 수반되어야 한다. 케로신은 드라이클리닝 세척제와 같이 빨리 증발하지 않고 세척된 표면에 인지할 수 있을 만큼의 부식을 유발할 수 있는 피막을 남긴다. 케로신 피막은 안전 클리너, 수용성 용제 또는 세제 혼합물로 제거해야 한다.

18.6 산소계통을 위한 세척제 (Cleaning Compound for Oxygen System)

산소계통에서 Anhydrous(Waterless) Ethyl Alcohol 등이 세척제로 사용된다. 조종사의 마스크와 라인처럼 산소계통에서 접근하기 쉬운 부품의 세척에 사용된다. 이 용액은 산소탱크 또는 조절기 안으로 유입 되어서는 안 된다. 산소장비를 세척 할 때에는 오일 피막을 남기는 어떤 종류의 솔벤트도 사용하여서는 안 되며 산소장비를 위한 세척은 제작사의 사용 설명서를 따르도록 한다.

19. 이멀젼 클리너(Emulsion Cleaners)

Solvent Emulsion Compound와 Water Emulsion Compound는 일반적인 항공기 세척에 사용된다. Solvent Emulsion Compound는 카본, 그리스, 오일 또는 타르 같은 심한 부착물의 제거에 특히 유용하다. 적절한 절차를 따라 사용하면 페인트와 마감 처리에 영향을 주지 않는다.

19.1 워터 이멀젼 클리너(Water Emulsion Cleaners)

Water Emulsion Cleaners는 Specification Mil-C-22543A에 의해 사용 가능한 물질로서 페인트 되어 있거나 페인트 처리가 되어 있지 않은 두 곳 모두에 사용 가능하다. Water Emulsion Cleaners는 아크릴 세척에 안전하게 사용 가능하며, 형광성의 페인트를 칠한 표면의 세척에 사용 가능하다. 이러한 특성은 사용가능한 물질에는 상관없지만 확신하지 못하는 곳에 사용할 때에는 조심스럽게 샘플 테스트 절차를 수행하는 것이 안전하다.

19.2 솔벤트 이멀젼 클리너(Solvent Emulsion Cleaners)

Solvent Emulsion Cleaners 중 하나인 Non-phenolics 용제는 페인트의 녹아내림 없이 안전하게 사용할 수 있다. 반복된 사용은 Acrylic Nitrocellulose Lacquer의 변형을 초래할 수 있다. 그러나 Solvent Emulsion Cleaners는 부식방지 코팅을 부드럽게 그리고 부풀어 오르게 만드는 데는 효과적이다. 분해가 잘 안 되는 부식방지 코팅은 여러 번 반복해서 처리되어야 한다.

Solvent Emulsion Cleaners는 또 다른 하나는 Phenolics base는 고무, 플라스틱, 비금속재질의 물질 주위에서 신중하게 사용해야 한다. Phenolics base Cleaners를 사용할 때 고무장갑과 보안경을 착용하여야 한다.

20. 비누와 세정제 클리너
(Soaps & Detergent Cleaners)

다수의 물질은 가벼운 세척의 용도로 이용할 수 있다. 이 부분에서는 보다 일반적인 세척제에 관해 설명한다.

20.1 항공기 표면 세척제
(Cleaning Compound, Aircraft Surface)

Specification MIL-C-5410 TypeI, TypeII 물질들은 페인트 처리된 항공기 표면, 페인트 처리되지 않은 항공기 표면 두 종류의 표면에 발생한 약한 오염, 중간 오염의 제거, 운용 중 발생한 피막, 오일 또는 그리스 등 일반적인 세척을 위해 사용된다.

Type I, II 물질들은 선, 가죽 그리고 투명 플라스틱을 포함한 모든 표면에 안전하게 이용된다. 무광택 마무리 처리된 부분은 필요 이상으로 세척되지 않아야 하며, 강한 브러시로 문질러서는 안 된다.

20.2 비 이온성 세제(Nonionic Detergent Cleaners)

비 이온성 세제는 수용성, 유용성 둘 중 하나이다. 유용성의 세제는 두꺼운 부식방지 처리 코팅을 연화시켜 제거하는데 사용하기 위해 드라이클리닝 솔벤트의 3~5% 용액으로 사용하는 것이 효과적이다. 이 혼합물의 성능은 앞에서 설명한 용제유화 세척액과 유사하다.

21. 기계적 세척제 (Mechanical Cleaning Materials)

기계적 세척 물질은 마무리 작업과 표면의 손상을 원치 않는다면 제시된 방향에 따라 신중하게 사용되어야 한다.

21.1 연마제(Mild Abrasive Materials)

이 부분에서는 다양한 물질 목록의 사용을 위한 자세한 절차를 마련하지 못한다. 특별한 세척 작업을 위해 선택함에 있어 도움이 되도록 사용 가능, 불가능 여부를 포함하고 있다.

3M에서 생산된 일반 상표명으로 Scotch-Bright인 수세미는 약한 연마의 필요성, 부식 생성물의 제거를 위한 저렴한 물질로서 항공정비사에게 제공된다. 이 수세미는 한 번 사용한 수세미를 다른 성분의 금속에 재사용하지 않는다면, 대부분의 금속에 사용할 수 있고 부식이 발생되었을 때 처음으로 선택된다. 이 수세미의 폭 넓은 형태는 젖은 스트립퍼와 함께 사용될 때 페인트를 제거하는데 사용할 수 있다.

분말 형태의 경석(Pumice)은 알루미늄 표면을 세척 하는데 사용할 수 있고 유사한 부드러운 연마재도 사용된다.

포화시킨 면 충전물질은 배기가스 잔류물을 제거하는데, 부식된 알루미늄 표면을 연마하는데 사용된다. 추가적으로 포화시킨 면 충전물질은 금속표면에 높은 반사율을 갖도록 만들기 위해 이용된다. 알루미늄 금속의 광택제는 고광택을 얻고, 장기간 지속될 수 있는 광택을 얻기 위해서 사용된다. 광택제는 산화 피막을 제거시킬 수 있기 때문에 양극산화처리 된 표면에 사용해서는 안 된다.

알루미늄 울(Wool)의 세 가지 등급, 즉 거친 등급, 중간 등급 그리고 고운 등급으로 나뉘며 알루미늄 표면의 일반적인 세척 작업에 사용된다. 포화시킨 나일론 충전물질은 부식 생성물의 제거와 눌러 붙은 페인트 피막을 제거하고, 터치업 페인트 칠 전에 페인트 마감에 존재하는 흠을 제거하는 물질로서 알루미늄 울보다 우위에 있다.

락카 연마 화합 물질은 엔진 배기가스 찌꺼기와 작은 산화물을 제거하기 위해 사용될 수 있다. 보호막이 얇게 벗겨진 리벳 헤드 또는 벅테일을 과도하게 문지르는 것을 피해야 한다.

21.2 연마지(Abrasive Papers)

항공기 표면에 사용되는 연마지는 유지되고 있는 보호막 안과 깨끗하게 관리되고 있는 모재 안에 손상을 줄 수 있는 날카롭거나 바늘 같은 모양의 연마제가 포함되면 안 된다. 연마제는 깨끗하게 처리된 물질을 부식시키지 말아야 한다. 300grit 또는 그보다 고운 산화알루미늄 페이퍼는 다양한 형태에 사용 가능하고 대부분의 표면에 안전하게 사용 가능하다.

Federal Specification P-C-451 Type I, Class2 물질은 1.5~2inch 폭으로 이용할 수 있다. 특히 알루미늄 또는 마그네슘에 연마지 즉, 탄화규소(Carborundum / Silicon Carbide) 페이퍼의 사용을 피해야 한다. 탄화규소의 결정구조는 각각의 결정들이 침투할 정도로 예리하고 심지어는 강재 표면까지도 침투할 정도로 단단하다. 알루미늄 또는 마그네슘에 금강사로 만든 사포 또는 크로커스 천(Crocus Cloth)을 사용하는 것은 산화철의 침투에 의해 금속의 심각한 부식을 유발할 수 있다.

22. 화학 세척제(Chemical Cleaners)

케미컬 클리너는 조립된 항공기를 세척하는 때에 심사숙고해서 사용해야 한다. 겹쳐지는 부분과 갈라진 틈에 스며든 부식성의 물질은 신속성과 유효성에 대한 어떠한 장점도 의미 없게 만든다. 사용된 물질은 제거하기 쉬워야 하고 비교적 중성을 유지하여야 한다. 사용 후 반드시 모든 잔류물들은 제거되어야만 한다. 크롬산 또는 중크롬산염 처리와 같은 화학표면처리로부터 가소성 염류는 페인트 코팅을 용해시키고 부풀음을 조장할 것이다.

22.1 시트르 인산(Phosphoric-citric Acid)

알루미늄 표면의 세척을 위해 인-시트르 산 혼합물이 사용가능하고 사용을 위해 포장해서 준비되어 있다. Type II는 경유 또는 물로 희석시킨 농축물이며 피부 접촉을 피하기 위해 고무장갑과 보안경을 착용해야 한다. 산성 물질로 인한 화상은 베이킹 소다 혼합액으로 처리한 다음 충분한 물로 중화시켜야 한다.

22.2 베이킹 소다(Baking Soda)

베이킹 소다는 납산 배터리 실에서 산성 부착물을 중화하기 위해 사용하며 케미컬 클리너와 억제제로부터 산화한 산을 처리하기 위해 사용한다.

제3장 검사원리

(Inspection Fundamentals)

1. 개요
2. 일상검사/필수검사
3. 특별검사
4. 비파괴검사
5. 복합재료의 검사
6. 용접 검사

1. 개요(General)

검사란 항공기 또는 그 구성품의 상태를 결정하기 위한 시각적인 시험 및 수동식인 점검이다.

항공기 검사는 간단히 둘러보는 것으로부터 완전한 분해 및 복잡한 검사보조장비의 사용을 포함하는 세부 검사에 이르기까지 다양하다.

검사 계통은 다음과 같은 것을 포함하는 몇 가지 과정으로 구성된다. 항공정비사, 조종사 또는 항공기 탑승요원에 의해 작성되는 보고서, 항공기의 정기 계획검사, 검사 계통은 항공기를 최적 상태로 유지할 수 있도록 계획되어야 한다. 철저하고도 반복되는 검사는 양호한 정비 계획의 골자로 고려되어야 한다. 규율이 없고 무질서한 검사는 항상 항공기에 점차적이고도 결정적인 결함을 초래하게 될 것이다. 결과적으로 항공기는 수리하는데 소요되는 시간이 보통 검사 및 정비를 서두름으로써 절약되는 시간보다도 전체적으로는 더 많은 시간을 낭비하는 경우를 흔히 볼 수 있다.

정기 계획검사 및 예방 정비가 감항성을 확보한다는 것은 증명되고 있는 사실이다. 만약 과도한 마모나 사소한 결함을 탐구하고 조기 교정을 실시한다면 장비의 작동실패나 결함은 상당히 감소될 것이다. 검사의 중요성이나 이들 검사에 관한 기록을 적당히 이용한다는 것은 아무리 강조를 해도 과언이 아닐 것이다.

기체와 엔진검사는 비행전 검사로부터 세부검사에 이르기까지 다양하다. 검사기간에 있어서의 시간간격은 해당 항공기의 모델과 작동형식에 따라 다르다. 검사기간을 정할 때에는 기체 및 엔진 제작사의 정비교범을 참조하여야 한다.

항공기는 계획 또는 날짜검사(Calendar Inspection) 계통의 기초로서 비행시간에 따라 검사할 수 있다. 날짜 검사 계통에서는 규정된 주수가 경과할 때마다 적당한 검사를 수행한다. 날짜 검사 계통은 정비관리의 입장에서 볼 때 효율적인 계통이다. 계획에 의거하여 규정 작동한계 시간이 된 구성품의 교환은 보통 한계 시간에 가장 가까운 날짜검사 중에 실시한다. 어떤 경우에는, 비행시간 한계는 날짜 간격(Calender Interval) 중 비행할 수 있는 시간 수를 한정하도록 설정한다.

비행시간 계통 하에서 작동하는 항공기는 규정 비행 시간이 축적되었을 때 검사를 받는다. 시간적으로 작동 한계가 정해져 있는 구성품은 보통 시간 한계에 가장 가까운 검사기간 중 교환한다.

2. 일상검사/필수검사(Routine/Required Inspection)

민간 항공기의 조종사는 항공기가 안전한 비행을 위한 상태 판정을 위한 책임을 진다. 그러므로 항공기는 매 비행 전에 항공정비사와 조종사에 의해 점검이 이루어진다. 반면에 항공기 형식과 운용환경에 따라 정기검사 주기가 있고 이 주기 이내에 항공기 전체 검사를 하기도 한다. 검사란, 항공기의 기체 구조 및 장착된 모든 부품, 장비품의 상태와 기능이 정상인지를 확인하는 정비 행위를 말하며, 점검과 유사한 의미로 사용된다. 그리고 비행 전 또는 비행 후에 항공기 운항을 목적으루 수행되는 점검, 액체 및 기체류의 보급, 비행을 할 때에 발생한 결함 교정 등과 같이 기본적으로 수행하는 정비 행위를 기본 점검 또는 운항 정비라고 한다.

2.1 비행 전/후 검사(Preflight/Post-Flight Inspection)

조종사는 항공기를 운항할 때 POH(Pilot's Operating Handbook)의 체크리스트에 따라야 한다. 첫 번째 부분이 비행 전 검사이다. 이 체크리스트는 조종사가 항공기 주위를 걸어서 육안으로 항공기의 일반적 상태를 검사하는, 일명 'Walk-around inspection' 점검을 포함한다. 조종사는 비행에 필요한 연료, 오일 등이 적절한지를 확인해야 한다. 감항성 유지 여부를 확인하기 위해 탑재되는 감항성 관련 증명서 확인과 항공일지의 정비기록도 검토해야 한다. 또한 매 비행을 완료한 후에는 운항 중 발생한 고장이나 결함 등을 정비사에게 제공하여 비행 후 점검에서 다음 비행 준비를 위한 수리나 보급 작업이 이루어지도록 해야 한다. 다음은 경항공기의 비행 전 검사 내용이다.

(1) 조종실

① 마그네토 스위치를 차단하여 기관의 정지 상태를 점검한다.

② 마스터 스위치를 켜서 조종실의 각종 계기 상태와 조종 장치의 트림상태를 확인한다.

③ 연료량을 확인한다.
④ 인터폰 스위치를 켜서 무선 통신 장치와 기내 방송 상태를 확인한다.

(2) 꼬리 날개 부분

① 수평 꼬리 날개 안정판의 장착 상태와 손상을 점검한다.
② 승강키의 장착 상태와 힌지, 핀, 케이블 상태와 장착 상태를 점검한다.
③ 수직 꼬리 날개 안정판의 장착 상태와 손상을 점검한다.
④ 방향키의 장착 상태와 힌지, 핀, 케이블 상태를 점검한다.
⑤ 항법등 및 송수신기의 장착 상태를 점검한다.

(3) 우측 날개

① 도움날개 및 플랩의 장착 상태와 힌지, 핀, 케이블 상태를 점검한다.
② 날개, 끝단 부분과 날개 앞전의 손상을 점검한다.
③ 피토관 등 먼지 덮개의 제거를 확인한다.

(4) 연료 탱크 및 드레인 라인

① 연료 탱크의 외관 상태를 점검한다.
② 연료 드레인 라인의 상태를 점검한다.

(5) 기수

① 엔진 방풍판의 장착 상태를 점검한다.
② 방풍창(Windshield)의 균열 및 청소 상태를 확인한다.
③ 프로펠러의 장착 상태 및 균열을 점검한다.
④ 연료 라인과 클램프(Clamps)의 장착 상태를 점검한다.
⑤ 기화기와 공기 여과기의 상태를 점검한다.
⑥ 엔진 오일의 상태와 엔진 오일량을 점검한다.

(6) 좌측 날개

① 피토 튜브관의 장착 상태를 확인한다.
② 날개 앞전, 끝단 부분, 뒷전의 손상을 점검한다.
③ 도움날개 및 플랩의 장착 상태와 힌지, 핀, 케이블 상태를 점검한다.
④ 착륙 장치의 장착 상태와 타이어의 공기압을 점검한다.

2.2 연간 검사/100시간 주기 검사 (Annual/100-Hour Inspection)

"항공법 제 116조"에 의거하여 감항 당국(국토교통부)의 승인을 받은 항공사의 "정비규정"과 "운항기술기준 5.10 항공기 정비"에 규율된 정비방식에 따라 1년 주기의 검사와 100시간 검사의 범위와 요목이 결정된다.

연간검사와 100시간 주기검사의 범위와 요목은 동일하지만, 두 가지 중대한 차이가 있다. 한 가지 차이점은 그들을 수행하기 위해 공인된 사람을 필요로 한다. 100시간 검사는 항공정비사 면허를 가진 정비사가 수행할 수 있지만, 연간 검사는 검사 권한을 위임받은 유자격 항공정비사가 수행한다. 점검 주기는 국가에 따라 차이가 있지만 정비기지로의 비행을 위해 10% 정도의 여유를 준다. 즉, 정비 목적의 비행을 위해 10시간 이내의 여유로 110시간 이내에 검사를 수행하도록 하는 것이다.

2.3 단계적 검사(Progressive Inspection)

단계적 검사 역시 감항 당국의 승인을 받은 "정비규정"에 규정되며, 연간 검사의 범위와 요목은 매우 집중적이고 방대하여 상당한 정비 시간이 소요되므로 항공기가 장기간 운항에서 제외되어야 한다. 이를 방지하기 위해 나누어 수행하기도 한다. 특히, 대형 항공기는 검사 프로그램에 따라 단계적으로 일정 부분에 대해 단기간에 검사를 수행한다. 검사의 범위를 4~6개의 단계로 나누어 수행하는 것이다. 모든 단계가 완료되면 검사의 1사이클이 완료되도록 프로그래밍 한다. 단계적 검사의 장점은 검사를 비행이 없는 야간에 완성하고 주간에 비행을 하여 수입을 늘릴 수도 있다는 것이다. 단계적 검사는 엔진오일 교환과 같은 일상 점검에서 비행 조종 케이블 검사와 같은 상세검사도 포함된다. 일상점검 요목은 매 검사 단계마다 수행하고, 상세한 검사는 항공기의 특정 부분의 상세 점검에 초점을 맞춘다.

단계적 검사의 1 사이클은 12개월 이내에 완료되어야 한다. 만약 모든 검사가 12개월 이내에 완결되지 않는다면, 나머지 단계의 검사는 첫 번째 단계가 완결되었을 때로부터 열 두 번 째 달의 마지막일 이전에 완료한다. 단계적 검사계획은 항공기를 등록한 감항 당국에 신청하여 정비프로그램으로 승인을 받는다.

2.4 지속적 검사(Continuous Inspection)

연속적인 검사 계획은 대형 항공기 또는 가스터빈엔진을 장착한 항공기에 적용하는 것을 제외하고, 단계적 검사 계획과 유사하지만 조금 더 복잡하다. 단계적 검사 계획과 같이 감항 당국의 승인을 필요로 한다. 운항 형태와 적용되는 법적 요구 사항에 따라 조사하여 승인한다. 상업적 운항 항공기에 대한 정비프로그램은 승인된 운항증명(AOC: Air Operater Certificate)의 운영기준(Operation Specifications)에 자세하게 기술되어 있다. 항공사는 일상적 검사와 상세검사 모두를 포함하는 연속적인 정비 프로그램을 운용한다. 정시점검 또는 'Letter Check'라고 부르는 A-check, B-check, C-check 그리고 D-check를 수반한다.

A-check은 최소의 포괄적인 것이고 수행 빈도가 많다. 반면에 D-check는 주요 장비품의 분해, 장탈, 오버홀, 계통과 장비품의 검사를 수반하는 매우 종합적인 점검이다. D-check는 항공기의 사용 수명 동안에 3~6회 밖에 수행되지 않는다. 정시점검은 운항 정비 기간에 축적된 불량 상태의 수리 및 운항 저해의 가능성이 많은 모든 계통의 예방 정비 및 감항성을 확인하는 것을 주 임무로 한다. 각 정시 점검에 속한 정비 요목은 정해진 시한 내에 반드시 수행 완료하여야 한다.

(1) A 점검(A check)

항공기 운항에 직접적으로 관련된 빈도가 높은 정비 단계로, 항공기 안팎의 순회검사(Walk Around Inspection), 특별 장비의 육안 검사, 액체 및 기체류의 보충, 결함 수정, 기내 청소, 외부 세척 등을 실시하는 점검이다.

(2) B 점검(B check)

A 점검의 점검 사항을 포함하여 실시할 수 있으며, 안팎의 육안 검사, 특정 장비품의 상태 점검 또는 작동 점검, 액체 및 기체류의 보충 등을 실시하는 점검이다.

(3) C 점검(C check)

항공기의 감항성을 유지하는 기체 점검을 말하며, A, B 점검의 점검 사항을 포함하여 실시할 수 있다. 제한된 범위 내에서 구조 및 모든 계통의 검사, 계통 및 장비품의 작동 점검, 계획된 보기 부품의 교환, 서비스 등을 실시하는 점검이다.

(4) D 점검(D check)

항공기의 감항성을 유지하는 기체 점검의 최고 단계를 말한다. 인가된 점검 주기 도래 시한 내에서 항공기 기체 구조 점검을 비롯한 장비품의 기능점검 및 계획된 부품의 교환, 잠재적 결함 교정과 서비스 등을 실시하는 점검이다.

(5) 내부 구조 점검(ISI: Internal Structure Inspection)

항공기의 감항성에 1차적인 영향을 미칠 수 있는 기체구조를 중점적으로 검사하는 것을 말한다.

(6) 날짜 점검(CAL: Calendar check)

위에서 설명한 정비 단계에 속하지 않는 정비 요목으로, 고유의 비행 시간, 비행 횟수 또는 날짜 주기를 가지고 개별적으로 반복 실시되는 점검을 말한다.

2.5 고도계, ATC 자동응답기 검사 (Altimeter & ATC Transponder Inspection)

계기 비행으로 운항하는 항공기는 본 계통의 주기점검, 즉 기능시험 완료일을 포함하여 24개월을 초과하지 않은 고도계와 정압계통을 각각 갖추어야 한다. 항공 교통관제 자동응답기(Air Traffic Control Transpender)를 장착한 항공기는 역시 이전의 24개월 주기 검사를 필한 송수신기(transceiver)를 갖추어야한다. 이 점검 모두는 유자격자에 의해 수행되어야 한다.

3. 특별 검사(Special Inspections)

항공기 사용 기간 중 과부하 중량 상태로 착륙하거나 비행 중에는 심한 난류에 접하는 경우가 발생한다. 여러 가지 이유로 난폭한 착륙을 하는 경우도 있다. 이러한 경우에는 항공기 구조에 어떠한 파손이 발생하였는가를 판정하기 위한 특별 검사 절차에 따라서 검사를 해야 한다. 다음에 항목별로 제시된 절차는 일반적인 것이며 항공정비사가 검사하여야 할 영역이 무엇인지 숙지하게 하는데 목적이 있다. 이 항목들이 모든 검사 내용을 포함하고 있다고 볼 수는 없다. 특별 검사의 어느 하나를 수행할 때는 항상 항공기 정비 교범에 있는 세부 절차를 확인하고 따르기 바란다.

3.1 충격 또는 과부하 착륙검사 (Hard or Overweight Landing Inspection)

착륙에 의해서 유지되는 구조 응력은 그 당시의 총 중량에 의할 뿐 아니라 충격의 심각한 정도에 따라 다르다. 그러나 접지 시의 수직 속도를 평가하기가 어렵기 때문에 착륙이 구조재의 파손을 일으킬 정도로 아주 심했는지의 여부를 판단하기가 어렵다. 이와 같은 이유로, 특별 검사는 설계착륙중량을 초과하는 중량으로 착륙을 한 후나, 난폭한 착륙(Rough Landing)을 한 후에 반드시 수행해야 한다.

주름진 상태의 날개 표피는 착륙 중 과부하가 가해졌다는 것을 가장 쉽게 나타내주는 표시이다. 쉽게 탐지할 수 있는 또 하나의 표시는 리벳 이음부에 따라 연료가 누설되는 것이다. 기타 파손이 가능한 장소는 스파 웨브, 격벽, 니셀 외피 및 날개와 동체의 스트링거이다. 이러한 곳에 어느 부위도 악영향을 받지 않았다면, 중대한 손상이 일어나지 않았다고 생각해도 무방하다. 만약 손상이 탐지되었다면, 더 심도 깊은 검사와 정렬 점검이 필요하다.

3.2 심한 난류 검사(Severe Turbulence Inspection)

항공기가 심한 돌풍 상태를 만났을 때에는 날개에 작용하는 공기력은 항공기 무게를 지탱하는 정상적 익면하중을 초과하게 된다. 돌풍은 항공기에 가속을 주는 경향을 가지는 반면 항공기의 관성력은 이 변화에 저항력으로 작용하며, 아주 심할 경우에는 그 유도응력이 구조적 파손을 일으킬 수 있다. 심한 난류층을 비행한 후에는 특별검사를 하여야 한다. 날개 상하 표면에 과도한 좌굴 현상이나 영구 변형된 주름이 발생하였다면, 몇 개의 리벳을 장탈하여 리벳 샹크를 시험한다. 심한 전단력을 받지 않았나를 판정하는 것이다. 점검창이나 기타 접근 경로를 통해서 동체로부터 날개 끝까지 모든 스파, 웨브를 검사해야 한다. 좌굴, 주름 상태 및 전단을 받는 부착 부위를 검사한다.

나셀과 나셀 외피 주위, 특히 날개 전연부에서의 좌굴 상태를 검사하고 연료 누설을 검사한다. 어떤 규모 이상의 연료 누설은 밀폐 작업한 실런트가 손상되었거나, 연결부를 터지게 한 과부하를 받은 상태를 나타내는 것이다. 심한 난류를 받는 동안 착륙장치를 내렸다면 주위 표면에 대하여 늘어난 리벳, 균열 또는 좌굴 상태 여부를 주의 깊게 검사한다. 휠 웰(Wheel well) 내부는 과격한 돌풍 상태를 받은 표시가 있을 수 있다. 미익 외피에 대하여 주름 상태나 좌굴 또는 전단을 받은 부착 부위가 있는지 검사한다. 동체와 꼬리 날개의 부착 부위를 검사한다.

위의 제반 검사는 주요 영역에 해당하는 것이다. 위에 기술한 영역의 어느 곳이라도 과도한 손상이 발견되면 모든 파손을 탐지할 때까지 검사를 계속해야 한다.

3.3 낙뢰(Lightning Strike)

항공기가 낙뢰를 맞는 것은 극히 드문 것이라고 할지라도, 타격이 일어났다면, 손상 정도를 결정하기 위해 매우 조심스럽게 검사해야 한다. 번개가 항공기를 때릴 경우에 전류는 구조물을 통해 전도되어 일정 위치에서 방전되도록 되어 있다. 일차적으로 항공기의 정전기 방전 장치, 또는 Null Field 방전 장치이다. 알루미늄, 철과 같은 전도성이 양호한 전도체를 거쳐 나갈 때는 이 물체에 손상을 거의 주지 않지만, 파이버글라스 재질의 레이돔, 엔진 덮개(Engine cowl), 형상판(Fairing), 유리 또는 플라스틱 재질 윈도우, 또는 전기적 본딩이 없는 복합재료 구조와 같은 비금속 구조물을 거칠 때는 그 구조물에 탄 흔적이나 그 이상의 중대한 손상을 입힐 수 있다. 구조물에 대한 육안검사를 하여 영향을 받은 구조물, 전기 방전대(Bonding Strap), 전기 방전장치들의 퇴화, 구조부 접착제의 연소 또는 침식의 흔적에 대해 검사한다.

3.4 화재에 의한 손상(Fire Damage)

화재 또는 뜨거운 열을 받은 적이 있는 항공기 구조물의 검사는 만약 명백한 손상이 존재한다면 비교적 간단히 수리 또는 교체를 한다. 명백한 손상이 없다 하더라도 항공기의 구조적 완결성은 지속적으로 검사하는 것이 좋다. 항공기 구조상 금속 재질 부품들은 제조 시에 열처리 과정을 거쳤지만, 정상 운항 시에 마주치지 않는 고열의 노출은 구조물의 설계 기준 강도를 심각하게 저해할 수 있다.

육안 검사를 통과하였지만 계속 의심이 가는 알루미늄 구조물의 강도와 감항성은 전도율 시험기를 사용하여 시험하는 것이 좋다. 이것은 일종의 와전류를 사용하는 장치이다. 금속의 강도는 경도에 관계되기 때문에 강재 구조물에서 가능한 손상은 로크웰 경도 시험기와 같은 경도 시험기를 사용하여 판정한다.

3.5 침수에 의한 손상(Flood Damage)

침수 손상된 항공기는 담수인지 또는 염수인지 그리고 침수 기간을 고려하여 검사한다. 전체적으로 물속에 잠긴 부품은 완전히 분해하여 철저하게 세척하여 건조시키고 부식 방지제 처리를 한다. 특히 객실 내부 카페트, 의자, 사이드 판넬, 계기는 교체하게 된다. 물은 부식을 조장하는 전해액처럼 작용하기 때문에 물과 염분은 모두 제거되어야 한다.

3.6 해상비행기(Seaplane)

해상 비행기는 부식을 가속시키는 환경에서 운항되기 때문에 부식 상태를 조심스럽게 검사해야 한다. 만곡부위(Bilge Area)에 작동유, 물, 오염물질, 드릴 칩 등의 존재 유무를 검사한다. 해상 비행기는 가끔 고속에서 거친 물결에 의해 과도한 응력을 받기 때문에 느슨해진 리벳, 페스너의 늘어남과 구부러짐, 외피의 균열을 검사하고 부유 장착 체결 기구(Float attach fitting)의 손상, 그리고 전체의 구조에서 일반적인 닳는 현상과 찢어진 곳에 대해 검사한다.

3.7 지상 지원 항공기(Aerial Application Aircraft)

다른 항공기와 차이가 있는 이들 항공기를 검사하게 만드는 두 가지의 기본적인 요소는 사용된 화학 제품의 부식성과 비행 경로이다. 부식 손상의 영향이 정상적인 사용의 경우보다 더 짧은 기간에 탐지된다. 화학 성분은 직물을 유연하게 하고 직물 테이프를 느슨하게 한다. 금속 재질 항공기는 매년 도색제를 벗겨내고, 세척하고, 그리고 다시 도색제를 칠하고 부식 처리하는 것이 필요하다. 날개의 전연부는 보호 피막 처리나 테이핑이 필요하다. 하드웨어는 더욱 자주 교체된다. 자주 사용하는 항공기는 잔디 활주로 등에서 하루 50회 이상 이륙, 착륙을 하므로 사용 사이클 과다로 인해 피로파괴 현상이 가속된다. 따라서 착륙장치와 관련된 부품은 검사 빈도를 높여야 한다. 또한 저고도 비행을 하므로 공기 필터의 교환 시기를 앞당겨야 한다.

4. 비파괴 검사(Non-Destructive Inspection/Testing)

4.1 비파괴 검사 일반(General Techniques)

이제까지 항공기 검사에 관한 일반적인 정보를 제공하였다. 이 장의 나머지는 더 특별한 검사 장비를 사용하는 비파괴 검사 방법을 다룬다.

비파괴검사(N.D.T : Non-Destructive Testing)란 재료나 제품의 원형과 기능을 전혀 변화시키지 않고도 성질, 상태, 내부구조 등을 알아내는 모든 검사를 말한다. 이 검사 방법은 재료의 물리적 성질 즉, 햇빛, 열, 방사선, 음파, 전기와 자기 에너지 등을 검사체에 적용하여, 조직 이상이나 결함 존재로 인해 적용된 에너지의 성질 및 특성 등이 변화하는 양을 적절한 변환 장비로 측정하여 조직 이상이나 결함의 존재를 확인하는 것이다. 비파괴 검사는 사용되는 에너지의 종류와 변환 장치에 따라 다양한 종류가 있다. 비파괴 검사의 전 과정을 살펴보면 다음과 같은 다섯 가지 기본 요소를 가지고 있다.

(1) 적절한 에너지를 시험부에 적용하는 단계이다.
(2) 적용된 에너지는 시험부에 존재하는 결함 등이나 조직의 변화 상태와 상호작용을 하여 에너지의 질과 양에 변화가 일어나게 된다.
(3) 에너지의 질과 양의 변화가 발생하면 적절한 감도를 가진 변환자를 사용해 적용된 에너지의 질과 양의 변화를 검출한다.
(4) 변환자가 검출한 신호를 시험 결과의 해석 및 평가에 유용한 형태로 바꾸어 기록 또는 표시하도록 한다. 앞에서 얻어낸 정보를 근거로 검사 결과를 해석하고 판정함으로써 비파괴 검사 과정이 종결된다.

이러한 비파괴 검사 체계에 의해 측정하고 평가할 수 있는 특성들은 다음과 같다.

(1) 검사체내의 결함 검사
(2) 검사체의 구조

(3) 크기 및 도량
(4) 물리적, 기계적 특성
(5) 화학적 분석 및 조성
(6) 응력 및 외력에 따른 반응 등이다.

파괴 검사의 장점은 감항성을 해치지 않고 검사하여 감항성을 판정하는 것이다. 이들 방법 중 일부는 약간의 추가 전문기술을 필요로 하는 간단한 것이지만, 일부 검사방법은 더 많은 훈련과 자격증을 필요로 한다. 비파괴 검사를 수행하기 전에 검사의 형태 별 절차 및 단계를 따라야 한다. 검사 부위는 철저하게 세척되어야 한다. 일부 부품은 항공기 또는 엔진으로부터 장탈하여 검사한다. 도색제나 보호 코팅을 벗겨내는 것이 필요하다. 검사 장비와 검사 절차에 대한 완벽한 이해가 필요하고 검사 장비의 검교정도 확인되어야 한다.

4.2 육안검사(Visual Inspection)

육안 검사는 주로 표면의 흠(defects)을 찾아내는데 이용된다. 이 검사로는 균열이나 표면의 불규칙한 결함, 층의 분리와 표면이 부푼 결함 등을 찾아낼 수 있다. 육안검사에는 손전등, 확대경, 거울 등 검사 보조 장비를 이용할 수도 있다. 일부 결함은 표면 아래에 있거나 확대경으로도 또는 인간의 눈으로도 결함을 탐지할 수 없을 만큼 너무 작은 경우도 있다.

4.3 보어스코프 검사(Borescope Inspection)

이 검사도 근본적으로 육안 검사이다. 보어스코프는 정밀한 광학계로 광원을 가지고 있다. 보어스코프의 종류는 다양하며 직접 눈으로 확인할 수 없는 기체의 구조부나 엔진의 내부 등을 검사하는데 효과적이다. 이 장치는 렌즈의 초점 거리를 조절하여 상을 선명하게 볼 수 있고, 조절 핸들을 이용, 대물 렌즈의 방향을 상하좌우로 조절함으로써 검사 구역의 모든 곳을 검사할 수 있다.

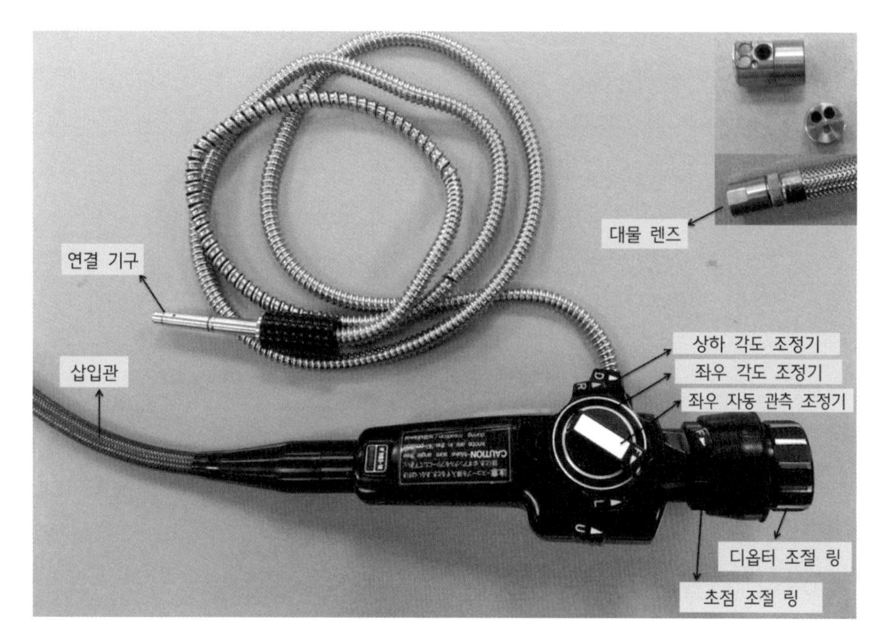

그림 3-1 보어스코프의 구조

보어스코프로서 검사될 수 있는 예로서는 왕복엔진 실린더 내부이다. 보어스코프는 손상된 피스톤, 실린더 벽 또는 밸브 상태를 보기 위해 점화 플러그 장착용 구멍을 통하여 삽입한다. 터빈엔진의 경우 점화 플러그 장착 구멍과 검사용 플러그 구멍을 경유하여 검사를 실시하는데 검사 부분은 다음과 같다.

(1) 압축기의 로터와 스테이터
(2) 연소실 내부 및 연료 노즐
(3) 터빈 노즐 및 로터 등

보어스코프 검사는 다음과 같은 상황에서 엔진 내부를 검사한다.

(1) 이물질 흡입으로 인한 손상 여부를 알고자 할 때

(2) 주기적으로 엔진 내부를 검사할 때
(3) 엔진 작동 중에 배기가스 온도가 규정된 한계를 초과했을 때
(4) 실속 또는 서지 현상이 발생되어 원인을 알고자 할 때
(5) 시동 시 과열 시동되었을 때
(6) 엔진 분해 정비를 위하여 작업 범위를 결정하고자 할 때
(7) 그 밖에 보어스코프 검사가 필요하다고 예상될 때

엔진을 분해하지 않고 검사하기 때문에 인력과 시간의 절감은 물론, 결함을 미리 발견하여 정비함으로써 엔진의 수명을 연장하고 사고를 예방할 수 있다. 그리고 대부분의 보어스코프 장비는 조명이 내장되어 있고, 검사 영상을 녹화할 수 있는 컴퓨터 또는 비디오 모니터를 구비하기도 한다.

4.4 액체 침투검사(Liquid Penetrant Inspection)

액체 침투검사는 표면에 존재하는 불연속을 검출하는 비파괴 검사 방법이다. 액체 침투에 사용되는 침투액은 낮은 표면 장력과 높은 모세관 현상의 특성이 있어 검사체에 적용하면 표면의 불연속성 즉 균열 등에 쉽게 침투하게 된다. 모세관 현상으로 침투액이 불연속부로 침투하게 되고 침투하지 못한 침투액을 제거한 후 현상액을 적용하면 불연속부에 들어있는 침투액이 현상액 위로 흡착되어 침투액이 침투되어 있는 부위를 나타내게 되어 불연속부의 위치 및 크기 등을 알 수 있다.

침투검사는 부품 표면에 노출되어 있는 결함에 대한 비파괴 시험이다. 침투검사는 표면균열 또는 다공성 결함을 탐지할 수 있다. 이러한 결함은 피로균열, 수축균열, 수축가공, 연마된 표면, 열처리 균열, 갈라진 틈, 단조 겹침 그리고 파열에 의해 발생하게 된다. 또한 침투검사로 결합된 금속 사이에 접합 불량을 표시해 준다. 침투검사의 주요한 단점으로는 결함이 표면에까지 열려야 한다는 것인데, 이러한 이유로 만약 문제의 부품이 자기를 띤 물질이면 자분 탐상검사 방법을 사용한다.

(1) 침투검사의 장점

- 시험 방법이 간단하고, 고도의 숙련이 요구되지 않는다.
- 제품의 크기, 형상 등에 크게 구애를 받지 않는다.
- 국부적 시험이 가능하다.
- 미세한 균열의 탐상도 가능하다.
- 비교적 가격이 저렴하다.
- 판독이 비교적 쉽다.
- 철, 비철, 플라스틱 및 세라믹 등의 거의 모든제품에 적용된다.

(2) 침투검사의 단점

- 표면검사만 가능하며 표면에 열려진 불연속부만 검사 가능하다.
- 시험 표면이 너무 거칠거나 다공성인 경우에는 탐상이 불가능하다.
- 시험 표면이 침투액 등과 반응하여 손상을 입는 제품은 검사할 수 없다.
- 후처리가 종종 요구된다.

4.4.1 침투액의 특성

액체 침투검사는 검사체에 침투액을 적용하여 표면 불연속부에 침투된 침투액 위에 현상액을 적용하여 탐상하는 방법으로 침투액, 현상액, 유화제가 있다.

(1) 침투액

액체 침투검사에서 가장 중요한 역할을 하는 것이 침투액이다. 침투액이란 균열과 같은 표면까지 열린 미세한 균열에도 침투가 되어야 하는 재료다. 침투액의 종류는 수세성 침투액, 후유화성 침투액, 용제 제거성 침투액이 있다.

(2) 현상제

현상액이란 결함 속에 적용된 침투액과 작용해서 육안으로 볼 수 있게 명암도를 증가시켜 결함의 관찰을 쉽게 하는 작용을 하며 현상액은 미세한 분말로 구성되어 침투액이 적용되고 과잉 침투액이 제거된 후에 검사체 표면에 도포한다. 종류로는 건식 현상제, 비수용성 습식 현상제, 습식현상제가 있다.

(3) 유화제

유화제는 침투력이 낮은 특성 때문에 결함 속으로 쉽게 침투하지 못하므로 불연속부에 있는 침투제는 쉽게 세척이 안 된다. 수세성 침투제에는 유화제가 섞여 있으므로 별도의 유화제 적용이 필요치 않으나, 침투제에 유화제가 섞여있지 않은 경우 과잉 침투제의 세척을 위해서는 유화 처리가 필요하다.

4.4.2 검사방법

(1) 검사방법의 선택기준

- 검사체의 표면상태
- 검출하고자 하는 결함의 특성
- 검사위치
- 검사소요시간
- 검사체의 크기, 수량, 형태, 무게
- 검사조건

(2) 액체 침투검사방법의 종류 및 특징

침투제의 관찰방법 및 세척방법에 따라 분류한다. 형광 침투검사는 자외선 등(Black light)이 필요하다. 염색 침투검사는 적색 염료를 포함하고 있는 침투제를 사용하는 방법으로 자연 광에서 관찰하면 흰색의 현상제 위에 적색의 결함 모양을 관찰할 수 있다.

형광 침투의 경우 염색 침투법에 비해 감도는 매우 높은 반면 암실 및 자외선 등의 검사 장비가 있어야 하므로 검사 장비가 많아지고 전원 등이 필요한 단점이 있다. 침투제 세척방법에 따라 수세성, 후유화성, 용제 제거성 액체 침투검사로 나뉜다.

(3) 액체침투방법의 기본적 처리 순서

검사체 표면 세척→침투액의 도포→유화제 또는 세제로서 침투액 제거→건조→현상액 도포→검사결과 해석 순으로 진행한다.

4.4.3 결과의 판독

액체 침투검사에 있어서 판독은 비교적 간단하다. 액체 침투검사에 의해 나타나는 지시는 표면에 있는 실제 불연속에 의한 것과 실제 결함과는 관계없는 다른 원인에 의한 것으로 구분할 수 있다. 실제 불연속에 의한 지시 모양은 선형 지시로 길이가 폭의 3배 이상 되는 지시를 말하며, 균열, 단조, 겹침, 긁힘 등에 의해 나타난다. 둥근 형태의 지시는 일반적으로 길이가 폭의 3배 이내가 되는 지시를 말하며, 주로 기공 및 Pin-Hole에 나타나며 깊이가 있는 균열의 경우에도 침투제가 빨려 나오면서 확산하여 둥근 형태로 나타나는 경우가 있다. 이러한 결함 발견을 쉽게 하기 위해서 다음 사항을 충분히 고려해야 한다.

(1) 침투액이 결함을 채울 수 있도록 충분한 시간을 주는 것은 중요하다. 결함은 내부로 침투액이 들어가도록 깨끗이 세척하여 내부에 오염물질이 없어야 한다.
(2) 현상 이전에 세척 또는 린스 과정에서 침투액이 표면과 결함 내부에서 제거될 가능성에 유의하라.
(3) 내부가 깨끗한 균열은 발견하기 쉽다.
(4) 결함이 작을수록 침투시간은 길다. 미세한 균열과 같은 틈은 침투액 침투시

간이 충분해야 한다.

(5) 검사체가 자기에 민감한 물질이면 자분 탐상검사방법으로 검사하라.

(6) 현상액은 백색이고, 진홍색 표시는 표면 결점이 있는 곳이다.

(7) 형광 침투검사인 경우, 결함은 자외선 등(Black Light)을 비추면 결함은 밝은 연두색, 이외 지역은 진한 남보라색으로 나타난다.

(8) 결함 표시를 조사하고 크기 및 원인 판정도 가능하다.

표시의 크기, 또는 침투액의 축적은 결함의 크기로 나타난다. 명도는 그것의 깊이 값이다. 깊이 갈라진 균열은 더 많은 침투액이 들어가므로 넓고, 크게 빛나게 된다. 아주 미세한 열린 구멍은 적은 양의 침투액으로 가는 선과 같이 나타나게 될 것이다.

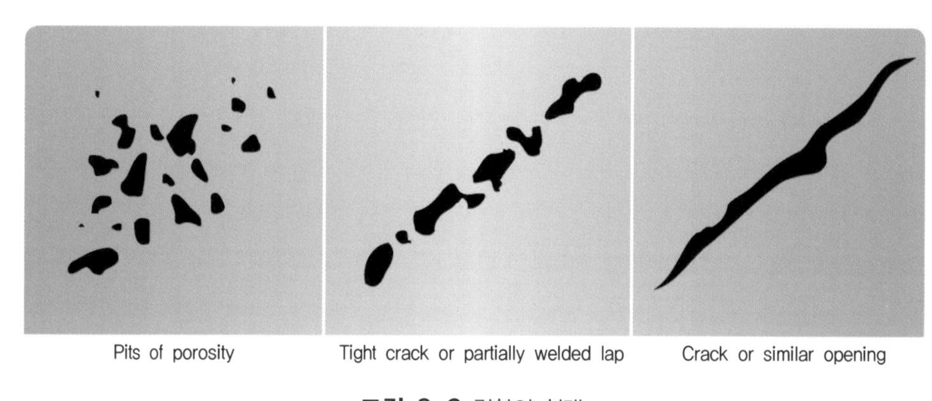

그림 3-2 결함의 형태

4.5 와전류 검사(Eddy Current Inspection)

와전류 검사는 코일을 이용하여 도체에 시간적으로 변화하는 자계(교류)를 걸면 도체에 발생한 와전류가 결함 등에 의해 변화하는 것을 이용하여 결함을 검출하는 비파괴 검사방법이다. 이 검사방법은 구조재, 터빈 축, Vane, 날개 외피, 휠의 볼트 구멍, 점화 플러그 구멍(bore) 등의 열화 균열검사에 효과적이다. 또한 화염, 과도한 열로 변형된 알루미늄 항공기의 수리를 위한 결함 탐지에도 사용된다.

와전류 지시값은 동일 금속이 서로 다른 경도를 가질 때 나타난다. 손상이 있는 곳의 와전류 값과 손상 없는 곳에서의 와전류 값을 비교 측정하는 것이다. 이 값의 차이는 경도 차이를 나타낸다. 항공기 제작 공정에서는 와전류를 주조, 압출, 기계공작, 단조, 사출 부품을 검사하는데 활용된다.

그림 3-3은 알루미늄 휠 반쪽 부분의 와전류탐상 작업을 보여주고 있다.

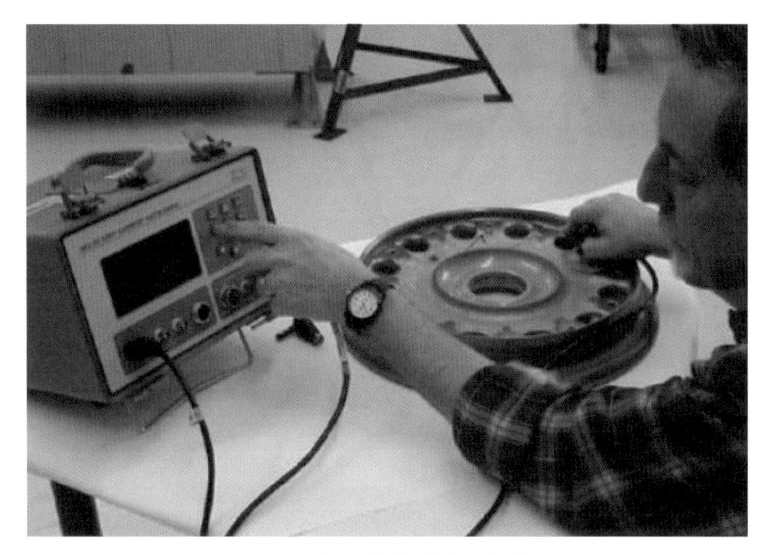

그림 3-3 휠의 와전류 검사

4.6 초음파 검사(Ultrasonic Inspection)

초음파 탐상기는 검사체의 한쪽 면에서 접근하여 검사체에 초음파를 전달하여 내부에 존재하는 불연속으로부터 반사한 초음파의 에너지 량, 초음파의 진행 시간 등을 분석하여 불연속의 위치 및 크기를 정확히 알아내는 방법이다.

초음파 검사는 기본적으로 세 가지 방법이 있다.

(1) **펄스 반사법**(Pulse echo)
(2) **투과법**(Through transmission)
(3) **공진법**(Resonance)

4.6.1 펄스반사법(Pulse echo)

펄스 반사법은 결함(Flaw)이 반사되는 초음파의 크기와 속도(시간차)등을 측정하여 검출된다. 각각의 송신 펄스는 검사체 내부에서 반사되어 오실로스코프의 화면(screen)에 반점 형태로 나타나며, 반점은 초당 50~5,000회 정도로 화면의 왼쪽에서 오른쪽으로 스쳐지나가게 된다. 송수신 사이클의 속도로 인해 오실로스코프에 나타나는 영상은 정지된 것처럼 인식된다.

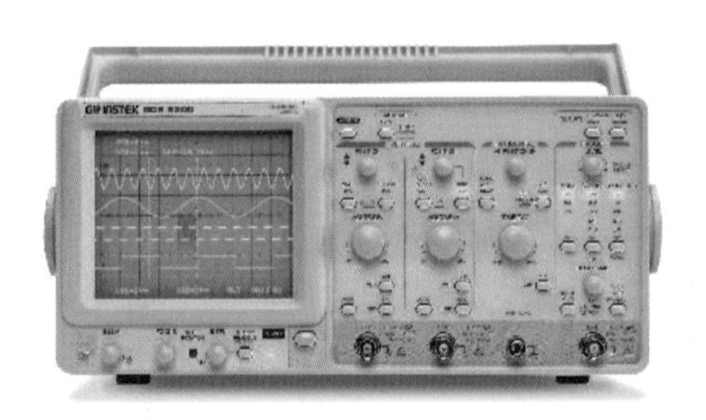

아날로그 방식

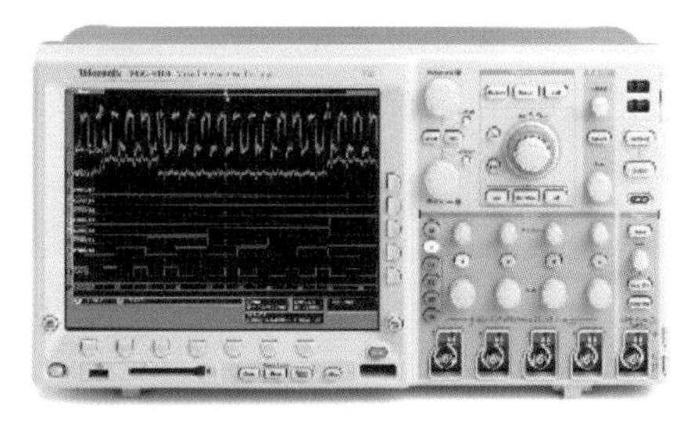

디지털 방식

그림 3-4 오실로스코프 장비

그림 3-5는 초음파를 비스듬히 예각(Acute angle)으로 검사체로 투사시킨 경우이다. 방출된 초음파는 검사체의 표면, 가장자리와 결함에서 계속적으로 반사된다. 수직법에서 초기 펄스와 첫 번째 반사파의 스크린상의 수평거리는 검사체의 두께인 반면에 사각법에서는 탐팀과 반대쪽 가장자리 사이에 폭이 된다.

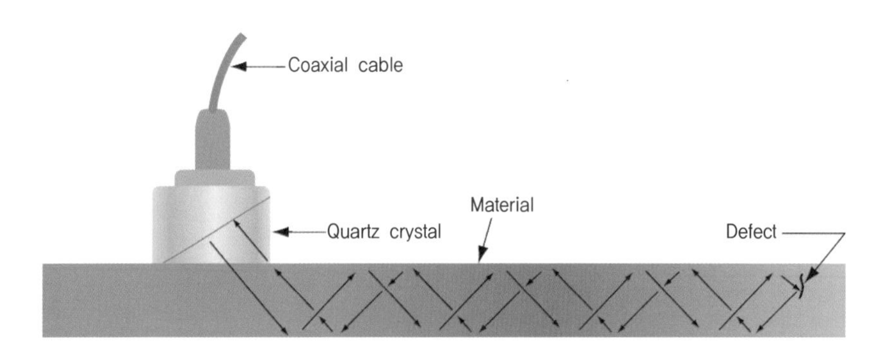

그림 3-5 펄스반사법의 경사 빔 검사

4.6.2 투과법(Through transmission)

투과법은 2개의 변환기(Transducer)를 사용하는데, 하나는 펄스를 발생시키고 다른 하나는 펄스를 수신하기 위해 반대쪽 표면에 놓여진다. 초음파 경로에서 분열은 흠을 지시할 것이고 화면에 나타난다. 이 투과법은 펄스 반사법보다 작은 결함에는 민감하지 않다.

4.6.3 공진법(Resonance)

공진법은 송신 주파수가 끊임없이 변화하는 펄스 반사법과 달리 검사체의 양쪽이

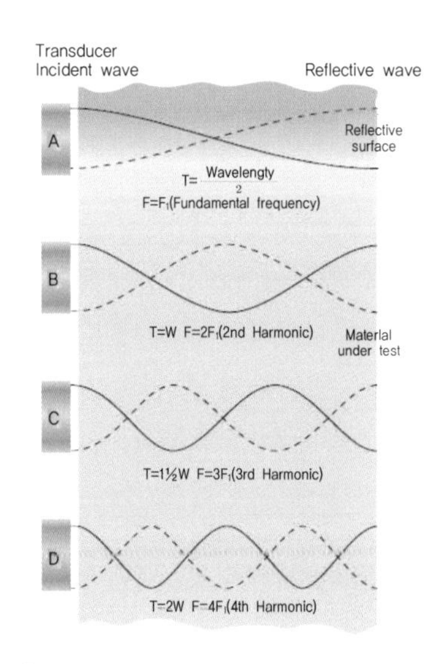

그림 3-6 금속판에서 초음파 공진의 조건

매끄럽고 평행하고 뒤쪽이 접근하기가 어려울 때 두께 측정을 위해 사용된다. 시험되고 있는 재료의 공진점은 두께를 결정하는 요소가 된다. 정확한 주파수를 설정하기 위해 표준 시험편을 활용한다. 그림 3-6과 같이 기본 주파수에서 시작하여 점차적으로 주파수를 증가시켜 연속적으로 공진과 소멸 주파수를 기록하여 기본 주파수를 검토하기 위한 것이다.

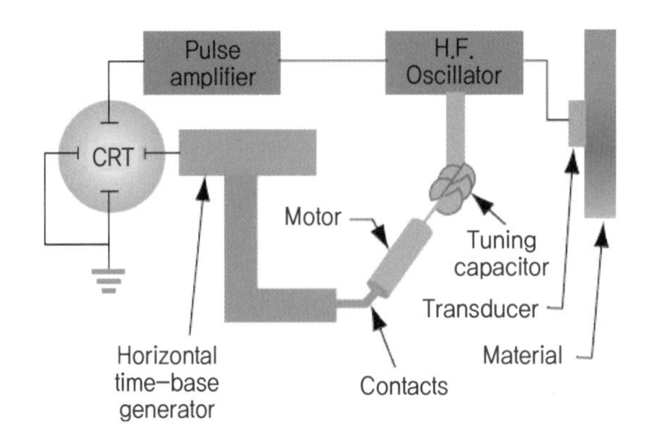

그림 3-7 공제두께 측정계와 다이어그램

그림 3-7과 같이 오실레이터 회로는 발진기 주파수를 변화시키는 캐패시터를 포함하고 있다. 주파수 변화는 브라운관(CRT)의 수평적 소사와 동조된다. 수평축은 주파수 범위를 나타낸다. 만약 주파수 범위가 공진을 포함한다면, 회로는 수직으로 배열된다. 교정이 된 자가 있어 두께를 직접 읽을 수 있다. 공진두께 계기는 강, 주철, 황동, 니켈, 구리, 은, 납, 알루미늄 그리고 마그네슘과 같은 금속의 두께를 측정할 수 있다. 탱크, 배관, 비행기 날개 외피 그리고 다른 구조물 또는 제품의 부식 또는 닳아 해진 위치를 검출할 수 있다. 다이얼식 장치는 0.25~3inch 두께 측정에 아주 좋은 신뢰도를 갖고 있다. 그림 3-8과 같이 초음파 검사는 활용 분야가 다양하지만 검사 방법과 검사장비 사용에 익숙한 숙련된 기술자가 필요하다.

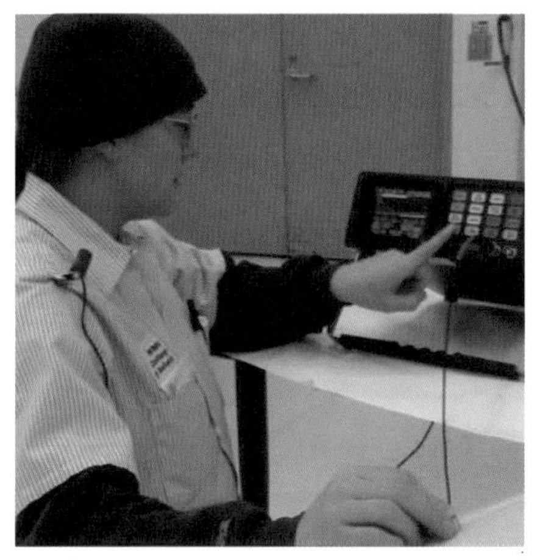

그림 3-8 복합소재 구조물의 초음파 검사

4.7 자분탐상검사(Magnetic Particle Inspection)

자분 탐상검사는 자성체로 된 검사체의 표면 및 표면 바로 밑의 결함을 자장을 걸어 자화시킨 후 자분을 적용하고, 누설 자장으로 인해 형성된 자분 지시를 관찰하여 결함의 크기, 위치 및 형상 등을 검출하는 방법이다. 이 방법은 비자성체에는 적용할 수 없다. 철강 재료 등 강자성체를 자화하게 되면 많은 자속을 발생한다. 자속은 자기의 흐름으로 나타나며 강자성체 중에서 자속은 쉽게 흐르지만 비자성체 중에서 자속은 흐르기 어렵다. 자속이 흐르는 길에 결함이 있으면 자속이 흐르기 어려워진다. 그러므로 자속은 결함이 가로막게 되면 피해 가려는 모양으로 넓게 흐른다. 자분을 뿌릴 경우 검사체의 표면에 자속을 가로지르는 결함이 있다면 누설 자속에 들어간 자분은 자화되어 자극을 나타내는 작은 자석이 되며 자분이 서로가 얽혀 결함부의 자극에 흡착한다. 빠르게 회전하고, 왕복운동, 진동에 노출되고, 대단히 큰 응력을 받는 항공기 부품에서 작은 결함은 종종 이 부품을 완전히 파손시키는 원인이 되기도 한다. 자분 탐상검사는 표면 위쪽에 또는 그 가까이에 위치한 결함의 신속한 탐지에 신뢰할 수 있는 방법이다.

4.7.1 기본절차

자분 탐상검사의 기본절차는 전 처리, 자화, 자분적용, 지시의 관찰, 탈자, 기록 등으로 구분할 수 있다.

(1) 전 처리

전 처리한 검사체의 표면 상태는 결과에 영향을 미치는 경우가 많으므로 검사체 표면에 있는 오물, 기름, 물기 등을 제거하는 과정을 말한다.

(2) 자화 처리

(3) 자분의 적용

자분 탐상에 사용되는 자분은 무독성의 강자성체, 미세한 분말로 이동성이 좋아야 한다. 특히 검사 면과의 가시성이 좋아야 한다. 자분은 건식 자분과 습식 자분이 있으며, 형광 물질 여부에 따라 분류된다. 습식 자분이 항공기 부품 검사에서 보편적으로 사용된다.

(4) 탈자 방법

자분 탐상검사 후에는 검사체의 잔류 자장을 반드시 제거해야 한다. 특히 차후 공정이나 사용상에 잔류자기가 영향을 미치거나, 처음보다 낮은 전류로 다시 자화를 해야 할 때는 탈자를 해야 한다. 탈자는 적용된 자장의 세기보다 큰 값으로 자장의 방향을 교대로 바꾸어 주면서 자장의 강도를 서서히 감소시켜 탈자시켜 주는 방법과 자장의 세기는 일정하게 유지시키고, 검사체 또는 코일을 자장 중에서 서서히 이격시켜 탈자시키는 방법이 있다.

4.7.2 결함 지시의 현상

자기화 된 물질의 불연속(결함)이 표면까지 개방되고 이를 지시하는 매질, 즉 자성을 띤 물질을 표면에 적용할 수 있을 때, 누설 자속에 들어간 매질인 자분은 자화되어 자극을 나타내는 작은 자석이 되며 자분 서로가 얽혀 결함 부위의 자극에 흡착하게 한다. 부품에 있는 자기로 인해 표면에 뿌려진 자분은 결함 부위에 결함의 윤곽 형태로 점착하여 남게 된다. 부품 표면으로 개방되지 않은 경우도 동일한 현상이 일어나지만, 이 경우는 누설 자속의 양이 적으므로 자분의 응집이 적다. 결함이 표면보다 훨씬 아래쪽에 존재하면, 누설 자속 양은 거의 없어 자분의 응집 현상도 나타나지 않는다. (그림 3-9. 3-10 참조)

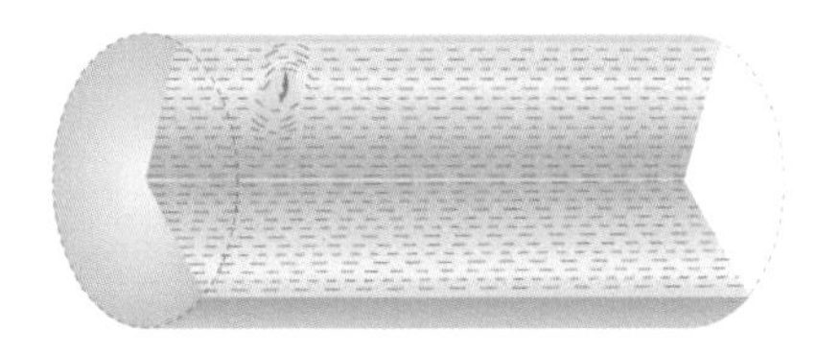

그림 3-9 가로 불연속의 누설자속

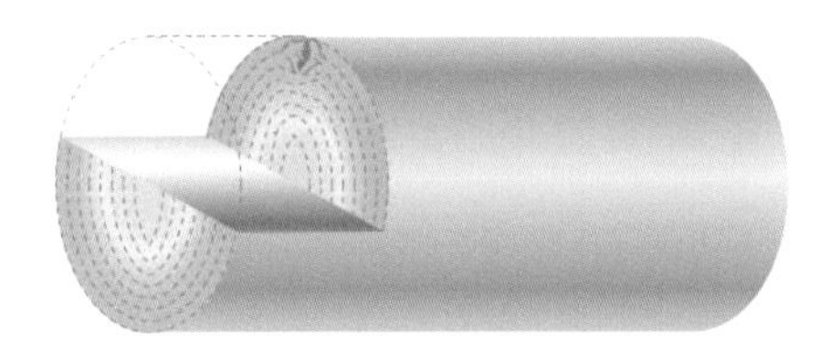

그림 3-10 세로 불연속의 누설자속

4.7.3 노출된 결함의 형태

자분 탐상시험으로 불연속 형태인 균열, 갈라진 틈(seam), 주름(Lap 또는 Cold shut 형태) 함유물, 쪼개진 금, 찢어진 곳, 관의 파열, 기공을 검출할 수 있다. 균열, 쪼개진 금, 터짐, 찢어진 곳, 갈라진 틈, 기공, 관의 분리 현상은 금속의 파열로 형성된다. 금속의 주름은 제조 공정에서 형성된 주름이다 함유물은 금속제조 열처리 시에 들어간 불순물에 의해 형성된 이물질이다. 함유물은 금속구조의 입자간 결합이나 용접을 방해하여 금속구조의 연속성을 방해하는 결함이다.

4.7.4 준비 및 전처리

윤활유, 오일, 오염 물질은 부품을 시험하기 전에 모두 제거되어야 한다. 검사체의 오염 물질에는 자성을 띤 미립자가 있어 결함과 무관한 지시를 조성할 수 있고, 자분의 결함 형태의 형성을 방해하므로 세척이 중요하다. 특히, 건식 자분으로 탐지할 때에는 세척을 완벽하게 해야 정확한 검사 결과를 얻을 수 있다. 내부통로 기공이나 오일 구멍 등 표면에 개방된 구멍은 파라핀과 같은 마찰을 일으키지 않는 물질로 막아야 한다.

카드뮴, 구리, 주석, 아연 코팅은 너무 두껍거나 얇은 곳을 제외하고 자분 탐상검사에 영향이 없다. 크롬도금, 니켈도금은 일반적으로 모재 표면의 균열의 표시에 간섭이 없지만, 함유물에 의한 불연속은 나타난다. 니켈도금이 크롬도금보다 강자성체이다.

4.7.5 자속방향 효과

부품의 결점을 찾는데 효과적이려면 자력선과 결점은 수직을 이뤄야 한다. 결점은 부품의 축에 어떤 각을 이루기 때문에 하나 이상의 자속을 유도시켜야 한다. 원형 자화와 선형 자화라는 두 가지 자화 작업이 필요하다.

그림 3-11은 자속 방향 효과를 보여준다.

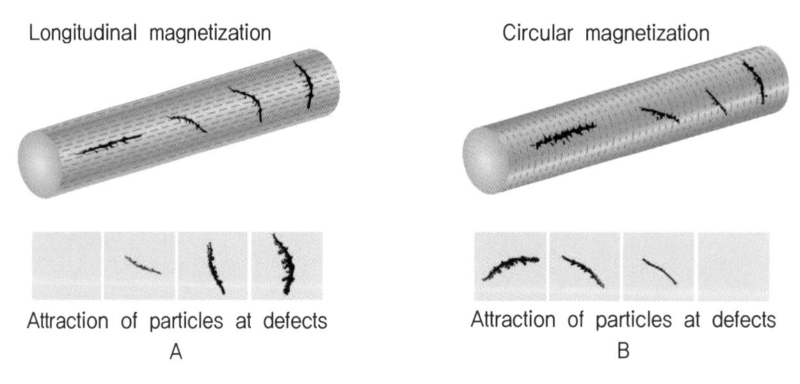

그림 3-11 자속방향의 효과

검사체에 전극을 접촉시켜 직접 통전하거나, 링, 튜브와 같은 부품 안에 전도체를 위치시켜 통전시키면 원형자상이 형성된다. 원형자화는 부품 내부에 동심원의 자기장을 유도하는 방법이다. 이 방법은 부품의 축에 평행하게 연속하는 결점의 위치를 찾는 방법이다. 그림 3-12는 크랭크샤프트의 원형자화를 보여준다.

선형 자화는 코일에 전류를 통전시키면 자력선이 직선으로 이루어지는 것을 이용한 방법으로 자기장은 부품의 장축 방향과 평행하게 형성된다. 전류로 여자된 솔레노이드에 부품을 놓아 유도 자기장을 이용하는 것이다.

그림 3-12 크랭크샤프트의 원형자화

그림 3-13과 같이 긴 부품의 선형자화에서 솔레노이드는 부품 자화를 위해 부품의 종축을 따라 이동시켜야 한다. 대형 또는 복잡한 시험체의 국부적 검사에 활용되고 있다.

그림 3-13 캠샤프트의 선형자화(솔레노이드 방법)

4.7.6 자속밀도의 영향

자분 탐상검사의 유효성은 부품 표면의 자속밀도 또는 전계강도에 따른다. 부품의 자속밀도가 증가되면 누설 자속이 증가하고 이에 따라 자분이 결함 부위에 잘 형성되므로 시험감도 역시 증가한다. 그러나 자속밀도가 과도하면 검사체 자체의 금속구조(입자구조)도 지시하여 결함과 무관한 지시가 나타난다. 그러므로 모든 가능한 해로운 불연속 상태(결함)이 나타날 정도의 자속 밀도만 사용하는 것이 필요하다.

4.7.7 자화 방법

자화는 다음 사항을 고려하여 적정한 방법을 선택한다.

- 자장의 방향은 예상 결함 방향과 직각을 이루도록 한다.
- 자장의 방향은 검사면과 평행하도록 한다.
- 검사 면을 손상시킬 우려가 있으면 직접 통전하지 않는다.
- 자화방법 및 자화 전류 값, 자화시간

자화를 위한 전류의 통전 시간은 전류를 통과시키는 방법에 따라 연속법과 잔류자기법이 있다. 검사체의 자성 특성과 부품의 모양에 따라 연속법과 잔류 자기법을 선택한다.

연속 검사법에서 부품의 자화가 연속적으로 이루어지고 있는 동안, 즉 자속밀도가 최대로 유지되는 동안 자분이 적용된다. 이 방법은 실제로 원형 자화 절차와 선형 자화 절차 모두에 이용하게 된다. 연소법이 검사체 표면 바로 밑에 있는 결함 검출에 효과적이어서 항공기 부품 검사에 활용된다. 부품의 자화력을 제거한 후의 잔류 자기를 이용하는 방법이 잔류 자기 검사절차이다.

4.7.8 지시의 식별

현상의 특징을 평가하는 것이 매우 중요하다. 검사체의 지시 특성을 평가하는 것은 극히 중요하고, 때로는 증상만을 관찰하기가 곤란할 경우가 있다. 지시의 특성으로써는 윤곽의 형태, 형성된 모양, 폭, 선명도 등이다. 표면에 노출된 균열은 쉽게 구별할 수 있다. 피로균열, 열처리균열, 용접과 주물에 있어서의 수축균열, 그리고 연마균열 등이 표면에 노출된 균열이다.

그림 3-14는 피로균열의 예이다.

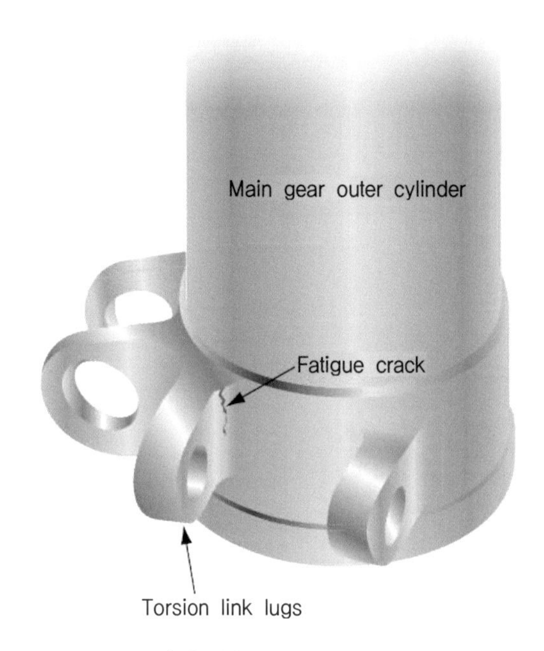

그림 3-14 착륙장치의 피로균열

4.8 형광 자분검사(Magnaglo Inspection)

이 검사는 형광 미립자 용액을 사용하고 불가시광선(Black light)을 비추어 검사한다. 검사 효율이 결함 내부에 침투한 형광 침투액의 효과로 아주 높다. 이 방법은 치차 나사가 난 부품, 엔진 부품의 결점 검출에 효과적이다. 사용되는 적갈색 액체가 형광 자분이다. 검사 후, 부품은 자성을 없애야 하고 세척 용제로 헹구어 준다.

4.8.1 자화장비

(1) 고정식 장치

그림 3-15는 고정식 일반 범용 자화 시험 장비이다. 이 장비는 습식연속자화와 잔류자화절차 모두 수행할 수 있고 직류를 사용하여 자화시킨다. 동력원은 내장 축전지에 의한 직류 또는 교류를 정류한 직류를 사용한다. 고정된 헤드와 이동식 헤드가 있고 직류가 연결된다. 이 2개의 헤드 사이에 검사체를 거치할 수 있는데, 이동식 헤드가 가하는 힘은 고정식 헤드의 스프링 탄성에 전달되어 검사체가 고정된다.

전기 모터로 구동되는 이동식 헤드는 세로방향으로 가이드를 따라 움직인다. 스프링은 이동식 헤드가 움직이지 않게 되는 것을 피하도록 충분히 이동하여 전기적 접촉이 확실하게 유지되도록 검사체 끝부분에 압력을 가한다.

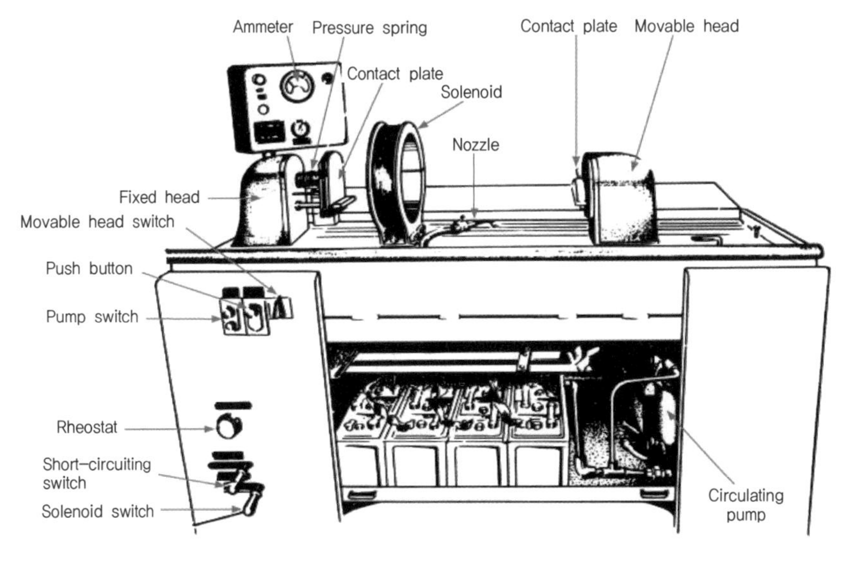

그림 3-15 일반 고정식 자화 장치

고정된 헤드에 있는 플런저 스위치는 스프링이 적절하게 압축되면 이동식 헤드의 운동회로가 전기적 운동 회로에 공급되는 전기를 차단한다. 자기화 회로는 앞쪽의 푸쉬 버튼을 눌러 접속하는데 0.5초의 시간차가 있다. 자화전류의 강도는 레오스타트(Rheostat)에 의해 수동으로 필요 값을 설정하거나, 레오스타트 차단회로 스위치

(Rheostat Short-circuiting Switch)로 장치의 용량에 따라 증가시키게 된다.

선형자화는 솔레노이드에 의하여 이루어지며, 이동식 헤드와 같은 가이드 선로에서 운동하며 스위치에 의해 전기적 회로와 연결된다. 현탁액은 노즐을 통해 검사체에 적용되고, 검사체에서 떨어진 현탁액은 비금속 그릴을 경유하여 집수 팬으로 모이게 된다. 순환펌프에 의해 수조로 회귀한다.

(2) 이동식 장치

이 장치는 고정식 장치가 없는 장소 또는 항공기에서 장탈하지 않는 항공기 구조 부재에서 검사를 수행하기 위한 장비이다. 착륙장치의 균열검사, 엔진 장착대 균열 검사에 아주 유용하게 사용된다. 그림 3-16과 같이 이 장치는 오직 자화전류와 비자화 전류의 공급원이다. 200V, 60Hz 교류로 작동되며 필요 시 직류를 공급하기 위한 정류기가 내장되어 있다. 자화전류는 플렉시블 케이블을 통해서 공급된다. 케이블 터미널은 그림과 같이 침(Prod) 또는 클램프로 되어 있다.

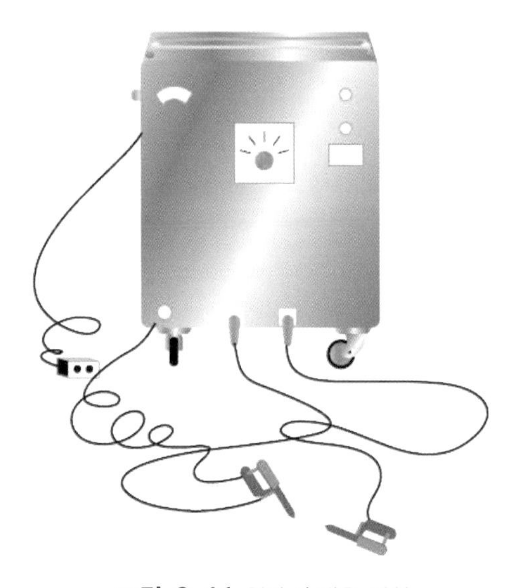

그림 3-16 일반 휴대용 장치

원형 자화는 침 또는 클램프를 사용하여 조성된다. 선형 자화는 검사체 주위에 케이블을 감아 조성한다. 자화전류 강도는 8접점식 탭 스위치로 제어되고, 자화 시간은 고정식 장치와 같이 자동적으로 조절된다. 이 장치는 탈자 장치로도 사용 가능하며, 고전류, 저전압 교류가 공급된다. 이 교류는 부품을 통과하면서 점차적으로 감류기에 의해 감소된다. 평평한 면 형태의 대형 구조물을 시험하는 경우 침이 사용된다. 검사체는 장치에 고정하고 현탁액을 국부적으로 뿌려 시험하는데 이 액체는 탱크로 회수된다. 힘은 시험되고 있는 표면에 단단히 고정시킨다. 고전류는 접촉 부위를 태울 수도 있으므로 주의한다.

4.8.2 지시매질

자분 탐상검사에 이용할 수 있는 매질은 습식과 건식이다. 이 매질의 역할은 검사체의 결함을 지시하는 것이다. 검사체 표면에 이 매질에 의해 형성되는 특별한 지시는 중요하므로 일반적으로 습식에서는 검정색과 빨간색이고 건식에서는 검정, 빨강, 회색이다. 매질은 높은 투자율과 낮은 보자성을 가져야 한다. 높은 투자율(High-permeability)은 자기 에너지의 최소가 불연속으로 인한 누설자속이 매질을 응집시키는 것을 확실하게 하며, 낮은 보자성(Low-retentivity)은 자석의 미립자의 움직임이 그들 자체를 자화하여 서로 끌어당기는 미립자에 의해 방해되지 않도록 한다.

4.8.3 탈자

검사 후에 잔류하는 영구자기를 부품에서 제거하는 작업이 탈자이다. 작동 기구에 남아 있는 자력은 줄밥, 연마, 칩 등을 끌어 당겨 작업 시에 결함을 초래할 수도 있어 탈자를 확실하게 해야 한다. 탈자가 안 된 부품에 미립자가 축적된다면 이 작동기구의 베어링이나 가공하는 물체에 스코어링과 같은 결함을 유발한다. 기체 부품은 그러한 미립자의 축적으로 계기에 영향을 미치지 않도록 탈자시켜야 한다. 항공기 부품에 대한 탈자 방법은 부품에 계속하여 자력선의 방향을 변경하면서, 동시에 자력의 세기도 점차적으로 감소시키는 방법이 주로 사용된다.

4.8.4 표준 탈자 방법

표준적 탈자 방법으로 교류 솔레노이드 코일을 사용한다. 부품이 솔레노이드의 교번자장에서 멀어지면 부품의 잔류 자기는 점차 감소한다.

탈자할 물체와 비슷한 크기의 탈자기 탈자장치가 사용되어져야 한다. 탈자가 쉽지 않은 부품은 2~4번 이 장치의 안팎을 천천히 지나가게 해야 하고, 동시에 여러 방향으로 회전시켜야 한다. 자력 제거에 효과적 절차는 자장의 강도에 떨어져서 부품을 천천히 움직이는 것이다. 탈자장치로부터 1~2feet까지 이격하여 머무르도록 한다. 탈자장치에는 전류제거를 천천히 하여 부품이 다시 자력을 갖지 않도록 한다. 이동식 장치에서의 탈자는 부품에 교류를 가하여 점차적으로 전류 값이 0이 될 때 까지 충분히 탈자하는 것이다.

4.9 방사선투과검사(Radiographic Inspection)

방사선 투과검사는 병원에서 X-Ray 검사로 우리 몸 속의 이상 유무를 검사하는 것과 같이 금속이나 기타 재질에 대하여 방사선 및 필름을 이용하여 내부에 존재하는 불연속(결함)을 검출하는데 적용되고 있는 비파괴 검사방법이다. 이 기술은 최소의 분해나 분해 없이 기체 구조와 엔진에서 흠결의 위치를 알아내기 위해 사용된다. 의심되는 부분을 장탈, 분해, 도색제 벗기기 등이 필요한 여타 비파괴 검사방법과 크게 다른 것이다. 방사선 위험으로 인하여 집중적인 훈련을 받고, 자격 있는 방사선 촬영기사가 방사선 발생장치를 동작시킬 수가 있다. 세 가지 주요 단계는 (1) 준비와 검사할 물체를 방사선에 노출 (2) 필름의 처리(현상) (3) 방사선 사진의 해석이다.

4.9.1 준비와 노출

방사선 노출 정도를 결정하는 요인은 다음과 같다.

(1) 재료 두께와 밀도
(2) 물체의 모양과 크기

(3) 탐지하고자 하는 결점의 종류
(4) 방사선 발생 기계장치의 특성
(5) 노출 거리
(6) 노출 각
(7) 필름 특성
(8) 증감지(intensifying screen)의 종류

장치의 정격 전압, 크기, 휴대성, 조작의 용이성, 노출특성은 완전하게 이해하고 있어야 한다. 유사물체에서의 촬영 경험은 전체 노출의 결정에서 매우 유익한 기술이다. 노출일지 또는 기록은 방사선 사진에 대한 길잡이로서 특별한 자료가 된다.

4.9.2 필름현상

X-Ray에 노출된 필름의 감광상태는 현상액, 화학용액, 산과 그리고 정착액(fixing bath) 적용, 뒤이어 깨끗한 물 세정을 연속하여 거치면 현상이 된다.

4.9.3 방사선사진 해석

품질보증 측면에서 볼 때, 방사선 사진의 해석이 검사 방법의 중요한 국면이다. 판단 실수가 비참한 결과를 만들어낼 수 있기 때문이다. 이 과정에서 구조물 또는 부품의 사용에 적합한지 부적합한지를 판단하기 때문이다. 간과하거나, 이해하지 못하거나, 또는 부적절하게 판단하는 믿을 수 없는 상황이나 결점은 방사선 촬영의 목적과 노력을 소멸시킬 수 있고, 항공기의 구조적 완전무결성을 위태롭게 하기 때문이다. 부적절한 해석에 근거하여 부품 또는 구조물을 합격시키는 사실에서 파생되는 위험, 즉 안전장애의 발생 원인이 될 수 있기 때문이다. 해석은 매우 다양하고 복잡한 것이다 .이 장에서는 오직 일부 공통된 결점의 설명을 포함하는 방사선 사진 해석의 기본적인 사항만을 설명한다. 경험적으로 방사선 사진 해석은 작업한 검사체 근처에서 실물을 보면서 해석하는 것이 직접 비교할 수도 있고, 그리고 표면 상태, 두께, 변동과 같은 징후를 판단할 수 있기 때문이다. 방사선 사진 분석을 할 때 고려해야 할 요인

은 다음과 같다.

흠이나 결함은 기본적인 3가지가 있는데 빈 공간, 함유물, 치수 불규칙이다. 치수의 불규칙성은 방사선 촬영에서는 정확하지 않기 때문에 제외된다. 빈 공간과 함유물은 이차원 평면에서 삼차원 구체에 이르기까지 여러 가지 형태로서 방사선 사진에 나타난다. 공동(cavity)은 삼차원의 구체와 같이 보이게 되지만, 균열, 찢어진 곳, 또는 쇳물 맞닿는 선은 대부분 이차원 평면과 닮아 있다. 수축, 산화 내재물(oxide inclusion), 다공성(porosity) 등과 같은 다른 형태의 흠은 이들 두 가지의 극단적인 형태 중 하나인 것이다.

흠의 결합구조를 분석하는 것이 중요하다. 예를 들어, 균열과 같은 흠에서 그 끝은 기공과 같은 흠에서 보다도 훨씬 선명하게 나타난다. 또한 재료강도는 흠 모양에 의해 악영향을 받는다. 날카로운 첨단이 있는 흠은 국부적 응력집중의 출처를 입증한다. 둥그런 흠은 재료강도에의 영향은 적다. 규격서, 참고 표준서는 불합격의 원인이 되는 균열, 쇳물 맞닿는 선 등과 같은 흠이 명문화되어 있다.

재료강도는 흠의 크기에 영향을 받는다. 금속 장비품은 어떤 하중에 안전계수를 더하여 견디도록 설계되었다. 흠이 포함되어 있다 해서 장비품의 표면적을 줄이면 부품을 약화시키고 안전계수가 감소된다.

때때로 일부 흠은 안전계수를 이유로 장비품에서 허용되는데, 이 경우에 있어서 해석하는 사람은 디자이너에 의해 명시된 공차 또는 완전하지 못함의 정도를 결정해야 한다. 날카로운 첨단의 작은 흠이 이것 없는 큰 흠만큼 나쁜 것일 수 있기 때문에 신중히 고려해야 한다. 흠 분석에 있어 또 하나 고려할 것은 위치이다. 금속 장비품은 사용수명 중에 여러 가지 다양한 힘을 받는다. 힘의 분포는 장비품과 부품에서 동일하지 않고, 어떤 중요한 곳은 오히려 더 큰 응력을 받게 된다. 필름을 해석할 때 이 부위는 특별히 주의해야 한다. 흠 위치의 또 다른 측면은 서로 인접되어 있는 불연속이 응력집중의 출처로서 잠재적으로 작용하는 것이다.

함유물은 물체에 내재되고 있는 물질의 조성이다. 이러한 흠은 방사선 사진에 찍힌 것보다 더 크거나 또는 작은 밀도를 가진 것일 수도 있다. 이물질을 함유한 흠은 부식의 근원이 될 수 있다.

4.9.4 방사선의 위험

방사선에 피폭되면 인체에 장해가 생긴다는 것은 잘 알고 있는 사실이다. 따라서 방사선을 취급할 때에는 세심한 주의를 해야 한다. X-선 발생장치는 전원을 끄면, X-선이 발생하지 않지만 감마선원은 방사선 방출을 중지할 수 없기 때문에 방사선 안전관리에 특히 신중을 기하지 않으면 안 된다. X-Ray 장치와 방사성동위원소로부터 나온 방사선에 피폭된 살아 있는 세포 조직은 파괴된다. 이러한 사실은 장비 사용 시에 적절한 보호 조치를 필히 해야 함을 의미한다. 방사선 발생장치 사용자는 항상 X-Ray Beam의 바깥쪽에 있어야 한다. 방사선이 지나가는 모든 물질은 변화된다. 이것은 살아있는 세포 조직에서도 마찬가지이다. 방사선이 신체의 분자에 부딪칠 때, 단지 소수의 전자를 몰아내는 거에 지나지 않지만, 그 양이 초과하면 돌이킬 수 없는 피해를 입을 수 있다. 복잡한 조직이 방사선에 노출되었을 때 손상의 정도는 변화된 신체 세포에 따른다.

방사선이 침투된 신체의 중심에 있는 심장, 뇌 등의 생명 유지에 절대 필요한 기관을 대부분 해치게 된다. 피부는 보통 방사선의 대부분을 흡수하고 방사선에 가장 빠른 반응을 나타낸다.

만약, 전체의 신체가 방사선의 아주 많은 조사량에 노출되면 죽음에 이를 수도 있다. 방사선의 병리학적 영향의 형태와 심각도는 한꺼번에 받는 방사선의 양과 노출된 전체 신체의 비율에 따른다. 작은 조사량은 짧은 기간 동안에 혈액 장애와 소화기 장애의 원인이 될 수 있다. 더 많이 조사되면 백혈병과 암, 피부 손상, 탈모도 될 수가 있다.

5. 복합재료의 검사(Inspection of Composites)

복합재료 구조는 내부 복합재료 층의 분리, 중심과 외피의 접착이완, 습기와 부식 등에 의한 층 분리(delamination)에 대해 검사한다. 초음파 시험, 음향 방출시험, 그리고 방사선 검사가 항공기 제작사의 권고에 따라 사용된다. 복합재료 구조의 시험에 사용되는 가장 간단한 방법이 두드려 보는 탭 시험(Tab Test)이다.

5.1 탭 시험(Tab Testing)

동전시험(Coin test)이라고도 부르는 이 시험방법은 얇은 층으로 갈라지는 층의 분리 또는 접착부분 이완의 존재 여부를 검사하는데 폭 넓게 사용된다. 시험절차는 무게 2온스의 가벼운 해머, 동전, 또는 다른 적당한 공구로 표면을 가볍게 두드려 불량이 있는 곳과 없는 곳의 소리를 듣고 판단한다. 소리가 다르거나 무음지역은 결함 존재 우려가 있는 부분이다. 이 방법은 두께가 0.08인치 이하의 비교적 얇은 외피에 있는 결점을 찾아낼 때 효과적이다. 벌집모양 구조에서는 양면 모두를 시험해야 하며, 한쪽만 하는 경우에는 반대쪽의 접착이완과 같은 결함을 찾지 못한다.

5.2 전기 전도율(Electrical Conductivity)

복합재료 구조는 본질적으로 전기적인 전도성이 없다. 전기적 전도성이 저속 항공기에서는 문제점이 없으나, 고속, 고성능 제트 항공기에서는 전도성을 가진 복합재료 구조물, 즉 알루미늄을 여러 가지 방법으로 구조물 내에 삽입하여 전도성을 가진 구조로 만들어 사용한다. 알루미늄을 wire mesh, 스크린, Foil 형태로 복합재료 적층 사이에 끼워 넣는다. 복합재료 구조를 수리하였다면 이 전도의 경로가 복원되었는지 검사를 해야 한다. 수리 시에 전도 물질이 포함되어야 하고, 교환된 전도체도 전도성이 복원되었는지 검사를 한다. 전기 전도율은 저항 측정기로 점검하면 된다.

6. 용접 검사(Inspection of Welds)

용접이란 접합하고자 하는 2개 이상의 물체나 재료의 접합 부분 사이에 용융된 용가재를 첨가하여 접합시키는 것이다.

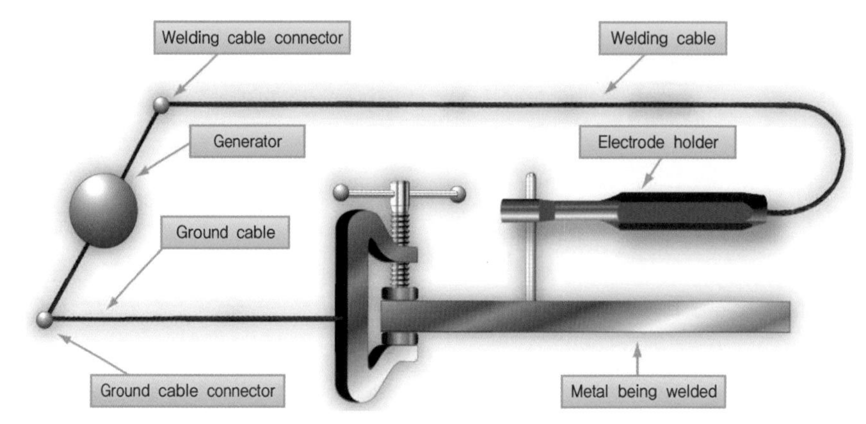

그림 3-17 대표적인 아크용접 회로

용접 작업은 작업 공정을 줄일 수 있으며 이음 효율을 향상시킬 수 있다. 또, 주물의 파손부 등의 보수와 수리가 쉽고, 이종 재료의 접합이 가능하다. 그러나 열로 인하여 제품의 변형과 잔류 응력이 발생할 수 있고, 품질 검사가 곤란하며, 작업 안전에 유의하여야 한다.

그림 3-17은 대표적인 아크용접 회로도를 나타낸 것이다. 용접부 검사에는 방사선 검사, 초음파 검사, 자분 검사, 형광 검사 등이 널리 사용된다. 용접 결함부위 검사에는 파면검사, 마크로 조직검사, 천공검사, 음향검사와 같은 방법도 이용되고 있다. 여기서는 주로 시각적인 용접 품질에 대한 검사를 설명한다.

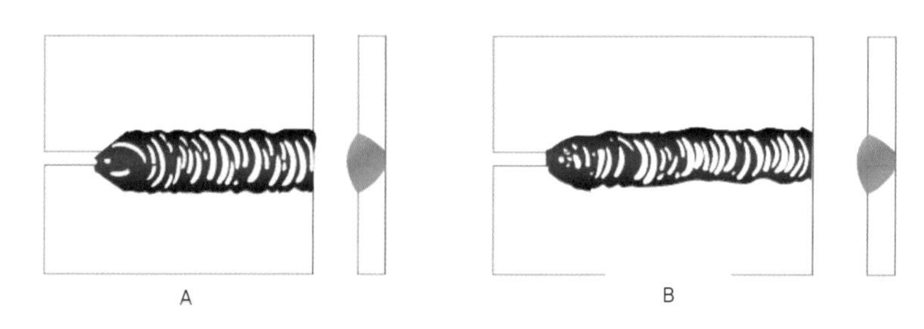

그림 3-18 양호한 용접의 예

용접한 부위의 외관은 용접 품질 판정의 중요한 길잡이 역할을 한다. 적절한 이음 용접 부위는 모재보다 더 강하다. 그림 3-18과 같이 양호한 용접은 폭이 균일하고 과열이 없었다면 탄 흔적도 없고, 깃털 모양의 잔물결 형태 기공, 다공성, 함유물이 없다. 그림 3-18의 B는 비드 끝이 직선은 아니지만, 용가재가 충분히 침투되어 있기 때문에 양호한 용접이다.

용입의 길이는 용해의 깊이라고 할 수 있다. 용입은 모재의 두께, 용접봉의 크기, 용접작업 등에 영향을 받는다. 맞대기 용접에서 비드의 크기는 모재 두께의 100%이어야 한다. T형 용접에서 비드의 크기는 두께의 25~50%가 되어야 한다.

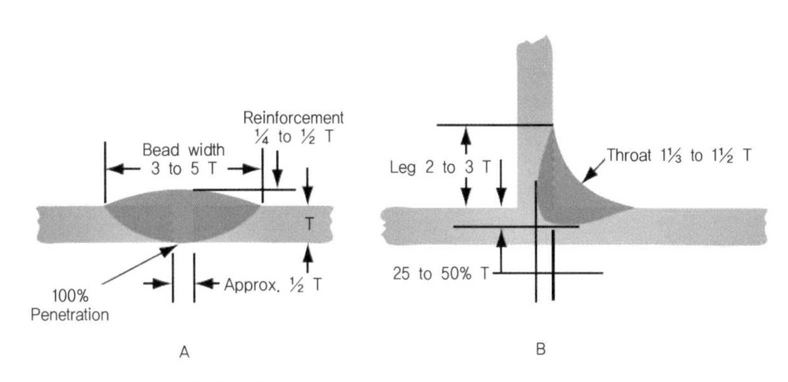

그림 3-19 (A)버트용접, (B)필렛용접의 두께와 폭

(1) 균열

균열은 용접부에 생기는 것과 모재의 변실부에 생기는 것이 있다. 용착 금속 내에 생기는 것은 용접부 중앙을 용접선에 따라 생기든가 용접선과 어떤 각도로 나타난다. 그리고 모재의 변질부에 생기는 균열은 재료의 경화, 적열취성 등에서 생긴다.

(2) 변형 및 잔류응력

용접할 때 모재와 용착금속은 열을 받아 팽창하고 냉각하면 수축하여 모재는 변형을 일으킨다. 용접부에 변형이 일어나지 않게 하기 위하여 모재를 고정하고 용접하면 모재의 내부에 응력이 생기는데 이것을 구속응력이라고 하고, 자유로운 상태에서도 용접에 의해 응력이 생기는데 이것을 잔류응력이라고 한다.

(3) Under Cut

모재 용접부의 일부가 지나치게 용해되든가 또는 녹아서 홈 또는 오목한 부분이 생기는데 이것을 언더컷이라고 한다. 용접 표면에 노치 효과를 생기게 하여 용접부의 강도가 떨어지고, 용재(Slag)가 남는 경우가 많다.

(4) Overlap

운봉이 불량하여 용접봉 용융점이 모재 용융점보다 낮을 때에는 용입부에 과잉 용착금속이 남게 되는데, 이 현상이 오버랩이다.

(5) Blow Hole

용착금속 내부에 기공이 생긴 것을 말하며, 구상 또는 원주상으로 존재한다. 이것은 용착금속의 탈산이 불충분하여 응고할 때 탄산가스로 생긴 것과 수분이 함유된 용제를 사용하였을 때 수소가스 등이 발생 원인이다.

(6) Fish Eye

용착 금속을 인장시험이나 벤딩 시험한 시편 파단면에 0.5~3.2mm 정도 크기의 타원형 결함으로 기공이나 불순물로 둘러싸인 반점 형태의 결함으로 물고기의 눈과 같아 fish eye 또는 은점이라고 한다. 저수소 용접봉을 사용하면 이것을 방지할 수 있다.

(7) 선상조직

용접할 때 생기는 특이 조직으로서 보통 냉각 속도보다 빠를 때 나타나기 쉽다. 이 조직은 약하고 기계적 성질이 불량하므로 이것을 방지하기 위해서는 급냉을 피하고,

크레이트 및 비이드의 층을 제거하고 저수소 용접봉을 사용해야 한다.

그림 3-20의 A는 너무 빨리 용접할 때 나타난다. 과도한 양의 열 또는 산화불꽃에 의해 발생된다. 용접이 횡단면을 만들었다면 기공, 다공성, 용재 혼입 등이 있다.

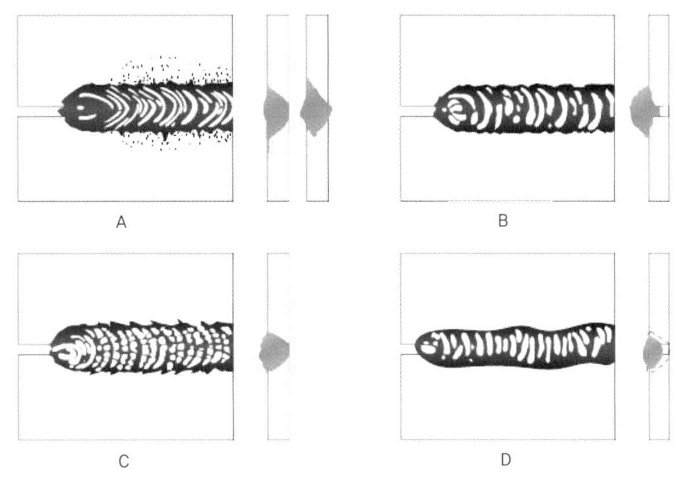

그림 3-20 불량 용접의 예

그림 3-20의 B는 부적절한 비드가 형성된 용접이다. Cold Lap은 불충분한 열로 용접봉이나 모재가 충분히 녹지 않은 상태에서 융착된 상태이다.

그림 3-20의 C는 과도한 양의 아세틸렌 사용으로 용접봉이나 모재가 녹은 상태에서 끓게 되어 작업 말미에 크레이터를 따라 융기 상태를 남기게 된다. 절단면을 보면 기공과 다공성이 보인다.

그림 3-20의 D에서는 불규칙한 끝단과 비드 깊이가 불량한 용접이다.

제4장 유관과 결합구

1. 개요
2. 배관
3. 가요성 호스
4. 배관 연결구
5. 튜브 성형 공정
6. 금속 튜브 배관의 수리
7. 가요성 호스의 조립과 교환
8. 강성튜브의 장착
9. 호스 클램프

1. 개요(General)

항공기 배관은 항공기에 사용하는 호스, 관, 결합구와 연결구 뿐 아니라 이들을 성형하고 설치하는 과정까지 포함한다.

때로는 손상된 항공기 배관을 수리하거나 교환하는 작업이 필요하게 되고, 대부분의 수리는 관만을 교체함으로써 이루어진다. 그러나 관의 교체만으로 수리할 수 없으면 필요한 부품들을 제작해야 한다. 교체할 관은 원래의 유관과 크기 및 재질이 같아야 하며, 모든 관은 최초 장착 전에 압력시험을 거쳐야 한다. 또한 가해지는 정상 작동압력의 2~3배의 압력에 견디도록 만들어야 한다. 만일 관이 파열되거나 균열된다면 그것은 진동이 심하거나 장착을 잘못했거나 다른 물체와의 충돌에 의한 손상 때문일 것이다. 모든 배관의 결함은 주의 깊게 관찰하여야 하고 그 결함의 원인을 규명해야 한다.

2. 배관(Plumbing Lines)

항공기 유관은 보통 금속 튜브와 결합구 또는 가요성(유연한) 호스가 사용된다. 금속 튜브는 항공기의 연료계통, 윤활유계통, 냉각계통, 산소계통, 계기계통과 유압계통 등에 널리 사용되고 있으며, 가요성 호스는 주로 운동부분이나 진동이 심한 부분에 주로 사용되고 있다. 일반적으로 알루미늄 합금 또는 내식강의 관을 구리 배관 대신 대체하여 사용하고 있다. 그 주요 이유로는 구리 배관의 높은 피로계수 때문이다. 구리 배관은 진동을 받으면 단단해지고 취약하게 되고 결국은 부서지게 된다. 알루미늄·합금은 작업성이 좋고 내식성이 좋으며 가볍기 때문에 항공기 배관에 적합하다.

알루미늄·합금의 배관은 계기 라인과 환기용 라인과 같은 무시해도 좋을 만한 압력이나 낮은 압력에 일반적으로 사용한다. 그러나 2024-T3, 5052-O 그리고 6061-T6 등의 알루미늄 합금 재질로 만든 배관은 약 1000~1500psi의 유압계통과 공압계통 그리고 연료계통과 오일계통 등에 사용된다.

강철로 풀림 처리된 배관은 착륙장치, 플랩, 브레이크 등의 작동을 위한 부분이나 화재 발생이 가능한 지역과 같은 3000psi 이상의 고압이 사용되는 유압계통에 널리 사용된다. 내식강의 높은 인장 강도는 튜브의 두께가 더욱 얇아지는 것을 허용하였으며, 상대적으로 두꺼운 알루미늄 합금 튜브를 장착하는 것보다 무게가 가볍게 되었다. 또한 강철 튜브는 외부 물질에 의한 손상(FOD: Foreign Object Damage)의 위험이 있는 곳, 착륙장치와 바퀴실 부분에 사용된다.

티타늄 배관과 피팅은 운송용 항공기와 고성능 항공기 등 1500psi 이상의 고압계통에 이용되는 등 광범위하게 사용되고 있다. 티타늄은 강관보다 50% 정도 가벼우며, 강도는 30% 정도 더 강하다. 그러나 타타늄 배관은 산소계통의 튜브와 피팅에는 함께 사용할 수 없다. 티타늄과 티타늄 합금은 산소와 반응하기 때문이다. 만약 새로이 형성된 티타늄 표면이 산소 가스에 노출된다면 자연 연소가 저압에서 발생할 수도 있다.

2.1 재질의 식별(Material Identification)

항공기 배관의 수리 전에는 반드시 튜브의 재질을 정확히 확인해야 한다. 알루미늄 합금, 강철 또는 티타늄 관은 사용되는 재료의 장소에 따라 쉽게 구별할 수 있어야 한다. 그러나 재질이 탄소강인지 스테인리스강인지를, 또는 알루미늄 합금 중에서 1100, 3003, 5052, 2024 등인지를 식별하여 구분한다는 것은 매우 어렵다. 따라서 기존에 장착된 튜브에 사용된 재질의 정확한 확인을 위해 튜브에 표시된 코드와 교환 장착되는 튜브의 코드를 비교해야 한다.

크기가 큰 알루미늄 합금 튜브의 표면에는 합금의 명칭을 스탬프 해 넣는다. 크기가 작은 알루미늄 튜브도 튜브 표면에 명칭을 스탬프 할 수 있지만 좀 더 일반적으로 튜브의 양 끝단 또는 튜브의 중간 위치에 4인치의 폭을 넘지 않는 코드로 표시된다. 두 가지 색으로 밴드가 구성되면 각각의 색깔을 표시하기 위해 밴드의 반쪽씩의 폭이 사용된다. 만약 칼라로 된 코드가 읽기 어려워지거나 불가능하게 된다면, 경도 실험을 통해 경도의 세기에 따라 재질의 테스트가 필요하다.

금속 튜브의 크기는 바깥지름을 측정하며 1인치를 16등분한 분수로 표시한다. 따라서 NO.8 튜브의 경우는 8/16인치(또는 1/2인치)이다. 튜브의 직경은 모든 금속 튜브(Rigid Tube) 위에 일반적으로 인쇄된다. 다른 분류법을 추가하거나 분류를 확인하기 위해서 다양한 튜브의 벽두께로 제작된다. 튜브를 장착할 때는 재질뿐만 아니라 바깥지름과 벽두께를 알고 튜브를 장착하는 것이 중요하다. 튜브의 벽두께는 1/1000인치로 튜브 표면에 인쇄된다. 튜브의 안지름을 확인하려면 바깥지름으로부터 벽두께의 2배를 빼야한다.

3. 가요성 호스(Flexible Hose)

가요성 호스는 진동이 발생하는 위치에 장착된 고정 부품에 움직이는 부품을 연결하거나 유연성이 크게 요구되는 항공기의 유체계통에 사용한다. 가요성 호스는 금속 튜브 계통을 연결하는 연결구(connector)로도 사용이 가능하다.

3.1 고무 호스(Rubber Hose)

순수한 고무는 가요성 호스의 재질로 사용될 수 없다. 요구되는 강도, 내구성, 작업성에서 요구되는 조건을 충족시키기 위해서는 순수고무 대신 합성고무를 사용한다. 가요성(연성) 호스를 제작할 때 일반적으로 사용되는 합성고무는 Buna-N, 네오프렌(neoprene), 부틸(butyl), 에틸렌 프로필렌 디엔 고무(EPDM : Ethylene Propylene Diene Rubber)와 테프론(teflon) 등이 사용된다. 고무호스는 합성고무 재질의 안쪽 튜브와 면, 철사 그리고 합성고무가 합쳐 만들어진 바깥쪽 층으로 이루어진다. 이렇게 만들어진 호스는 연료계통, 윤활유계통, 냉각 계통 및 유압계통에 사용된다. 또한 고무호스는 저압용, 중압용, 고압용 세 종류로 만든다.

저압 호스는 250psi 이하의 압력에서 사용 가능하고, 직물 보강제로 구성되어 있다. 중압 호스는 1500~3000psi까지의 압력에서 사용 가능하며, 하나의 철사망 층으로 보강되어 있다. 그리고 작은 크기의 호스는 3000psi까지 사용 가능하며 큰 크기의 호스는 1500psi까지 사용이 가능하다. 고압 호스는 3000psi까지 사용이 가능한 모든 호스이다.

그림 4-1과 같이 호스의 구분을 위한 표시는 문자, 선, 숫자로 호스 표면에 인쇄되어 있다. 대부분의 유압 호스는 호스의 종류, 제작사를 구분하기 위해 5자로 된 코드와 제작, 분기와 년도 등이 표시되어 있다. 이러한 표시는 호스의 꼬임 상태를 판단하기 쉽도록 대조된 색의 글자와 숫자 등으로 인쇄되어 있고 9인치 간격으로 반복되어 있다. 코드는 추천하는 대체품이나 같은 사양의 호스로 교환할 때 도움이 된다. 정확한 호스의 선택을 위해서는 반드시 항공기 정비 교범 또는 부분품정비 교

범을 참조하여야 한다.

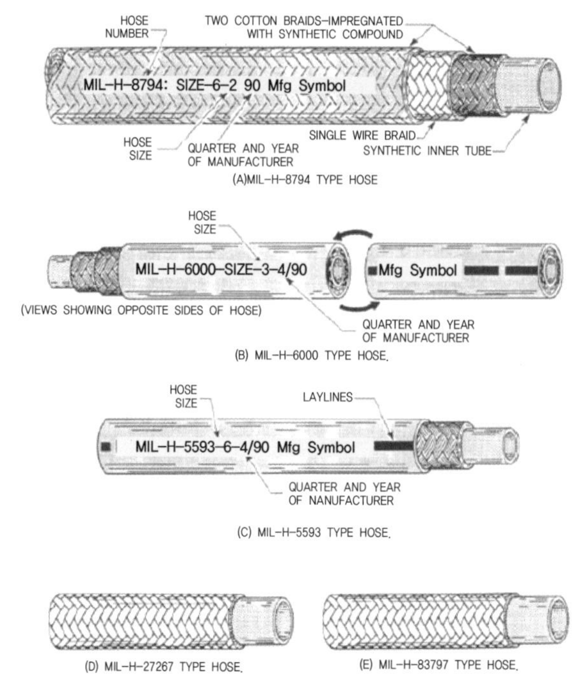

그림 4-1 호스의 식별 표시

3.2 테플론 호스(Teflon Hose)

테플론 호스는 오늘날 항공기 계통의 고온 고압 작동조건의 요구에 맞도록 설계된 가요성 호스이다. 이것은 일반적으로 고무호스와 같은 방식으로 사용한다. 테플론 호스는 4불화 에틸린 수지로서 요구하는 크기의 튜브 형상으로 압출하여 만든다. 또한 강도를 높이고 보호를 위해서 스테인리스 철사로 감겨져 있다. 테플론 호스는 보통 항공기에 쓰이는 일반연료, 석유나 합성 윤활유, 알콜, 냉각수나 솔벤트 등에 녹거나 변하지 않으며, 진동과 피로에 매우 강하다. 하지만 테플론 호스의 기본 장점은 작동 강도가 크다는 것이다.

3.3 호스의 크기

가요성 호스의 크기는 안지름에 의해서 결정된다. 크기는 1인치를 16등분하여 1/16인치 단위의 크기로 표시하며, 금속 튜브에 상응하는 크기와 동일하다.

3.4 유관의 식별

항공기용 유관은 각각 칼라 코드, 글자와 기하학적 기호로서 이루는 표식으로 구별할 수 있다.

이 표식은 각 유관의 기능, 내용물(유체 등)과 주요 위험을 구별할 수 있게 한다. 그림 4-2은 내부의 유체 종류와 그 계통의 종류를 구분하기 위해 사용되는 심벌과 칼라 코드이다.

그림 4-3(A)와 같이 유체 라인은 대부분의 경우 1 인치 테이프 또는 데칼(decal)로 주기되어진다. 직경이 4인치 또는 그보다 큰 튜브, 기름에 노출되는 튜브, 뜨거운 튜브 또는 차가운 튜브는 그림 4-3(B)와 같이 데칼이나 테이프를 붙일 장소에 대신 철제 태그(tag)를 붙여주기도 한다.

엔진 흡입구 부분처럼 빨려 들어 갈 수 있는 공간에 위치한 튜브에는 데칼이나 테이프 대신 페인트를 사용하기도 한다. 그림 4-3과 같은 표석에 추가하여 계통 내의 특별한 기능을 표현하기 위해서 DRAIN, VENT, PRESSURE 또는 RETURN 등과 같은 문자표시가 사용되기도 한다.

연료를 공급하는 튜브는 'FLAM'으로, 유독물질을 포함하는 튜브에는 'TOXIC'으로, 산소/질소 또는 프레온과 같은 물리적으로 위험한 물질을 포함할 경우는 'PHDAN' 등으로 표시해 준다.

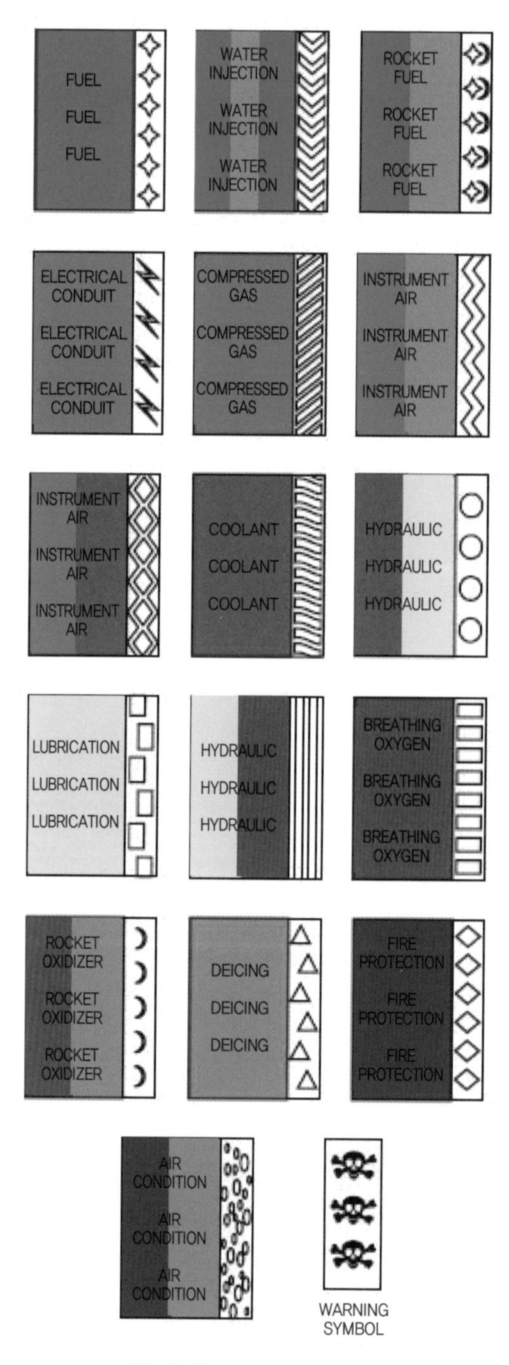

그림 4-2 항공기 유관의 식별

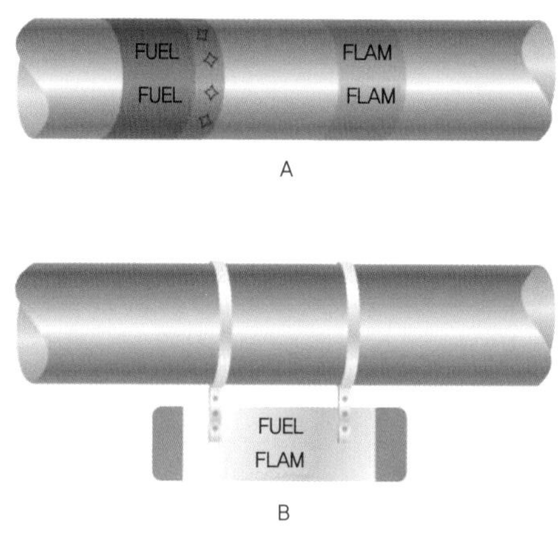

그림 4-3 유관의 식별

항공기 제작사나 엔진 제작사는 유관의 식별을 위한 표식의 최초 부착에 대한 책임이 있고, 항공정비사는 그 표식을 유지 관리할 책임이 있다.

일반적으로 테이프와 데칼은 튜브의 양쪽 끝에 배치하고 적어도 튜브가 지나가는 각각의 격실에 최소한 하나씩 배치시킨다. 또한 테이프나 데칼은 튜브 라인 내 각각의 밸브, 조절기, 여과기 또는 액세서리에서 가까운 곳에 배치시킨다.

4. 배관 연결구(Plumbing Connectors)

배관 연결구 또는 피팅은 관의 한쪽을 다른 관이나 계통의 부분에 연결시켜주는 장치로서 피팅의 종류로는 네 가지가 있다.

- 비드와 클램프
- 플레어 피팅
- 플레어리스 피팅
- 영구적 피팅

계통 내 사용되는 압력의 양과 물질의 종류가 연결구를 선택하는 결정 요소로써 작용한다.

비드 타입의 피팅은 비드와 호스 클램프가 요구되면 냉각유 계통, 진공 계통, 저압 또는 중압 계통에만 사용된다. 플레어 피팅, 플레어리스 피팅 및 영구적 피팅은 압력에 관계없이 모든 계통에서 연결구로 사용된다.

4.1 AN 규격 플레어 피팅

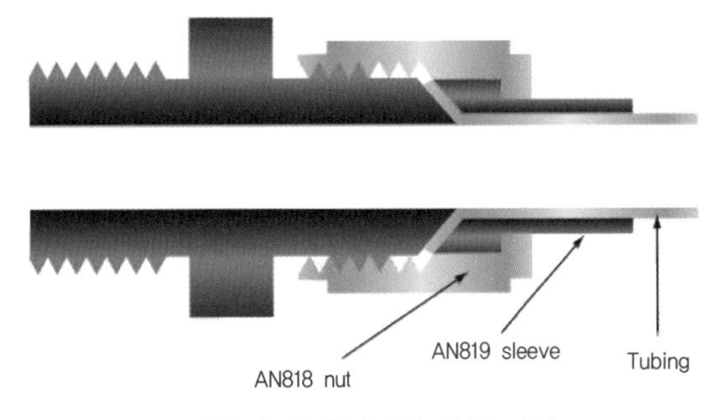

그림 4-4 플레어한 튜브 피팅

그림 4-4와 같이 플레어 튜브 피팅은 슬리브와 너트로 구성된다. 피팅이 조여졌을 때 너트는 슬리브 위쪽에 고정되고 기밀 형성을 위해 숫나사 피팅과 맞닿는 방향으로 튜브의 플레어와 슬리브를 잡아당긴다. 숫나사 피팅은 플레어의 안쪽 면과 같은 각도의 원추형 표면을 갖는다.

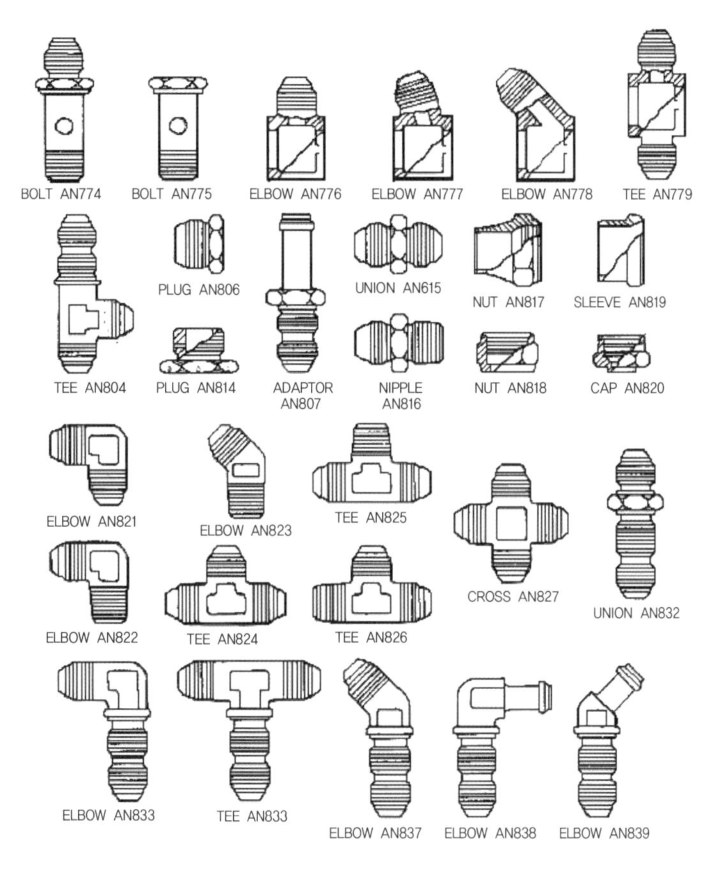

그림 4-5 AN 표준 결합구(fitting)

슬리브는 진동이 플레어 끝부분에 집중되지 않도록 하고 가해지는 강도를 더 넓은 지역에 걸쳐 전단작용을 분산시키도록 튜브를 지지한다.

서로 다른 합금으로 조립된 피팅의 조합은 이질 금속간 부식을 방지하기 위해 가능하면 피해야 한다. 모든 피팅의 결합은 피팅을 장착하는 동안에 조여줄 때 조립, 정렬 그리고 적절한 매끄러움 등을 확실하게 해야 한다. AN 규격 피팅은 검정 또는 파랑색으로 식별된다. 모든 AN 철제 피팅은 검정색으로 되어있고, 모든 알루미늄 피팅은 파랑색으로 되어있으며 알루미늄 청동 피팅은 카드뮴 도금이 되어있어 보기에도 자연스럽다. 그림 4-5는 AN 규격 피팅의 예를 보여준다.

4.2 MS 플레어리스 피팅

MS 플레어리스 피팅은 심한 진동과 움직임이 강한 압력을 받는 3000psi의 고압이 사용되는 유압계통에 사용하도록 만들어졌다. 그림 4-6과 같이 모든 플레어링을 제거한 플레어리스 피팅을 사용하는 것은 강하고 안전을 제공할 뿐 아니라 튜브의 연결을 신뢰할 수 있다.

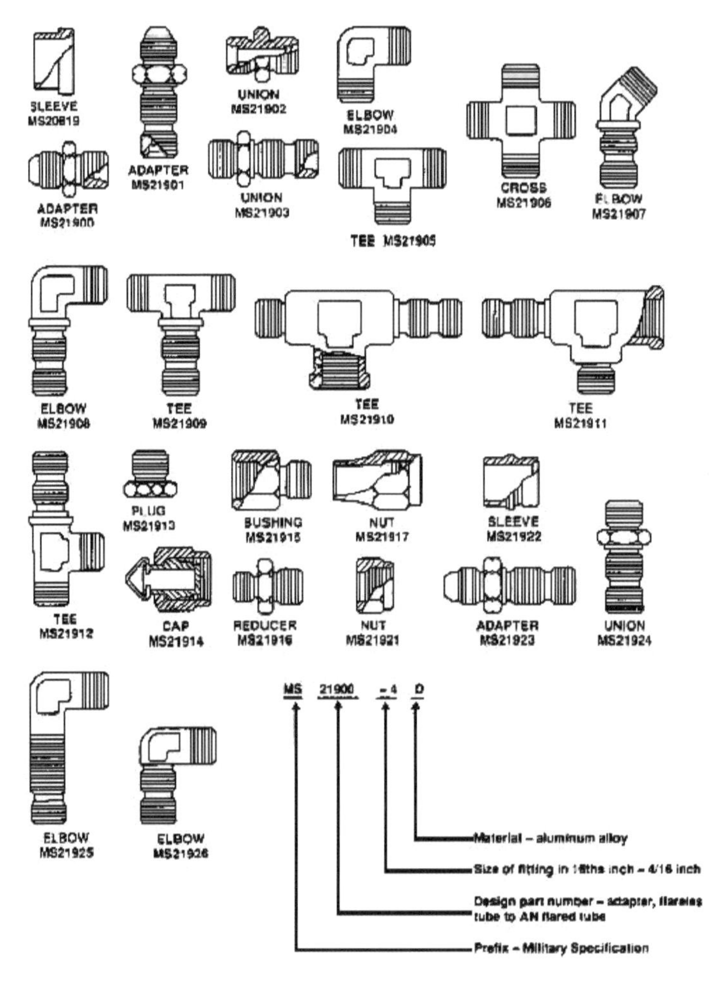

그림 4-6 MS 플레어리스 피팅

그림 4-7과 같이 플레어리스 피팅은 바디, 슬리브, 너트 등 세 가지 부품으로 구성되어 있다.

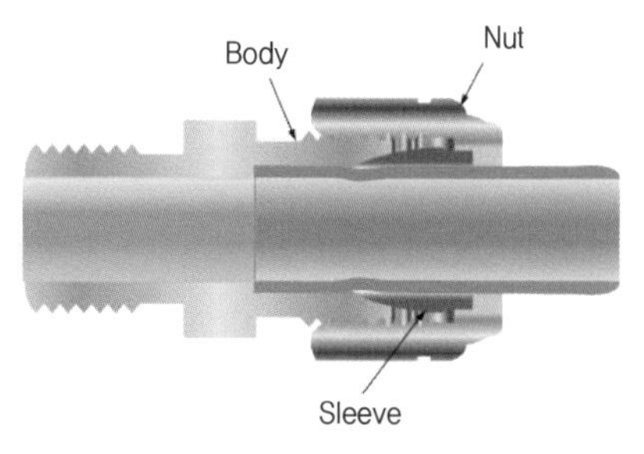

그림 4-7 플레어리스 피팅

4.3. 영구적 피팅

(1) 스웨이지 피팅(Swaged Fittings)

운송용급 항공기의 유압튜브의 연결과 수리를 위한 일반적인 복구 계통은 퍼마스웨이지(permaswage) 피팅을 사용한다. 스웨이지된 피팅은 실질적으로 정비가 필요 없이 영구적인 연결을 제공한다. 따라서 스웨이지 피팅은 자주 분리되지 않는 곳에 사용되며, 티타늄이나 내식강 재질로 만들어진다.

그림 4-8과 같이 휴대용 스웨이지 공구는 좁은 공간에서도 사용이 가능하도록 작은 크기로 만들어졌다.

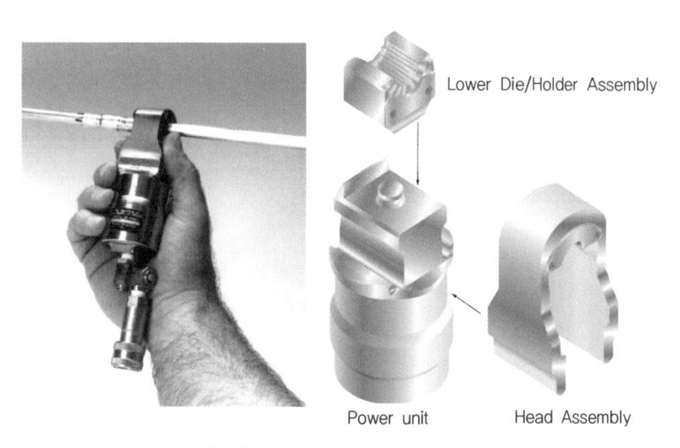

그림 4-8 스웨이지 피팅 공구

퍼멀릿(Permalite) 피팅은 최근 개발된 스웨이지 피팅 중 하나이며, 퍼멀릿 피팅은 스웨이지 축에 의해 튜브가 기계적으로 장착되는 방식이다.

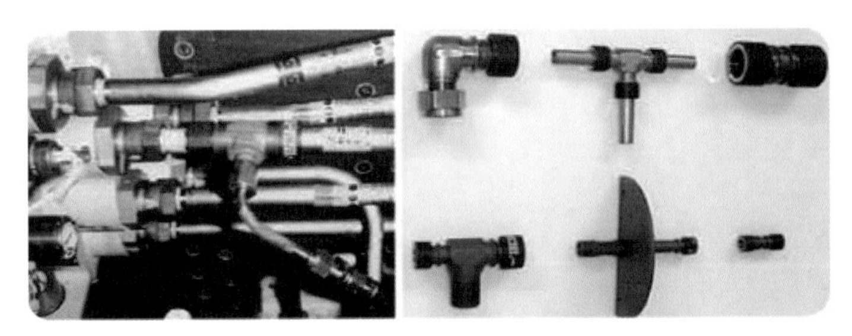

그림 4-9 퍼멀릿 피팅

(2) 크리요핏 피팅(Cryofit Fittings)

운송용 항공기 유압계통 튜브로 일상적인 분리가 요구되지 않는 부분에 크리요핏 피팅이 많이 사용된다. 크리요핏 피팅은 저온 슬리브를 갖고 있는 표준형 피팅이다. 이 저온 슬리브는 3%정도 작게 제작된 후 액화질소 내에서 냉간 가공 처리가 되면서 사용되는 튜브보다 5% 더 큰 크기로 팽창하게 된다. 장착은 액화 질소로부터 크리요핏 피팅을 건져내서 연결을 위한 튜브에 삽입하면 10~15초의 예열 기간 동안 3% 작은 원래의 크기로 수축이 되면서 기밀을 유지하게 된다. 이것은 튜브에서 슬리브를 잘라내는 방법으로만 분리할 수 있는 단점을 가지고 있다. 크리요핏 피팅은 대부분 티타늄 튜브와 함께 사용된다.

그림 4-10 크리요핏 피팅

5. 튜브 성형 공정(Tube Forming Process)

손상된 배관 또는 유관은 가능하면 새 부품으로 교체하여야 한다. 만약 교체가 비실용적이고 오히려 수리가 필요한 경우도 있다. 유관의 바깥쪽에 난 긁힘, 마모 혹은 미세한 부식 등은 무시할 수 있으며, 연마공구나 알루미늄 천등으로 매끄럽게 만들 수 있다.

유관 피팅의 교체 수리작업은 튜브만을 성형하여 교체하는 작업이 필요하며, 피팅은 다시 사용해도 되는 경우가 종종 있다.

튜브의 성형은 다음의 4가지 공정으로 이루어진다.

- 절단(cutting)
- 구부림(bending)
- 플레어링(flaring)
- 비딩(beading)

만약 관이 작거나 연한 재질로 만들어졌다면 장착할 때 손으로 구부려 성형할 수도 있다. 그러나 관의 지름이 1/4 인치 이상이면 공구를 사용하지 않고는 손으로 구부릴 수 없다.

5.1 튜브 절단

튜브 절단 시 가장 중요한 것은 이물질(burr)이 없이 직각으로 만들어 내는 것이다. 튜브의 절단은 튜브 절단기 또는 쇠톱 등을 이용하여 자른다. 튜브 절단기는 구리, 알루미늄 합금과 같은 부드러운 금속 튜브를 절단하는데 사용하고 이물질 없이 절단되는 특수 절단기의 경우는 내식강, 티타늄 또는 알루미늄 6061-T6 등을 절단하는데 사용된다.

그림 4-11은 절단기의 올바른 사용법을 보여준다. 튜브를 절단할 때는 굽힘 작업 시 발생하는 변이를 고려해야 한다. 따라서 교체하고자 하는 튜브보다 약 10% 정도 더 길게 절단해야 한다. 그림 4-11과 같이 절단하고자 하는 지점에 커팅 휠로 돌려준다. 너무 센 압력으로 회전시키면 튜브가 변형되거나 많은 이물질이 발생되므로 적당한 압력을 주는 것이 중요하다. 튜브를 절단한 후에는 절단면의 안쪽과 바깥쪽에 발생한 이물질 등을 제거해야 한다.

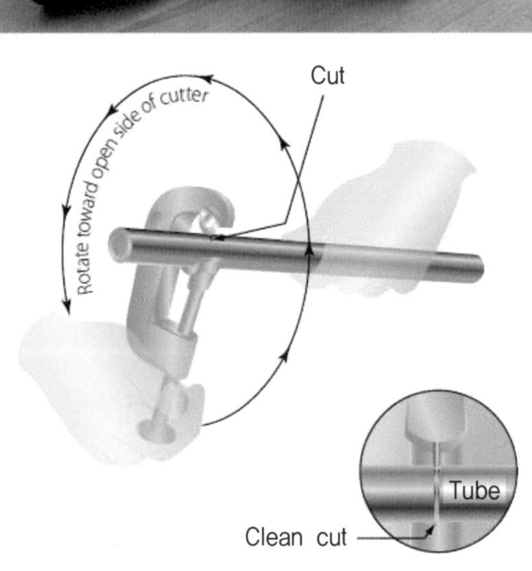

그림 4-11 튜브 절단

그림 4-12는 이물질 제거 장치를 사용하여 이물질을 제거하는 작업을 보여준다. 그림에서와 같이 이물질 제거 장치를 회전시키는 것만으로 안쪽과 바깥쪽의 이물질을 제거할 수 있다.

그림 4-12 이물질 제거 장치

또한 이물질 제거 작업 시 튜브의 끝 부분의 두께가 감소하거나 잔금이 발생하지 않도록 조심스럽게 작업해야 한다. 이러한 작업으로 발생한 잔금등과 같은 작은 결함은 밀폐되지 않는 불량한 플레어를 만들 수 있고 또는 균열이 발생하는 플레어로 확대될 수 있다. 재질이 강한 튜브를 절단하거나 튜브 절단기를 사용할 수 없는 경우에는 1인치 당 32개의 이를 갖는 쇠톱을 활용하도록 한다.

5.2 튜브 굽힘

튜브의 굽힘 작업의 목표는 납작하게 만들어지는 실수가 없이 부드러운 굴곡을 유지하며 굽힘 가공하는 것이다. 튜브의 직경이 1/4인치 미만인 경우는 굽힘 공구를 사용하지 않고 굽힐 수 있나. 이보다 큰 지름의 튜브를 굽힘 작업할 때는 휴대용 굽힘 공구나 생산용 굽힘 공구를 사용한다.

그림 4-13과 같이 수동 굽힘 공구(Hand bender)를 사용할 때는 굽힘 공구의 홈에 굽힘 작업을 위해 굽힐 위치를 표시한 선의 왼쪽으로 튜브 끝부분이 폼블록의 왼쪽부분에 가도록 위치시킨다.

두 개의 0을 일직선으로 맞추고 핸들의 'L'에 튜브에 표시된 선을 일직선으로 맞춘다. 만약 측정된 튜브 끝 부분이 굽힐 위치를 표시한 선의 오른쪽에 있다면 그때에는 폼 핸들에 있는 'R'로 튜브에 표시된 선을 일직선으로 맞춘다. 정상적인 움직임으로 폼 핸들에 표시된 0 표시가 반지름 블록 위에 있는 굽힘 가공을 원하는 각도까지 폼 핸들을 잡아당긴다.

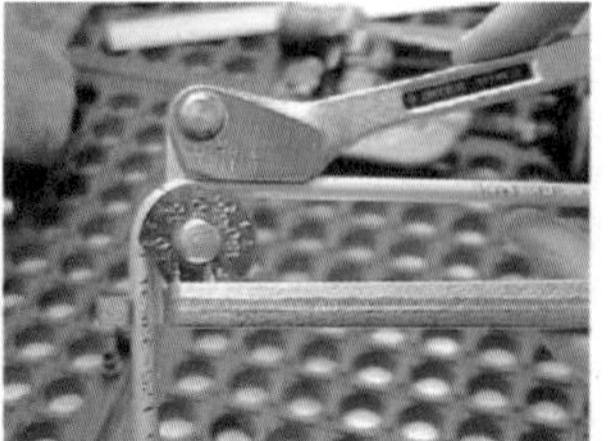

그림 4-13 튜브 굽힘

굽힘 가공을 할 때는 튜브가 납작하게 되거나 비틀림 또는 주름이 생기지 않게 조심스럽게 구부린다. 굽힘 작업 시 납작해진 부분이 본래의 바깥지름의 75%보다 작아서는 안 된다. 또한 튜브가 납작하게 변형되고 비틀리고 주름진 상태로 장착되어서도 안 된다.

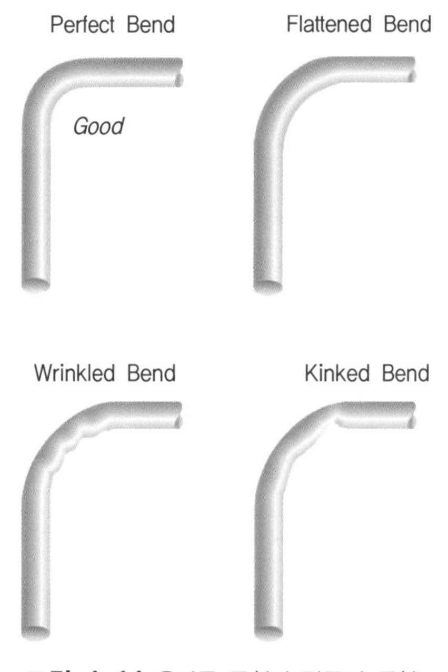

그림 4-14 올바른 굽힘과 잘못된 굽힘

그림 4-14는 굽힘의 올바른 가공과 잘못된 가공에 의해 만들어진 튜브를 보여준다.

5.3 튜브 플레어링

항공기 배관 계통에는 일반적으로 단일 플레어(single flare)와 이중 플레어(double flare)의 두 종류의 플레어가 사용되고 있다. 플레어는 높은 압력에 노출되어 있다. 그러므로 관에 있어서 플레어는 적절하게 형상이 이루어져야 한다. 그렇지 않으면 연결부에서 누설이나 파손이 발생하게 된다.

플레어를 너무 작게 만든 경우 누설이나 분리가 발생되고 너무 큰 플레어는 나사의 적당한 맞물림을 방해하여 누설되게 된다. 또한 삐뚤어진 플레어는 관이 직각으로 반듯하게 절단되지 않았기 때문에 발생된다. 플레어를 알맞지 않게 만들면 튜브를 꼭 조일 때 토크를 많이 가함에도 불구하고 결함이 수정되지 않는다. 플레어와 관은 균열, 움푹 들어간 곳이 있거나 찍힌 자국이나 긁힘 등의 결함이 없도록 하여야 한다.

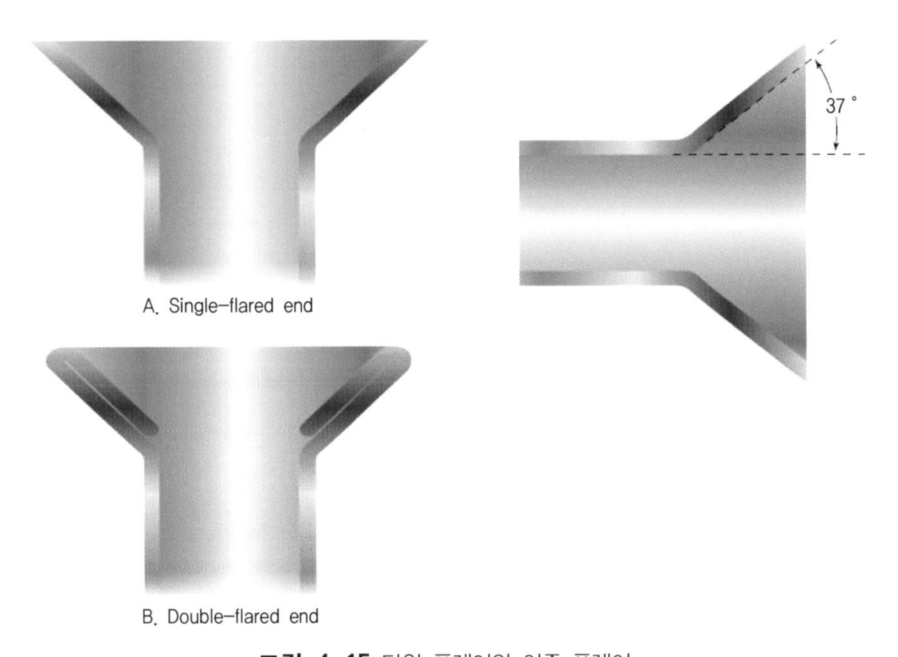

그림 4-15 단일 플레어와 이중 플레어

그림 4-15와 같이 항공기 배관작업에 사용되는 플레어 공구는 35~37°의 플레어를 만들어내기 위한 암수판형을 가지고 있다. 45°의 플레어를 만들어내기 위한 자동형 플레어 공구는 사용할 수 없다.

(1) 단일 플레어

그림 4-16과 같은 플레어링 수공구는 관을 플레어링 하는데 사용된다. 이 공구는 풀레어링 블록 또는 그립 다이(grip die)와 요크(yoke)와 플레어링 핀 등으로 구성되어 있다. 플레어링 블록은 여러 크기의 관에 알맞은 구멍들이 있는 힌지로 연결된 2개의 쇠막대기 형태이다. 구멍들은 튜브에 만들어지는 플레어의 바깥면과 맞물리는 끝부분이 접시머리로 처리가 되어있다. 요크는 튜브의 플레어를 만드는 끝부분을 덮는 플레어링 핀의 중앙부 역할을 한다.

그림 4-16 수공구 플레어링 공구(단일 플레어)

플레어 작업 시는 튜브의 끝을 dime 동전 누께만큼 플레어링 공구의 그립 다이 위쪽으로 내밀게 한다. 플레어링 할 튜브의 끝은 직각으로 반듯하게 자르고 이물질을 제거하여 끝부분을 매끄럽게 해야 한다.

(2) 이중 플레어

이중 플레어링은 3/8인치 이하의 연질 알루미늄합금 튜브에 사용된다. 이중 플레어링은 작동 압력 하에서 플레어의 손상과 균열을 방지하기 위해 사용된다. 이중 플레어는 단일 플레어보다 더 매끄럽고 밀폐 효과가 우수하며 토크의 전단효과에 더 잘 견딘다.

플레어가 만들어지는 튜브의 안쪽과 바깥쪽 모두 거칠게 남아있는 이물질들을 제거한다. 튜브에 손상이 발생되었다면 그 부분은 절단해야 한다. 두 개의 클램프 스크류를 풀어 플레어링 바(그림 4-17 참조)를 열어준다. 튜브의 직경에 맞는 플레어 구멍을 선택하고 튜브를 어댑터 인서트의 돌출 부분의 두께와 같은 높이만큼 플레어 바 위로 튀어나오게 한다. 안전하게 튜브를 잡아주고 정확한 크기의 어댑터 파일롯을 튜브 안에 넣어준다. 요크의 콘이 플레어링 바 위에 요크를 미끄러져 들어가게 해 어댑터 위에 중심을 위치한다.

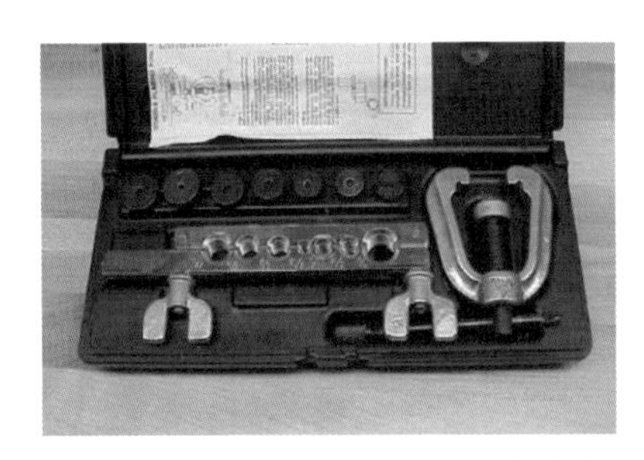

그림 4-17 이중 플레어 공구

어댑터 돌출 부분이 플레어링 바에 닿을 때까지 아래쪽으로 요크의 콘을 전진시킨다. 이때 튜브의 끝부분이 나팔 모양으로 벌어지게 된다. 그다음 어댑터를 빼낼 수 있을 만큼 요크의 콘을 풀어주고 어댑터를 제거한 후 나팔 모양으로 벌어진 튜브의 끝 부분에 요크의 콘을 똑바로 전진시킨다. 이때 튜브의 찢어짐이나 균열 없이 정확한 이중 플레어가 형성된다.

5.4 비딩

그림 4-18은 수동 비딩 방법을 보여준다. 비딩 방법은 튜브의 재질, 튜브의 두께 그리고 지름에 의해 결정된다. 수동 비딩 공구는 1/4~1인치 외경의 튜브에 사용된다. 비드는 장착된 롤러와 비더 프레임에 의해 성형되는데 비드를 만드는 동안 롤러 사이의 마찰을 줄이기 위해 튜브 내부와 외부에 오일로 윤활해야 한다. 롤러에 1/16인치 단위로 표시된 치수는 롤러로 비드를 만들기 위한 튜브의 외경에 대한 표시이다.

분리된 롤러는 안쪽면이 각 튜브 크기에 잘 맞아야 하며 정확한 크기의 부품들을 선택해야 한다. 수동 비딩 시 튜브 주위를 비딩 공구가 회전하는 동안 롤러가 튜브

컷터처럼 조금씩 안쪽으로 조여들어간다.

그림 4-18 수동 비딩 공구

5.5 플레어리스 튜브 조립체

새로운 플레어하지 않은 튜브 조립체를 장착하기에 앞서 프리세팅(Presetting) 작업이 요구된다. 그림 4-19는 다음과 같은 세 단계의 프리세팅작업을 설명해주고 있다.

(1) 1단계

튜브를 정확한 길이로 끝을 완전히 직각으로 절단하고, 튜브 안과 밖의 이물질을 제거한다. 튜브 위로 너트를 밀어 넣고 그 다음에 슬리브를 밀어 넣어 끼운다.

(2) 2단계

결합구와 너트의 나사에 작동유를 바른다. 결합구를 바이스에 물리고 관을 결합구의 제자리에 반듯하고 단단히 고정시킨다. 슬리브의 절단 모서리가 튜브를 단단히 잡을 때까지 너트를 조인다. 이 지점은 너트를 조이는 동안 튜브를 앞뒤로 천천히 돌림으로써 결정된다. 튜브가 더 이상 돌려지지 않으면 너트는 최종적으로 조일 준비가 다 된 것이다.

(3) 3단계

최종 조임은 관의 크기에 좌우된다. 바깥지름이 1/2인치 이하의 알루미늄 합금관은 너트를 한 바퀴에서 1 1/16 바퀴까지 돌려 조여 준다. 바깥지름이 1/2인치를 넘는 강관이나 알루미늄 합금의 경우에는 1 1/6~1 1/2 바퀴까지 돌려 조여 준다.

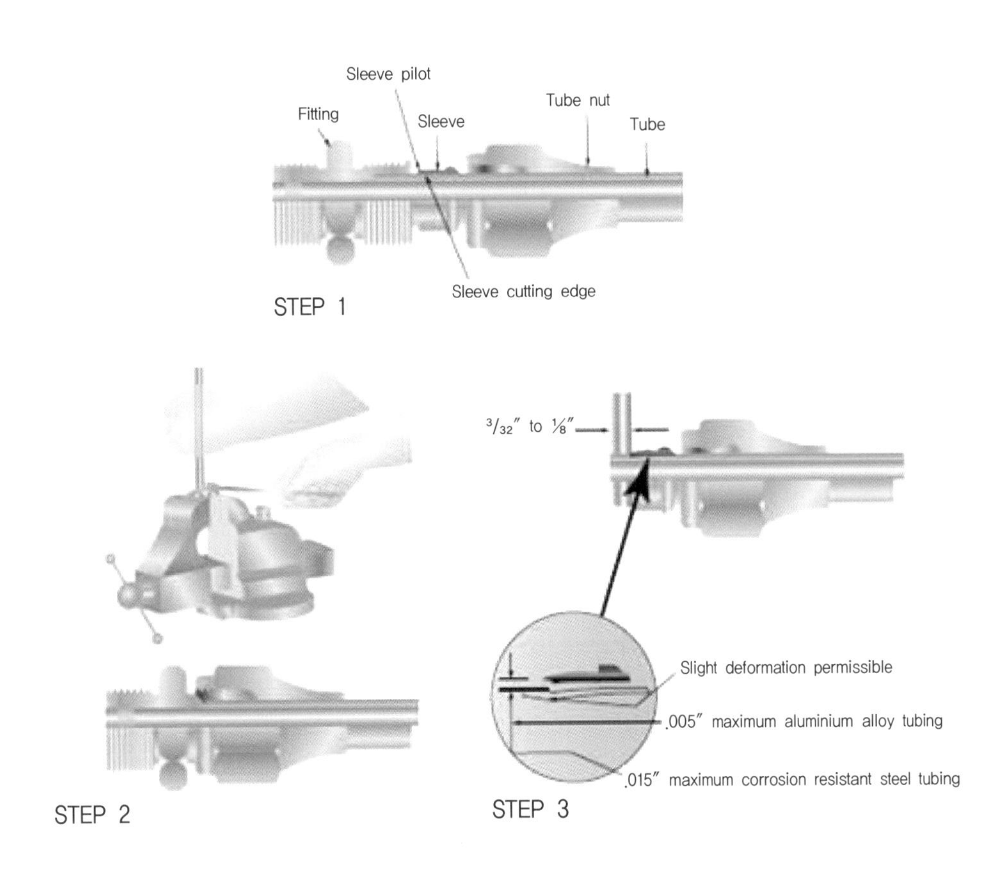

그림 4-19 플레어리스 튜브 조립체의 프리세팅

6. 금속 튜브 배관의 수리 (Repair of Metal Tube Lines)

긁힌 자국(scrotches)이나 새겨진 홈(nicks)의 깊이가 관두께의 10%를 넘지 않는 알루미늄 합금관은 그 결함이 굽힘 인장된 부분에 있지 않다면 수리할 수 있다. 튜브에 심한 눌림 자국이나 찢어진 곳이나 또는 금이 간 부분이 있으면 교체해야 한다. 또한 플레어에 균열이나 변형이 있으면 허용이 안되며 교체해야 한다. 굽힘 인장부분을 제외하고는 튜브 지름의 20% 이내의 움푹 들어간 것은 허용된다. 움푹 들어간 곳은 케이블에 달린 적합한 크기의 활 모양의 물체가 관 속을 지나게 함으로서 수리할 수 있다.

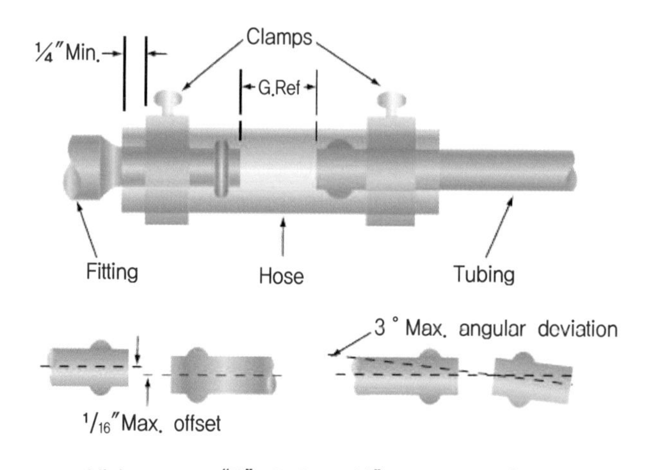

그림 4-20 가요성 유관 이음 조립체

심하게 손상된 관은 교체해야 하지만 손상된 부분을 잘라내고 같은 크기 및 재질의 관을 끼워서 사용할 수도 있다. 파손되지 않은 나머지 튜브 부분들의 양끝을 플레어하고 표준 유니온 슬리브와 튜브 너트를 사용하여 연결하면 된다. 만약 파손된 부분이 짧으면 끼운 튜브를 생략하고 하나의 유니온과 두 세트를 연결 결합구를 사용하여 수리해도 된다.

손상된 관을 수리할 때는 모든 이물질을 매우 주의하여 제거해야 한다. 그림 4-20은 가요성 유관의 연결 조립체를 보여주며 최대 허용각도와 최대 중심선 어긋남 치수를 표시하고 있다.

7. 가요성 호스의 조립과 교환 (Fabrication & Replacement of Flexible Hose)

그림 4-21과 같이 호스 조립체(assembly)를 만들려면 적절한 크기의 호스와 엔드 피팅을 선택해야 한다. 가요성 호스를 위한 MS형 엔드 피팅은 사용가능하다고 확인되면 분리해서 재사용이 가능하다. 피팅의 안쪽 지름의 크기는 장착될 호스의 안쪽 지름과 같은 크기로 결정해야 한다.

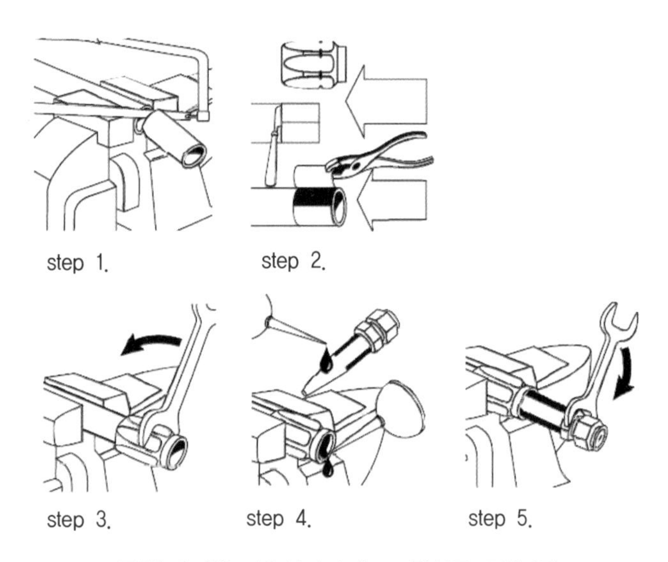

그림 4-21 가요성 호스에 MS결합구 조립과정

7.1 가요성 호스의 테스트

모든 가요성 호스는 조립 후에 어셈블리의 안쪽에 압력을 가해서 압력 테스트를 수행해야 한다. 압력 테스트의 매개물은 액체 또는 기체이다. 예를 들어 유압, 연료, 오일 계통의 경우는 작동유 또는 물을 사용하여 테스트하고, 공기 또는 계기의 압력 라인의 경우에는 건조한 공기 또는 질소를 이용해서 테스트한다. 새로운 호스 재료에 의해 오버홀 된 경우 항공기에 호스가 상착되기 전에 적어도 1.5배의 높은 계통 압

력으로 테스트를 수행하는 것을 추천하고 있다.

7.2 가요성 호스 결합체의 장착

가요성 호스는 호스의 수명이 상당히 단축되고 결합구가 풀릴 수도 있기 때문에 장착 시에 꼬이지 않도록 주의해야 한다. 호스의 꼬임은 호스의 길이 방향으로 표시된 식별 띠의 상태로 알 수 있다. 이 식별 띠는 호스가 돌아가 나선으로 되어서는 안 된다.

가요성 호스는 파손을 막기 위해 필요한 곳에는 테이프를 감아주어야 한다. 가요성 호스의 최소 굽힘 반지름은 호스의 크기와 구조 및 작동 압력에 따라 달라진다. 호스를 너무 급격히 굽히면, 가요성 호스 파열 압력이 정격 압력보다 훨씬 낮아진다.

가요성 호스는 작동 중에 굽힘이 최소가 되도록 장착해야 한다. 호스가 최대한 24인치마다 clamp로 지지된다 하더라도 거리를 더 가깝게 하는 것이 바람직하고 호스 끝 지지부가 반드시 필요하다. 가요성 호스를 두 결합구 사이에 너무 팽팽히 장착되어서는 안 된다. 작동 압력 하에서 움직임이 있도록 하기 위하여 전체 길이의 5~8% 굽힘 여유가 있어야 한다. 압력이 가해지면 가요성 호스의 길이는 수축되며 지름은 커지게 된다.

8. 강성 튜브의 장착(Installation of Rigid Tubing)

항공기에 유관 조립체(assembly)를 장착하기 전에 관을 주의해서 검사해야 한다. 찌그러지거나 긁힌 곳은 수정하고, 모든 너트와 슬리브가 적합하게 짝을 이뤘으며 적절하게 플레어한 관에 끼워졌는지를 확인해야 한다. 관은 항상 깨끗이 하고 외부 이물질이 들어가지 않도록 해야 한다.

결합구 및 플레어의 닿는 면에 접착제를 발라서는 안 된다. 결합구와 플레어 사이의 금속간의 밀착을 깨트리고, 밀폐가 필요한 접촉부의 밀폐가 이루어지지 않기 때문이다. 결합구를 조이기 전에 조립체가 제대로 배열되었는가를 확인해야 하고 장착 시 너트에 토크를 가하여 무리하게 끌어당기지 않아야 한다. 그림 4-22은 플레어한 결합구의 옳고 그른 조임 방법을 보여주고 있다.

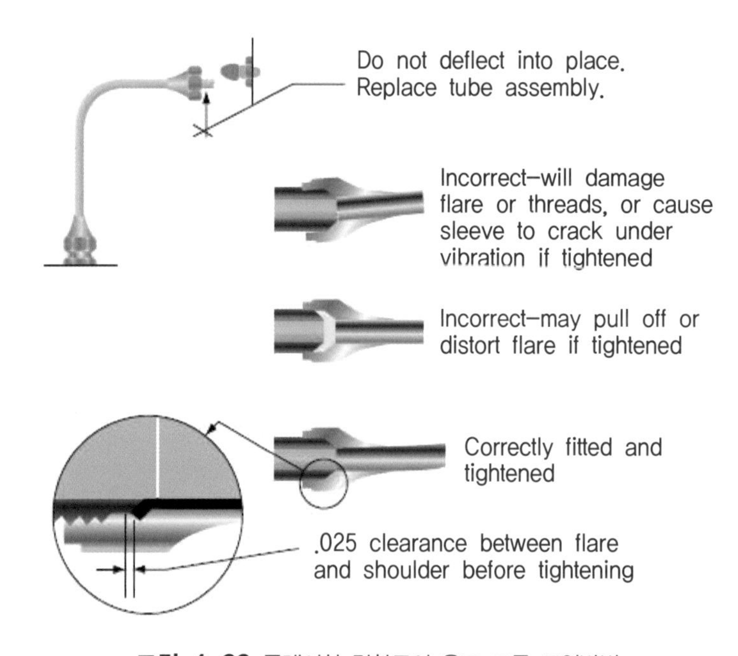

그림 4-22 플레어한 결합구의 옳고 그른 조임방법

너트에 적용하는 토크 값은 플레어한 결합구에만 적용되는 것을 잊지 말아야 한다. 튜브 조립체를 장착할 때 정확한 토크로 항상 결합구를 조여야 한다. 결합구를 너무

세게 조이면 튜브 플레어가 심하게 손상되며 절단될 수도 있고, 또한 슬리브의 결합 너트를 파손시키기도 한다. 충분히 조이지 않으면 배관에서 결합체가 압력에 밀려 빠져 나오거나 작동 압력 하에서 누설이 발생하게 되므로 더욱 주의를 기울여야 한다.

9. 호스 클램프(Hose Clamp)

호스의 연결부위를 정확하게 장착하기 위해서 그리고 호스가 손상되거나 클램프의 파손을 방지하기 위해서는 호스 클램프 장착 절차를 반드시 준수해야 한다. 지지용 클램프는 동체 구조 부분이나 엔진 구성품의 다양한 튜브를 안정적으로 지지하기 위해 사용된다. 다양한 종류의 지지용 클램프가 이러한 목적으로 사용된다.

제5장 항공기 하드웨어

1. 조종 케이블
2. 리벳
3. 나사있는 체결부품
4. 볼트
5. 항공기 너트
6. 항공기용 와셔
7. 너트와 볼트의 장착
8. 항공기용 스크류
9. 패스너
10. 비금속 재료

1. 조종 케이블(Control Cables)

케이블은 주 조종계통에 가장 널리 사용되는 연결 장치이다. 케이블형 연결장치는 엔진 제어계통, 착륙 장치의 비상 조작계통과 항공기 전반에 걸쳐 여러 계통에도 사용된다.

케이블 연결 장치는 다른 종류에 비해 다음의 장점들을 가진다.

(1) 강하고 무게가 가볍다.
(2) 케이블의 뛰어난 유연성으로 인해 방향전환이 용이하다.
(3) 높은 기계적 효율을 갖는다.
(4) 유격이 없어서 정밀 제어를 방해하는 백래쉬(back lash) 현상이 없이 설치할 수 있다.

또한, 케이블 연결 장치는 다음과 같은 단점도 갖고 있다.

(1) 케이블은 신장과 온도 변화 때문에 수시로 장력 조절이 이루어져야 한다.
(2) 항공기 조종 케이블은 탄소강이나 스테인리스강 등으로 제조된다.

1.1 케이블 구조 (Cable Construction)

케이블의 기본 구성품은 와이어(wire)이다. 와이어의 직경은 케이블의 전체 직경을 결정한다. 여러 개의 와이어를 나선형으로 꼬아서 한 가닥(strand)을 만든다. 한 개의 직선으로 된 중심 가닥을 위주로 그 주위에 여러 개의 가닥을 꼬아서 케이블을 이루게 된다.

케이블 호칭은 가닥수와 각각의 가닥을 구성하고 있는 와이어 가닥수에 의해 결정되어 진다. 가장 일반적으로 널리 사용되는 항공기용 케이블은 7×7과 7×19 이다.

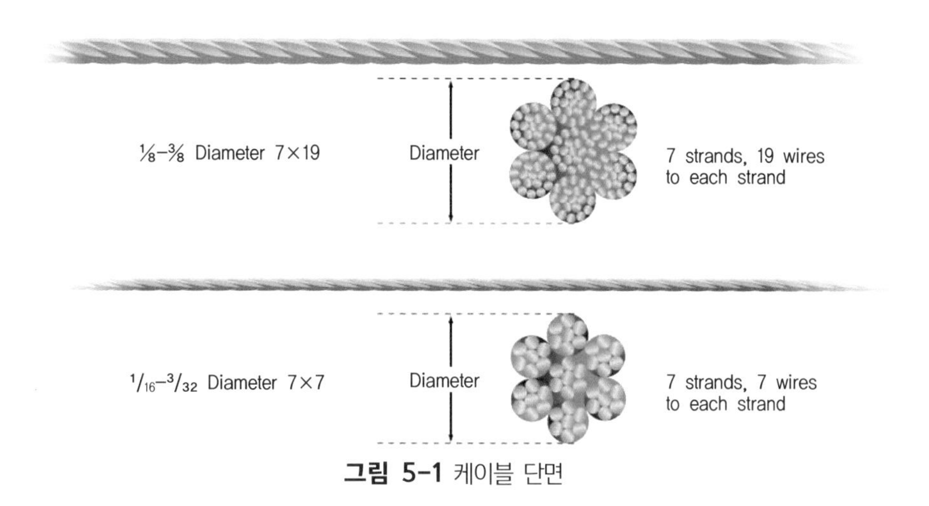

그림 5-1 케이블 단면

그림 5-1은 7×7 케이블과 7×19 케이블의 단면을 보여주고 있다. 7×7 케이블은 각각 7개의 와이어를 꼬아서 한 가닥을 만들고, 이 가닥 7개를 꼬아서 하나의 케이블로 만들어 놓은 것이다. 이들 7개의 가닥 중 6개는 1개의 중심 가닥을 둘러싸고 꼬여진다. 이것이 가요성 케이블이며 트림 탭(trim tab)조종이나 엔진 제어장치 등에 사용된다.

7×19 케이블은 19개의 와이어를 꼬아서 한 가닥으로 만들고, 다시 이 가닥 7개를 꼬아서 하나의 케이블을 만들어 놓은 것이다. 이 케이블은 초가요성이며 주 조종계통과 풀리(pulley)를 통해 작동이 빈번하게 이루어지는 부분에 사용된다.

항공기 조종 케이블(Control Cable)은 직경이 1/16인치부터 3/8인치까지 다양하게 있다. 직경은 그림 5-1에 표시한 것과 같이 측정한다.

1.2 케이블 피팅(Cable fitting)

케이블은 단자(terminal), 딤블(thimble), 부싱(bushing), U자형 고리(shackle) 등 여러 가지 다른 종류의 피팅으로 장착된다.

단자 피팅은 일반적으로 스웨지(swage)형이 사용된다. 단자 피팅은 나사 엔드 단자(threaded end), 포크 엔드 단자(fork end), 아이 엔드 단자(eye end), 단일 생크 볼 엔드 단자(single-shank ball end), 이중 생크 볼 엔드 단자(double-shank ball end) 등이 사용되고 있다. 나사단자, 포크단자, 아이 단자는 계통에서 턴버클, 벨 크랭크(bell-crank) 또는 기타 연결 장치에 케이블을 연결하기 위해 사용된다. 볼 엔드 단자는 공간이 좁은 곳에 있는 특별한 연결기구이며, 쿼드런트(Quadrant)에 케이블을 연결하기 위한 용도로 사용된다.

그림 5-2는 단자 피팅의 여러 종류를 보여주고 있다.

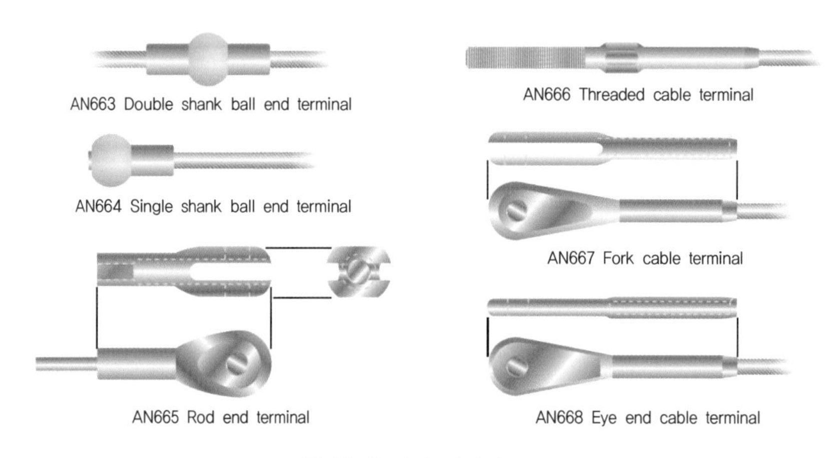

그림 5-2 단자 피팅의 종류

딤블(thimble), 부싱(bushing), 샤클 피팅(shackle fitting)은 시설이나 보급이 한정되어 있어, 케이블의 긴급한 교환이 필요한 때에는 다른 종류의 단자 피팅과 대치하여 사용할 수도 있다.

1.3 턴버클(Turnbuckle)

턴버클 장치는 두 개의 나사가 있는 터미널과 한 개의 나사가 있는 한 개의 배럴(barrel)로 구성되어 있는 기계용 스크류 장치이다. 그림 5-3은 대표적인 턴버클 장치를 보여주고 있다.

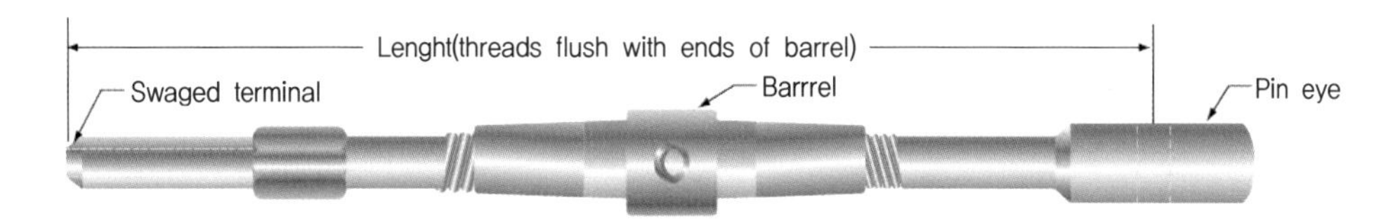

그림 5-3 대표적인 턴버클 어셈블리

턴버클은 케이블 길이를 조절할 수 있고, 이 조절로 인해 케이블의 장력을 조절할 수 있는 케이블 연결 장치이다. 터미널은 한쪽은 오른나사로 되어있고, 다른 한쪽은 왼나사로 되어있다. 배럴도 양쪽 끝으로 내부에 오른나사와 왼나사가 나있다. 왼나사로 된 배럴 끝 쪽에는 외부에 홈(broove)이나 마디(knurl)가 있어서 왼나사와 오른나사가 구별될 수 있도록 되어있다.

조종계통에서 턴버클을 장착할 때는 터미널 양쪽 끝에 나사산이 같은 수만큼 배럴 안으로 들어갈 수 있도록 회전시켜야만 한다. 그리고 턴버클 배럴의 양쪽 끝에서 단자의 나사산이 3개 이상 보이지 않도록 배럴 안으로 들어가도록 단자를 충분히 잠궈야 한다. 턴버클이 적절한 장력으로 조절된 후에는 안전결선이나 락킹 클립(locking clip)등으로 턴버클을 고정해야 한다.

턴버클의 안전결선 방법은 이 장의 뒤쪽 1.6절에서 설명하기로 한다.

1.4 푸쉬 풀 로드 조종계통(Push-pull Tube)

푸쉬 풀 로드는 기계적으로 작동되는 여러 가지 계통의 연결 장치로 사용된다. 이 종류의 연결 장치는 장력의 변화가 없고, 튜브를 통해서 압축력이나 인장력을 전달할 수 있다.

푸쉬 풀 로드는 길이를 조절할 수 있는 엔드 피팅과 속이 빈 알루미늄 합금이나 강으로 된 튜브, 양쪽 끝에 있는 체크너트(check nut) 등으로 구성된다. 체크 너트는 튜브의 길이를 정확하게 조절한 다음 피팅이 회전하지 않도록 고정시키는 역할을 해 준다. 푸쉬 풀 튜브는 일반적으로 압축하중에 의한 굽힘, 진동 등을 방지하기 위해 짧게 만들어 진다.

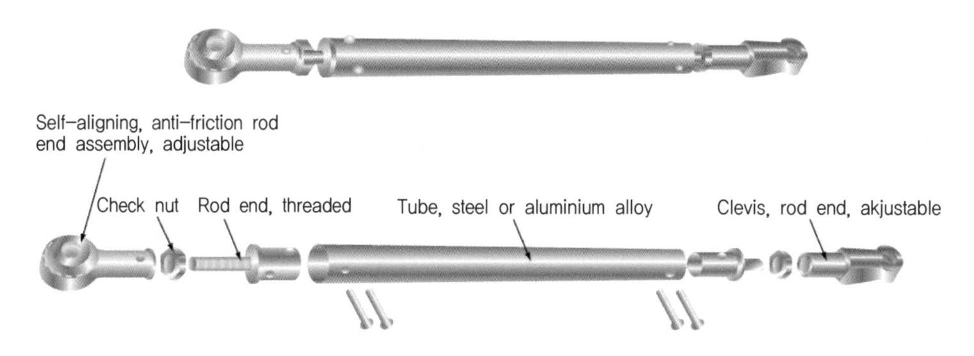

그림 5-4 푸쉬 풀 튜브 어셈블리

1.5 핀(Pins)

항공기 구조부에는 주로 테이퍼 핀(taper pin), 납작머리 핀(flathead pin), 코터핀(cotter pin) 등 세 가지의 핀이 사용된다. 핀은 전단하중이 작용하는 곳이나 안전 결선을 해야 하는 곳에 사용된다. 근래에는 항공기 구조부에 롤 핀(roll pin)의 사용 빈도가 점차 증가하고 있다.

1.5.1 테이퍼 핀(Taper pin)

평 테이퍼 핀과 나사가 있는 테이퍼 핀(AN385와 AN386)은 전단하중을 전달하는 연결부분과 유격이 없어야 할 부분에 사용된다. 평 테이퍼 핀은 구멍이 뚫려 있고 보통 와이어로 안전 결선을 한다. 나사가 있는 테이퍼 핀은 테이퍼 핀 와셔(AN975)와 전단너트(shear nut) 또는 자동고정너트와 함께 사용된다.

1.5.2 납작머리 핀(Flathead pin)

납작머리 핀(MS20392)은 일명 클레비스 핀(clevis pin)이라고도 하며, 타이 로드 터미널(tie-rod terminal)과 계속적으로 작동을 하지 않는 부 조종 계통에 사용된다. 코터핀이 손상되거나 파괴되어 빠졌을 경우라도 핀이 그곳에 남아 있도록 하기 위해서 핀은 보통 머리를 위로 향하게 장착한다.

1.5.3 코터핀(Cotter pin)

AN380 카드뮴 도금한 저탄소강 코터핀은 볼트, 너트, 스크류, 기타 핀 또는 이러한 안전조치가 필요한 여러 부분에 안전장치로 사용된다. AN381 내식강 코터 핀은 비자성 재질이 요구되는 장소나 부식에 대한 저항이 요구되는 부분에 사용된다.

1.5.4 롤 핀(Roll pin)

롤 핀은 경사진 모서리를 가지고 있고 끝에 압력을 가해서 고정하는 핀이다. 이 핀은 튜브 모양으로 되어있고, 튜브의 전 길이에 홈이 파여져 있다. 핀은 수공구로 장착하고 구멍에 삽입되면 압축력을 받는다. 롤 핀은 이 압축력에 의해 고정되며, 드리프트(drift) 펀치나 핀 펀치(pin punch) 등으로 제거할 때까지 제 위치에서 고정되어 있다.

1.6 안전 조치 방법(Safety Methods)

안전조치는 모든 항공기 볼트, 너트, 스크류, 핀 또는 기타 고정물들을 진동에 의한 풀림을 방지하도록 해주는 작업이다. 항공기에 사용되는 여러 가지 안전조치 방법에 대하여 잘 아는 것은 항공기 정비 및 검사를 수행하는데 필요하다.

항공기 부품의 안전조치방법은 여러 가지가 있다. 가장 널리 사용되는 방법은 안전결선, 코터 핀, 고정 와셔, 스냅 링(snap-ring), 특수 너트, 자동고정너트, 팔 너트(pal nut), 잼 너트(jam nut) 등이 있다. 이들 너트와 와셔 중 몇 개는 이 장의 뒤에서 설명하겠다.

1.6.1 안전 결선(Safety wiring)

안전결선 방법은 캡 스크류, 스터드, 너트, 볼트머리, 턴버클 배럴과 같이 다른 어떤 방법으로도 안전조치를 할 수 없는 것들을 고정시키는 가장 확실하고 만족스러운 방법이다. 이것은 둘 또는 그 이상의 부품을 와이어로 얽어매어서 그 중에 어느 부품 하나가 풀어지려는 경향이 와이어를 팽팽하게 당기며 장력을 증가시켜 역작용으로서 증가된 장력에 의해 고정시키는 방법이다.

1.6.2 너트, 볼트, 스크류(Nuts, Bolts & Screws)

너트, 볼트, 스크류 등은 단선식 또는 복선식 방법으로 안전 결선한다. 복선식은 가장 일반적인 안전 결선 방법이다. 단선식 방법은 기하학적으로 밀폐되거나 밀집되어 있는 작은 스크류, 전기계통 부품 그리고 복선식 방법을 하기 곤란한 부분에 사용된다.

그림 5-5는 여러 가지 볼트, 너트, 그리고 스크류에 적용된 일반적인 안전 결선 방법에 대해 보여주고 있다.

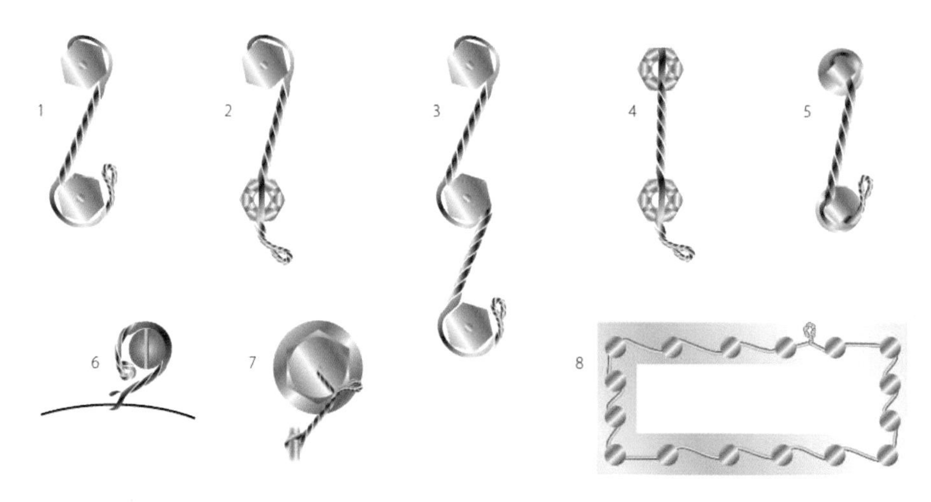

그림 5-5 안전 결선 방법

(1) 보기1, 2와 5는 볼트, 스크류, 사각 머리 플러그(plugs) 그리고 이와 유사한 부품끼리 한 쌍으로 안전 결선하는 올바른 방법을 보여준다.

(2) 보기 3의 경우는 몇 개의 부품을 연속해서 결선하는 방법을 보여준다.

(3) 보기 4의 경우는 캐슬너트(castellated nut)와 스터드(stud)를 안전 결선하는 올바른 방법을 보여준다.(너트 주위로 감지 않는다.)

(4) 보기 6과 7의 경우는 하우징(housing)이나 러그(lug) 등의 주변 부품과 결선하는 방법을 보여준다.

(5) 보기 8의 경우는 기하학적으로 폐쇄된 공간 안에서 밀집된 배치의 부품을 단선식 방법으로 안전 결선하는 올바른 방법을 보여준다.

1.6.3 오일 캡, 드레인 콕, 밸브(Oil caps, Drain cocks &Valves)

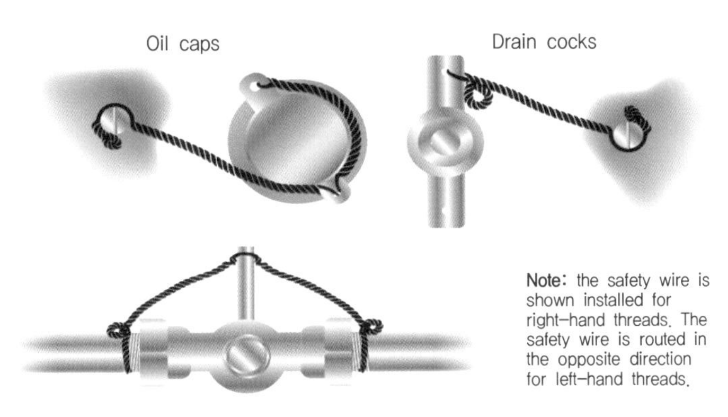

그림 5-6 오일 캡, 드레인 콕, 밸브 등의 안전결선

이런 부품들은 그림 5-6과 같은 방법으로 안전 결선해야 한다. 오일 캡의 경우에는 와이어는 인접한 필리스터(fillister) 헤드 스크류에 고정하게 된다.

이런 방법은 개별적으로 안전 결선해야 할 다른 부품에도 적용된다. 보통 고정해야 하는 부품의 근처에 위치한 것을 이용하면 편리하다. 이런 배치가 되지 않을 때는 안전 결선은 인접한 부분에 고정시키면 된다.

1.6.4 전기 커넥터(Electrical connecters)

심한 진동 상태에서 커넥터의 연결 너트(coupling nut)가 풀리는 경우가 있고 심하면 커넥터가 빠지면서 분리된다. 이런 현상이 발생하면 케이블에 의한 회로가 단선되는 경우가 생긴다. 이런 사고를 미리 방지하기 위해 적절한 안전 결선이 필요하다.

그림 5-7은 플러그 커넥터의 안전 결선을 보여주고 있다. 안전 결선은 가능한 한 짧아야 하고 와이어를 당기면 플러그에 있는 너트가 조여지는 방향으로 고정되도록 작업해야 한다.

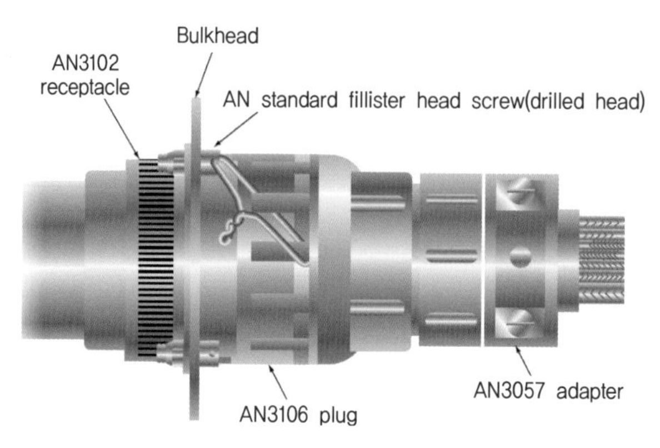

그림 5-7 플러그 커넥터의 안전 결선 장착

1.6.5 턴버클(Turnbuckles)

턴버클은 안전 결선하기 전에 적절한 장력 조절이 완료되어야 한다. 장력 조절이 완료되었다면, 진동 등에 의해 다시 풀리지 않도록 안전 결선해야 한다. 턴버클의 안전 결선 방법에는 여러 가지가 있으나 여기서는 두 가지 방법에 대해서만 설명한다. 이 방법들은 그림 5-8(A)와 (B)에서 보여주고 있다.

최신의 항공기에서는 클립(clip)으로 고정하는 방법을 사용하고 있다. 그러나 아직도 구형 항공기는 와이어를 이용한 와이어 랩핑(wire-wrapping) 방법으로 하는 턴버클을 사용하고 있다.

(1) 복선식 방법(Double-wrap Method)

턴버클의 안전작업에 대해 안전결선(safety wire)을 사용하는 방법 중에서, 단선식 방법도 만족스럽기는 하지만 복선식 방법이 더 선호된다. 복선식 방법은 그림 5-8(B)에서 보여주고 있다. 그림 5-8에는 적당한 길이로 절단한 두 개의 와이어가 사용되고 있다.

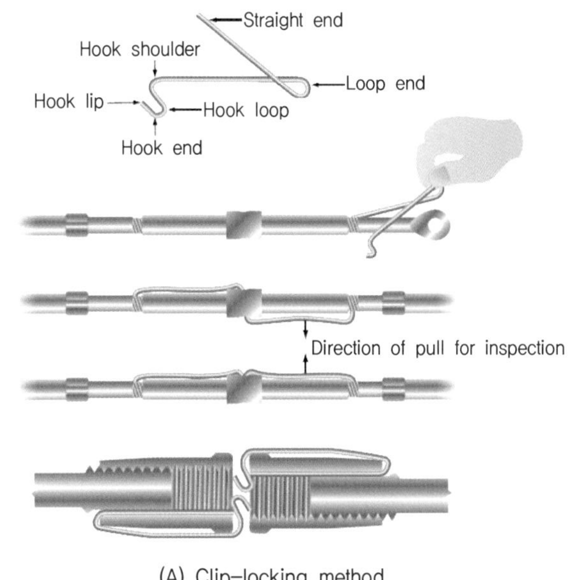

(A) Clip-locking method

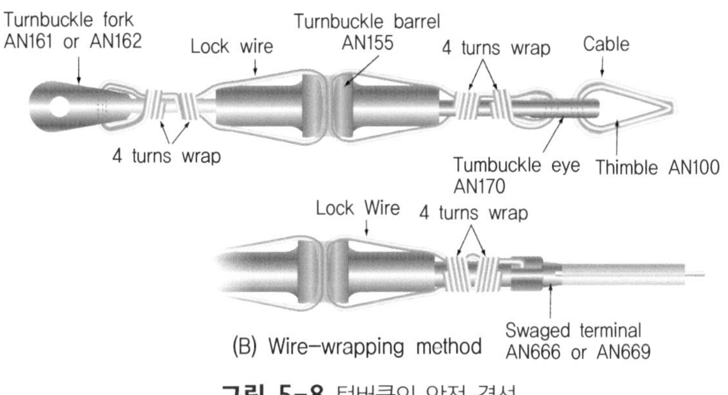

(B) Wire-wrapping method

그림 5-8 턴버클의 안전 결선

턴버클 배럴에 있는 구멍에 와이어의 한 끝을 끼우고 반대쪽 방향으로 와이어 끝을 구부린다. 그 다음에 둘째 와이어를 배럴에 있는 구멍에 끼우고 처음에 낀 와이어와는 반대쪽 방향으로 배럴을 따라서 그 끝을 구부린다. 그리고 반대방향의 턴버클의 끝에 있는 와이어를 턴버클 아이(turnbuckle eye)에 있는 구멍 또는 턴버클 포크(turnbuckle fork)의 위와 아래에 있는 턱(jaw) 사이를 통과시켜 배럴이 있는 방향을 향해서 구부린다. 구멍을 통과한 와이어 중 하나의 와이어를 먼저 생크와 함께 모든 와이어를 겹쳐 감싸면서 4바퀴를 감아준다. 첫 번째 와이어를 절단하고 계속해서 두 번째 와이어도 4회를 감아준다. 남은 와이어는 절단해서 제거한다. 턴버클의 반대쪽 끝도 같은 절차를 반복해 준다.

만약 스웨이징 터미널(swaged terminal)에 있는 구멍이 두 와이어가 모두 통과할 정도로 크지 않다면 하나의 와이어만을 통과시키고 나머지 와이어는 생크의 중앙에서 겹치도록 꼬아준 다음 생크 주위로 각각 4번씩 감아준다. 남은 와이어는 절단해서 제거한다.

(2) 단선식 방법(Single-wrap Method)

하나의 와이어를 턴버클 아이나 턴버클 포크 또는 스웨이징 터미널에 있는 구멍에 끼운다. 끝에 해당하는 두 와이어가 서로 턴버클 배럴을 두 번 교차하도록 턴버클 배럴의 처음 반쪽 주위에 서로 반대방향이 되도록 나선형으로 감는다. 양쪽 끝의 와이어를 배럴 중앙에 있는 구멍 안에서 교차하도록 서로 반대방향으로 구멍에 끼운다. 다시 턴버클의 남은 반에 와이어를 두 번 교차하도록 두 와이어의 끝을 나선형으로 감는다. 그 다음 하나의 와이어 끝을 턴버클 아이나 턴버클 포크 또는 스웨이징 터미널에 있는 구멍에 끼운다. 서로 만난 두 와이어의 끝을 생크 중앙에서 꼰 다음 생크 주위로 각각 적어도 4회 이상 돌아갈 수 있도록 감고 남은 와이어는 절단한다.

위 방법의 대체방법으로 턴버클의 중앙 구멍을 거쳐 하나의 와이어를 통과시킨 다음 서로 턴버클의 반대방향의 끝으로 와이어를 구부린다. 그 다음에 턴버클 아이 또는 턴버클 포크 또는 스웨이징 터미널에 있는 구멍에 각각의 와이어 끝을 통과시킨다. 통과한 와이어를 생크 주위에 적어도 4바퀴이상 감는다. 여분의 와이어를 절단하여 제거한다. 안전결선 작업을 한 후 턴버클 배럴 밖으로 터미널의 나사산이 3개 이상 보여서는 안 된다.

1.7 일반적인 안전 결선 규칙

안전 결선을 할 때는 다음에 있는 규칙을 준수해야 한다.

(1) 1/4인치에서 1/2인치 길이에 3~6번 꼬임으로 된 피그 테일(pig tail)을 만들

어야 한다. 이 피그 테일은 예기치 못한 사고의 발생을 방지하기 위해 뒤쪽 이나 아래쪽으로 구부려야 한다.

(2) 사용한 와이어는 재사용이 안 된다.

(3) 캐슬 너트를 안전 결선으로 고정 시에는 별다른 지시가 없다면 규정된 토크 범위보다 낮은 값으로 너트를 조이고, 필요하다면 홈과 구멍이 일치할 때까지 더 조여준다.

(4) 모든 안전 결선은 팽팽하게 유지되어야 한다.(정상적인 취급이나 진동에도 와이어가 끊어지지 않을 정도)

(5) 와이어에 가해지는 인장력이 너트, 볼트 등의 조이는 방향이 되도록 한다.

(6) 꼬임은 단단하고 일정해야 하며, 너트 사이의 와이어를 과도하게 꼬지 말아야 하며 가능한 한 팽팽하게 유지되어야 한다.

(7) 안전 결선용 와이어의 끝은 항상 꼬여있어야 하며 볼트 머리 주위의 와이어 고리가 밑으로 내려져 있어야 한다. 와이어 고리가 볼트머리 위로 올라와서 느슨하게 풀리지 않도록 장착해야 한다.

1.8 코터핀의 안전작업(Cotter pin safetying)

그림 5-9는 코터핀의 장착상태를 보여준다. 캐슬 너트는 코터핀 구멍이 있는 볼트와 함께 사용된다. 코터핀은 약간씩 옆으로의 유격을 가지며, 약간의 마찰작용에 으로 구멍에 알맞게 체결되어야 한다.

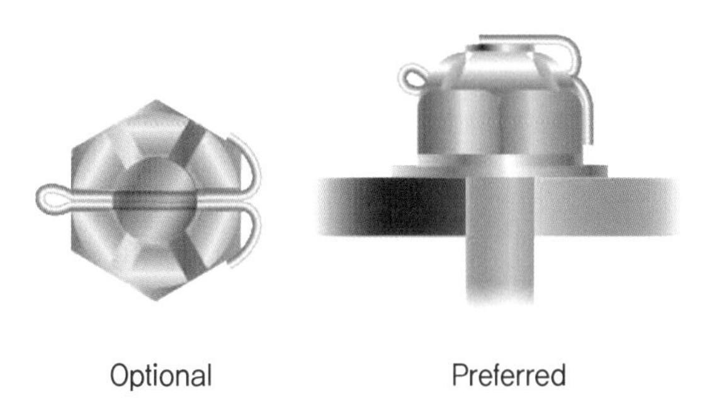

그림 5-9 코터핀의 장착

다음은 코터핀 안전 작업에 대한 일반적인 규칙이다.

(1) 볼트 끝 위로 구부려진 가닥은 볼트의 직경보다 길어서는 안 된다. 필요하다면 절단한다.
(2) 아래로 구부려진 가닥은 와셔 표면에 닿지 않아야 한다. 필요하다면 절단한다.
(3) 만약 차선식(optional method)으로 작업할 경우 구부리는 가닥은 볼트를 감싸듯 옆으로 돌리는 방법을 사용한다. 이 경우 굽힌 가닥의 끝이 너트의 옆쪽 끝선보다 외부로 돌출되어서는 안 된다.
(4) 모든 가닥은 적당한 반경으로 구부린다. 너무 뾰족하게 구부리게 되면 부러지게 된다. 고무망치(mallet) 등으로 가볍게 두드려 주는 것이 가닥을 구부리는 가장 좋은 방법이다.

1.9 스냅 링(Snap ring)

스냅 링은 단면이 둥글거나 평평한 금속의 고리이며 스프링과 같은 작용을 갖도록 담금질되어 있다. 이 스프링과 같은 작용으로 스냅 링이 홈에 단단히 고정되어 있다. 외부(external) 스냅 링은 축이나 실린더의 바깥쪽에 있는 홈에 고정되도록 만들어졌고, 안전결선으로 고정된다. 그림 5-10에서는 외부 스냅 링의 안전결선 작업을 보여준다. 내부(internal) 스냅 링은 실린더 등의 안쪽에 있는 홈에 고정되며, 안전결선 작업을 하지 않는다.

특수한 종류의 스냅 링 플라이어로 스냅 링을 장탈 또는 장착할 수 있도록 링의 끝에 구멍이 뚫려 있다. 스냅 링은 모양과 스프링 같은 탄성력이 유지되는 한 재사용이 가능하다.

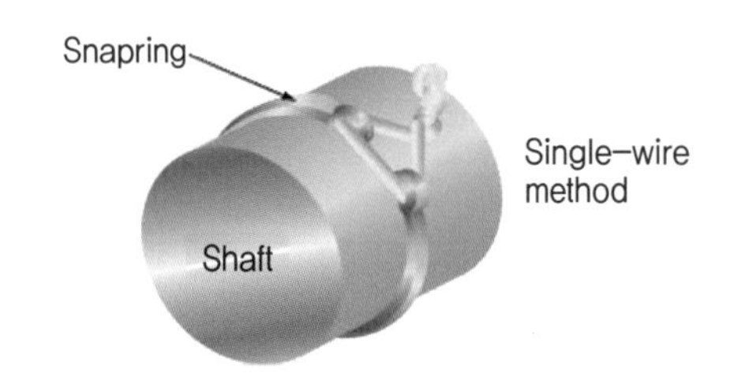

그림 5-10 안전 결선을 장착한 외부 스냅 링

2. 리벳(Rivets)

항공기가 우수한 재료와 강한 부품으로 만들어졌다 하더라도 이런 부품들이 서로 단단히 연결되어 있지 않는다면 항공기 안전성에 상당히 큰 영향을 미칠 것이다.

금속 부품을 서로 연결시키는 방법에는 리벳, 볼트, 브래싱(brazing)과 용접 등 몇 가지의 방법이 사용되고 있다. 사용되는 방법은 결합되는 부품만큼 강한 결합체를 만들어내야 한다. 알루미늄과 그 합금은 납땜질하기 힘들다. 알루미늄 부품들은 우수한 결합체를 만들거나 강한 접합을 하기 위해 서로 용접하거나 볼트 작업 혹은 리벳 작업을 한다. 리벳 작업은 강도와 깨끗함에 있어서 만족스러운 정도이고 용접보다도 작업이 용이하다.

이 방법은 항공기 조립과 수리에서 알루미늄 합금을 서로 결합시키는데 사용되는 가장 일반적인 방법이다. 리벳은 둘 또는 그 이상의 금속판이나 재료의 부품들을 서로 접합하는데 사용되는 금속 핀이다. 리벳머리는 제작 시 한 끝에서 만들어진다. 리벳의 shank는 재료의 두 판에 상응하는 구멍에 끼어 넣고 끝은 두 판을 고정시키기 위해 타격을 가함으로서 두 번째 머리가 만들어지게 된다.

손이나 압축공기 장비로 만들어지는 이 두 번째 성형 머리는 샵 헤드(shop head)라고도 부른다. 샵 헤드는 볼트에서의 너트와 같은 역할을 한다. 리벳은 항공기 표피를 접합하는데 사용될 뿐 아니라 스파(spar)부분의 접합이나 리브(rib) 부분을 적당한 자리에 고정시키고, 항공기의 여러 부품들을 단단히 접합하는데 사용된다. 또한, 여러 가지 브래이싱 멤버(bracing member)와 다른 부품들을 서로 결합시키는데도 사용된다.

항공기에 사용되는 리벳의 두 가지 유형에는 버킹 바(bucking bar)를 사용하여 만들어내는 일반적인 솔리드생크 리벳(solid-shank rivet)과 버킹 바를 사용할 수 없는 곳에 장착이 가능한 블라인드 리벳(blind rivet)이 있다.

2.1 솔리드 생크 리벳(Solid-shank Rivet)

솔리드 생크 리벳은 일반적으로 수리 작업에 사용된다. 이들은 만들어진 재료의 종류, 머리모양, 생크의 치수, 담금질 상태에 의해서 식별된다. 솔리드 생크 리벳 머리형의 명칭은 그림 5-11과 같이 그 단면 형상에 의해 결정되며, 유니버셜 헤드(universal head), 라운드 헤드(round head), 플랫 헤드(flat head), 카운터성크 헤드(counter-sunk head), 브래지어 헤드(brazier head)가 있다.

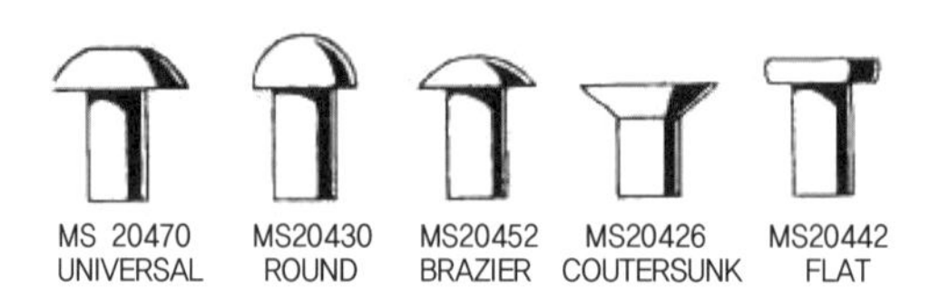

그림 5-11 리벳 머리 모양과 코드 넘버

담금질 정도와 강도는 리벳 머리에 있는 특수 기호로서 나타난다. 대부분의 항공기에 사용되는 솔리드 생크 리벳의 재료는 알루미늄 합금이다. 알루미늄 합금 리벳의 강도와 담금질 상태는 알루미늄과 그의 합금재료의 강도, 담금질 상태 등을 나타내는 방식과 비슷한 숫자와 문자로서 나타나게 된다. 1100, 2017-T, 2024-T, 2017-T, 5056 등의 리벳은 흔히 사용되는 5가지 등급의 리벳이다.

(1) 1100 리벳은 99.45%의 순수 알루미늄으로 만들어졌으며 매우 연하다. 이것은 비구조 부분(강도가 요구되지 않는 부분)에 사용되는 1100, 3003, 5052와 같은 연한 알루미늄 합금에 리벳 작업을 위한 것이다. 1100 알루미늄 합금 리벳은 지도(map) 보관함과 같은 비구조 부분에 주로 사용된다.

(2) 2117-T 리벳은 현장 리벳(field rivet)으로 알려져 있으며, 주로 알루미늄 합금 구조물의 리벳 작업에 가장 많이 사용된다. 현장 리벳은 사용하기 쉽고, 별도의 열처리나 풀림 처리를 하지 않고 사용할 수 있기 때문에 널리 사용된다. 또한 높은 내식성이 있어 부식에 대한 저항성이 뛰어나다.

(3) 2017-T 와 2024-T 리벳은 같은 치수의 2117-T 리벳에 비해 더 큰 강도를 필요로 하는 알루미늄 합금 구조물에 사용된다. 이 리벳은 풀림 처리한 후에 작업을 할 때까지 시효경화(시간이 흐를수록 경화되는 성질)로 인해서 냉장고에 보관해 두어야 한다. 그래서 이 리벳을 "아이스박스 리벳(Icebox rivet)" 이라고 한다. 2017-T 리벳은 냉각상태에서 꺼낸 다음 약 1시간 이내에 작업을 해야 하고, 2024-T 리벳은 냉각상태에서 꺼낸 다음 10~20분 이내에 작업을 완료해야 한다.

(4) 5056 리벳은 마그네슘을 첨가한 알루미늄 합금 리벳으로 마그네슘과 결합할 때 생기는 내식성 때문에 마그네슘 합금 구조물을 리벳 작업할 때 사용된다.
(5) 연강(mild steel) 리벳은 강철로 된 부품의 리벳 작업에 사용된다. 내식강 리벳은 방화벽(fire wall), 배기관(exhaust stack) 및 이와 유사한 구조물에 사용한다.
(6) 모넬(Monel) 리벳은 니켈 합금강 리벳 작업에 사용된다. 일부는 내식강으로 된 리벳과 대체해서 사용할 수 있다.

항공기 수리에서 동 리벳(cupper rivet)은 사용이 제한된다. 동 리벳은 단지 동합금이나, 가죽과 같은 비금속 재료에만 사용한다.

금속의 성질은 리벳 작업 특히 알루미늄 합금을 리벳 작업할 때 중요한 요소가 된다. 알루미늄 합금 리벳은 알루미늄 합금 판과 같은 열처리 성질을 가지고 있다. 이들은 알루미늄 판과 같은 방식으로 경화되고 풀림(annealing) 될 수 있다. 리벳은 머리가 완전히 성형되기 전에는 비교적 연한 상태이어야 한다.

2017-T와 2024-T 리벳은 시효경화로 인해 작업 전에 풀림 처리되어야 한다. 리벳 열처리(풀림) 공정은 판재를 열처리하는 것과 매우 흡사하다. 전기 공기 가열로, 소금 욕조 또는 뜨거운 기름 욕조 등을 이용한다. 알루미늄 합금에 따른 열처리 범위는 625°F~950°F이다. 편리상 리벳은 쟁반이나 철로 만든 바구니에서 가열된다. 가열 후 즉시 70°F의 냉수에 담금질한다.

2017-T와 2024-T 리벳은 열처리가 가능한 리벳으로써 실온에 노출시키면 몇 분 이내에 시효경화가 시작된다. 그러므로 담금질이나 급냉 처리한 후에는 냉장실에 보관하거나 즉시 사용해야 한다. 이 열처리된 리벳을 보관하는 일반적인 방법은 전기냉장고를 사용하여 저온(32°F 이하)으로 보관해야 한다. 이 아이스박스 리벳은 저장 상태에서 작업하기에 충분하게 2주일가량 연한 상태로 두어야 한다.

재 열처리를 하지 않는 한 꺼냈다가 다시 사용할 수 없다. 아이스박스 리벳은 작업 후 대략 1시간 후에 최대 강도의 1/2의 강도가 되고 4일 후에는 최대강도를 가지게 된다. 2017-T 리벳은 실내 온도에 노출될 때(1시간 이상) 재 열처리해야 한다. 2024-T 리벳도 실내 온도에 10분 이상 노출돼서는 안 된다. 아이스박스 리벳을 냉장고에서 일단 꺼냈을 때는 냉장 저장 상태의 다른 리벳과 혼합해서는 안 된다. 아이

스박스로부터 꺼낸 후 15분 이상 시간이 경과한 리벳은 재 열처리를 위해 분리된 용기 속에 넣어 보관한다. 리벳 열처리는 열처리가 적절히 수행되었다면 수차례 반복할 수 있다. 적절한 가열 시간과 온도는 표 5-1과 같다.

표 5-1 리벳 가열 시간과 온도

Heating Time - Air Furnace		
Rivet Alloy	Time at Temperature	Heat Treating Temperature
2024	1hour	910°F-930°F
2017	1hour	925°F-950°F
Heating Time - Saot Bath		
Rivet Alloy	Time at Temperature	Heat Treating Temperature
2024	30minutes	910°F-930°F
2017	30minutes	925°F-950°F

항공기용 리벳 재료를 포함한 대부분의 금속들은 부식되기 쉽다. 부식은 지역적 기후 조건이나 제작과정에서 발생되기 쉽다. 이를 방지하려면 내식성이 우수하고 정확한 강도 대 중량비를 갖춘 금속을 사용함으로서 최소한으로 줄일 수 있다. 습기가 포함된 염분성 공기에 노출된 철 금속은 부식에 대한 적절한 조치가 되지 않는다면 부식이 발생할 것이다.

철 성분이 없는 비철금속은 녹(rust)이 슬지 않는다. 대신에 부식이라 일컫는 현상이 나타나게 된다. 해안가의 습한 공기 중에 포함된 염분은 알루미늄 합금을 침식시킨다. 해안가에서 운항하는 항공기를 검사해보면 항공기 리벳이 침식으로 인해 심하게 부식되어 있는 것을 종종 확인할 수 있다. 만약 동 리벳을 알루미늄 합금 구조물에 삽입했을 경우, 이질금속이 서로 접촉해 있는 상태가 된다. 모든 금속은 적은 양의 전위를 가지고 있음을 기억해야 한다. 서로 다른 금속이 접촉해 있음으로 인해 두 금속 간에 전위차가 발생하게 되며, 여기에 습기가 있어 전위차로 인해 금속 간에 전류가 흐르면서 화학적 부산물이 형성된다. 이 현상은 주로 금속 한쪽의 침식을 발생시키는 결과를 초래하게 된다.

알루미늄 합금 중에도 서로 반응을 일으키는 것도 있고, 이들은 이질 금속으로 취급해야 할 것이다. 일반적으로 사용되는 알루미늄 합금은 표 5-2에 나타난 것과 같이 두 개의 그룹으로 구분한다.

표 5-2 알루미늄 그룹

Group A	Group B
1100	2117
3003	2017
5052	2124
6053	7075

A그룹과 B그룹에 속해 있는 재료는 서로 동종의 금속으로 취급되며 같은 그룹의 금속 간에는 서로 반응이 나타나지 않는다. 그러나 A그룹의 금속이 B그룹의 금속과 접촉하고 습기가 있다면 부식현상이 발생하게 될 것이다.

항상 가능하다면 이질 금속간의 사용을 피해야 한다. 리벳 제작사는 AN표준규격에 맞추기 위해서 리벳 표면에 보호용 피막처리를 해야 한다. 이 보호용 피막처리 방법으로는 크롬산 아연 도금(zinc chromate), 금속분무(metal spray), 양극산화처리(anodized finish) 등이 사용된다.

리벳의 보호용 피막은 색상으로 구분된다. 크롬산 아연 도금한 것은 황색(yellow)이고, 양극산화 처리한 표면은 진주 빛 회색(pearl gray), 그리고 금속분무한 리벳은 은빛회색(silvery gray)으로 구분된다. 만약 작업 중에 보호용 피막을 해야 될 필요성이 생긴다면 피막 작업하기 전 리벳에 크롬산 아연 용액을 발라서 표면 처리를 하고 작업이 완료된 후에 한 번 더 발라준다.

2.2 리벳의 식별(Identification)

리벳의 머리에 표시된 기호는 그들의 특성을 분류하기 위해 사용된다. 이 표시는 한 개의 돌출부, 두 개의 돌출부, 움푹 패인 것, 돌출된 쌍의 대시(-)기호, 돌출된 십자(+)기호, 삼각형, 돌출된 하나의 대시(-)기호 등이 있고, 기타 무 표시로 되어 있는 것도 있다. 이 같이 리벳 머리의 표시가 리벳 재료의 성분을 나타낸다. 앞에 설명한 바와 같이 리벳은 제작사에 의해서 보호용 피막의 구분을 위해 여러 가지 색상으로 표시한다.

(1) 둥근 머리 리벳(Round-head rivet)

둥근 머리 리벳은 항공기 내부 구조물에 주로 사용되고 있으나, 근처의 구조에 공간이 요구되는 부분은 제외된다. 둥근 머리 리벳은 두껍고, 둥근 상단 표면을 갖는다. 머리는 구멍 주위의 판재에 강도를 줄만큼 크고 인장 하중에 충분히 견딜 수 있어야 한다.

(2) 납작 머리 리벳(Flat-head rivet)

납작 머리 리벳은 둥근 머리 리벳과 같이 내부 구조물에 사용된다. 이 리벳은 최대 강도가 필요하고 둥근 머리 리벳을 사용하기에는 충분한 여유 공간이 없는 부분에 사용된다. 가끔 드물기는 하지만 외부 표면에도 종종 사용된다.

(3) 브레지어 헤드 리벳(Brazier-head rivet)

브레지어 헤드 리벳은 얇은 판재 표피를 리벳하기에 알맞게 만들어진 머리 직경이 크고 두께가 얇은 리벳이다. 또한, 이 리벳은 공기 흐름에 대한 저항성이 아주 작기 때문에 외부 표피, 특히 동체와 꼬리부분의 후방부에 리벳으로 자주 사용된다. 프로펠러 후류에 노출되는 얇은 판재를 접합하기 위한 리벳으로도 사용된다. 개조된 브레지어 헤드 리벳은 머리의 직경을 감소시켜 개선한 리벳이다.

(4) 유니버셜 헤드 리벳(Universal-head rivet)

유니버셜 헤드 리벳은 둥근 머리, 납작 머리, 브레지어 머리가 조합되어 만들어진 형태이다. 이 리벳은 내, 외부의 항공기 구조 및 수리에 사용된다. 돌출 머리 리벳(둥근 머리, 납작 머리, 브레지어 머리 등)을 교환할 필요가 있을 때는 유니버셜 헤드 리벳으로 교환 가능하다.

(5) 접시 머리 리벳(Countersunk-head rivet)

접시 머리 리벳은 카운터 성크나 딤플(dimpled)된 구멍에 맞도록 머리 윗면은 납작하고 생크 쪽으로 경사진 면을 가지고 있는 리벳이다. 장착하고 나면 표면과 평평해진다. 머리가 경사진 각도는 78°~120°까지 이다.

보통 100° 리벳이 가장 많이 사용된다. 이 리벳은 고정된 판재 위에 다른 판재를 고정하거나 부품을 얹어야 하는 부분에 사용된다. 이 리벳은 공기 흐름에 대해 저항이 아주 적어 난류 흐름을 최소로 해주기 때문에 항공기의 외부 표면에 사용한다. 리벳 머리의 기호는 해당 리벳의 재질을 표시하므로 강도도 알 수 있다. 그러나, 머리에 아무런 표시가 없는 경우는 세 가지가 있는데, 이러한 경우는 재질을 색상으로 구분할 수 있다. 1100알루미늄은 알루미늄 색이고, 연강은 철강의 색을 가지며, 동 리벳의 경우에는 구리 색을 띈다.

머리 표시는 같은 재료 어떤 머리모양에도 표시할 수 있다.

작업자가 부품번호를 통해 작업에 맞는 리벳을 선택할 수 있다. 리벳 머리의 종류는 AN 또는 MS 표준규격번호로 구분된다. 선택된 표준규격 번호는 계열별로 되어 있고 각 계열은 각각의 머리모양을 나타낸다.

가장 일반적인 규격번호와 머리종류는 다음과 같다.

AN426 또는 MS20426	카운터 성크 머리 리벳(100°)
AN430 또는 MS20430	둥근 머리 리벳
AN441	납작 머리 리벳
AN456	브레지어 헤드 리벳
AN470 또는 MS20470	유니버셜 헤드 리벳

표 5-3 리벳 식별 차트

Material	Head Marking	AN Material Code	AN425 78° Counter-sunk Head	AN426 100° Counter-sunk Head MS20426*	AN427 100° Counter-sunk Head MS20427*	AN430 Round Head MS20470*	AN435 Round Head MS20613* MS20615*	AN441 Flat Head	AN442 Flat Head MS20470*	AN455 Brazier Head MS20470*	AN456 Brazier Head MS20470*	AN470 Universal Head MS20470*	Heat Treat Before Use	Shear Strength psi	Bearing Strength psi
1100	Plain	A	X	X		X			X	X	X	X	No	10,000	25,000
2117T	Recessed Dot	AD	X	X		X			X	X	X	X	No	30,000	100,000
2017T	Raised Dot	D	X	X		X			X	X	X	X	Yes	34,000	113,000
2017T-HD	Raised Dot	D	X	X		X			X	X	X	X	No	38,000	126,000
2024T	Raised Double Dash	DD	X	X		X			X	X	X	X	Yes	41,000	136,000
5056T	Raised Cross	B		X		X			X	X	X	X	No	27,000	90,000
7075-T73	Three Raised Dashes		X	X		X			X	X	X	X	No		
Carbon Steel	Recessed Triangle				X		X MS20613*	X					No	35,000	90,000
Corrosion Resistant Steel	Recessed Dash	F			X		X MS20613*						No	65,000	90,000
Copper	Plain	C			X		X	X					No	23,000	
Monel	Plain	M			X			X					No	49,000	
Monel (Nickel-Copper Alloy)	Recessed Double Dots	C					X MS20615*						No	49,000	
Brass	Plain						X MS20615*						No		
Titanium	Recessed Large and Small Dot			MS20426									No	95,000	

합금성분을 표시하는 문자 뒤에 오는 첫 숫자는 리벳 생크의 직경을 인치로 나타낸다. 그림 5-12는 리벳의 직경과 길이를 보여주고 있다. 직경은 인치로 표시하고, 32분의 단위로 구성된다. 예를 들어 "3"은 "3/32인치"가 되고 "7"은 "7/32인치"가 됨을 의미한다.

마지막 번호 즉, 앞에 번호와 다음에 대시로서 구분된 번호는 리벳 생크의 길이를 나타낸다. 길이는 인치로 표시하고, 16분의 단위로 구성된다. 예를 들어 "3"은 "3/16인치"가 되고, "5"는 "5/16인치"가 됨을 의미한다.

합금성분을 표시하는 문자는 다음과 같다.

A 알루미늄 합금/ 1100 이나 3003 성분
AD 알루미늄 합금/ 2117-T 성분
D 알루미늄 합금/ 2017-T 성분
DD 알루미늄 합금/ 2024-T 성분

B 알루미늄 합금/ 5056 성분
C 구리
M 모넬

또한, 표준규격번호 뒤에 아무런 문자도 없다면 연강으로 만들어진 리벳을 의미한다. 다음은 리벳의 식별기호에 대한 예시를 나타낸다.

AN 470 AD 3 - 5 의 경우
AN : 미 공군-해군 표준번호(Air force-Navy standard number)
470 : 유니버셜 헤드 리벳(Universal head rivet)
AD : 2117-T 알루미늄 합금
3 : 직경이 3/32 인치
5 : 길이가 5/16 인치

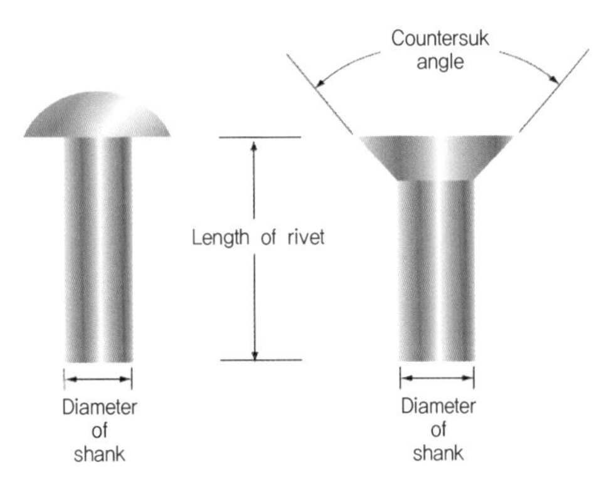

그림 5-12 리벳의 측정방법

2.3 블라인드 리벳(Blind rivet)

항공기 구조에는 양쪽에서 접근하기가 어렵거나 버킹 바를 사용할 수 없는 구조부가 많다. 또한 항공기 내부 장식, 바닥재, 제빙 부츠 등과 같이 고강도의 솔리드 생크 리벳을 사용하지 않아도 될 비구조용 부분도 많이 있다. 이러한 부분에 사용하기 위해 앞에서 리벳의 머리 성형이 가능한 특수리벳(블라인드 리벳)이 만들어졌다. 이 리벳은 솔리드 생크 리벳에 비해 경량이며 사용 목적에 충분한 강도를 지니고 있다. 이 블라인드 리벳은 몇몇 제작사에 의해 제작되는 특수 장착 공구, 특수 장착 절차가 요구된다. 이런 이유에서 특수 리벳이라고 불린다.

이들 리벳은 샵 헤드(shop head)가 보이지 않는 장소에 사용되기 때문에 블라인드 리벳이라고도 한다.

2.3.1 기계적 확장 리벳(Mechanically Expanded Rivet)

이 장에서는 기계적 확장 리벳의 3가지 종류에 대해 설명하고자 한다.

3가지 종류의 리벳은 Self-plugging(마찰고정) 리벳, Self-plugging(기계고정), 풀스루(Pull-thru) 리벳 등이다.

Self-plugging(마찰고정) 블라인드 리벳은 몇몇 제작사에서 제작되기는 하지만, 성분, 용도, 선택, 장착, 검사 및 장탈 절차에 대한 기본적 자료는 모두 적용된다. Self-plugging(마찰고정) 리벳은 두 부분으로 구성되는데, 빈 생크 혹은 슬리브가 있는 리벳 머리 부분과 속이 빈 생크 속으로 튀어나온 스템(stem) 부분이다.

그림 5-13은 어떤 제작사에서 생산되는 돌출머리와 접시머리를 가진 기계고정리벳(Self-plugging rivet)을 나타낸다.

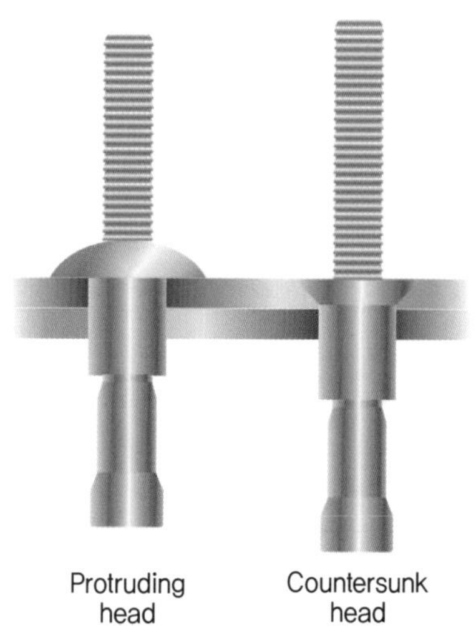

그림 5-13 셀프-플러깅(마찰고정) 리벳

리벳의 스템에 인장력을 가하면 다음과 같은 현상이 순차적으로 발생한다.

(1) 스템은 리벳생크를 통해 당겨진다.
(2) 스템의 축(mandrel)부분이 리벳생크로 끌어당겨지면서 생크를 확장시킨다.
(3) 마찰 또는 끌어당기는 압력이 충분해지면 스템의 홈 부분이 끊어지면서 분리된다. 분리된 플러그 부분(스템의 남아있는 부분)은 큰 전단 강도를 주기위해 리벳의 생크부분에 남겨진다.

Self-plugging(마찰고정) 리벳은 두 가지의 대표적인 머리 모양으로 만들어진다.

(1) 유니버셜 헤드와 비슷한 돌출머리
(2) 100° 접시머리

기타 다른 머리 모양을 가진 리벳들이 몇몇 제작사에서 제작되고 있다.
그림 5-13과 같이 Self-plugging(마찰고정) 리벳의 스템은 윗부분에 마디(knot)나 혹(knob), 또는 톱니모양(serrated)의 부분을 가지고 있다.
Self-plugging(마찰고정) 리벳은 몇 가지 재질로 만들어진다. 이 리벳은 다음과 같은 재료의 조합으로 만들 수 있는데, 2017 알루미늄 합금 스템과 5056 알루미늄 합금 슬리브, 2017 알루미늄 합금 스템과 2117 알루미늄 합금 슬리브, 강철 스템과 강철 슬리브 등이다.
Self-plugging(마찰고정) 리벳은 혼자서도 작업할 수 있도록 만들어졌다. 리벳 작업을 위해 양쪽에서 접근하지 않아도 작업이 가능하다. 리벳 스템의 인장강도는 항상 균일하게 분포되도록 해야 한다. 부품의 반대편에서 작업할 필요가 없기 때문에 Self-plugging(마찰고정) 리벳은 속이 빈 관, 주름진 판재, 속이 빈 상자 등의 부품을 장착하는데 사용된다. 또한, 리벳 작업 시 망치질이 필요 없으므로 합판, 플라스틱 등의 부품을 장착하는데도 사용할 수 있다.
장착 시 올바른 리벳을 선정하는데 고려해야 될 요소는 다음과 같다. (1) 장착 위치, (2) 리벳할 재료의 성분, (3) 리벳할 재료의 두께, (4) 요구되는 강도.
만약 부분품을 위한 여유간격이 필요하다면 접시 머리 리벳을 사용해야 한다. 여유

간격과 평평한 면이 요구되지 않는다면 돌출 머리 리벳을 사용해도 상관없다.

리벳 생크의 재료성분은 리벳 한 재료와 종류에 의해 결정된다. 알루미늄 합금 2117생크리벳은 대부분의 알루미늄 합금에 사용하고, 알루미늄 합금 5056생크리벳은 리벳 할 재질이 마그네슘일 때 사용해야 한다. 그리고 강철리벳은 항상 강으로 만든 부분품의 리벳 작업에 사용한다.

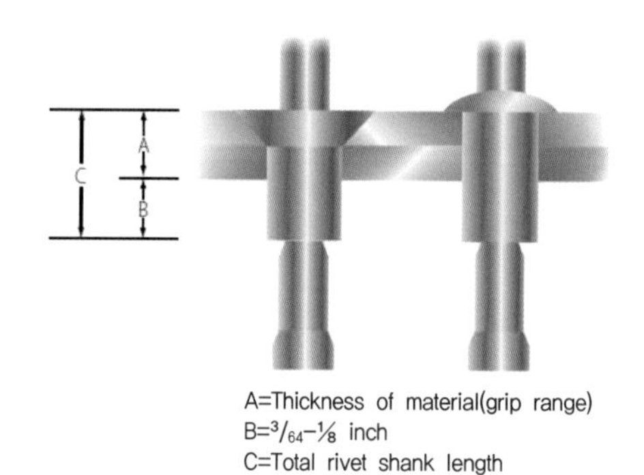

그림 5-14 마찰 고정 리벳의 길이 결정

그림 5-14와 같이 리벳 생크의 길이는 부분품의 두께에 의해 결정된다. 리벳의 생크 길이는 체결되는 부분품의 전체 두께보다 약 3/64~1/8 인치 이상 길어야 한다.

Self-plugging(기계고정) 리벳은 Self-plugging(마찰고정) 리벳과 비슷하지만 재료에 삽입되는 방식은 차이가 있다. Self-plugging(기계고정) 리벳은 그림 5-15에서 볼 수 있듯이 진동으로 마찰고정 리벳이 헐거워져서 이탈되는 것을 방지할 수 있도록 기계적인 고정 칼라(collar)를 가지고 있다. 또한, 기계고정 리벳 스템은 머리 높이와 평행하게 잘려지므로 장착 후에 남아있는 스템을 다시 다듬는 작업이 필요 없다.

Self-plugging(기계고정) 리벳은 솔리드 생크 리벳의 강도 특성을 가지고 있고 대부분의 경우 리벳과 이 리벳으로 대체가 가능하다.

Self-plugging(기계고정) 리벳은 두 부분으로 만들어져 있다. 머리 및 생크와 생크에서 뻗어 나온 톱니 모양(serrated)의 스템이다.

마찰고정 리벳과는 달리 기계고정리벳은 생크에 스템이 끼어들어가서 완전한 고정을 형성시키는 고정칼라를 가지고 있다. 이 칼라는 리벳을 장착하는 동안 구멍에 고정되어 있다. 기계고정 리벳을 장착하는 절차에는 3가지의 작업이 행해진다. 스템의 당기는 힘이 작용할 때 스템은 구멍으로 들어가고 재료에 대해서 리벳 샵 헤드(shop head)가 단단히 만들어진다. 고정 칼라를 샵 헤드에 밀어 넣을 때, 리벳 스템은 리벳 머리와 평평하게 잘리게 된다.

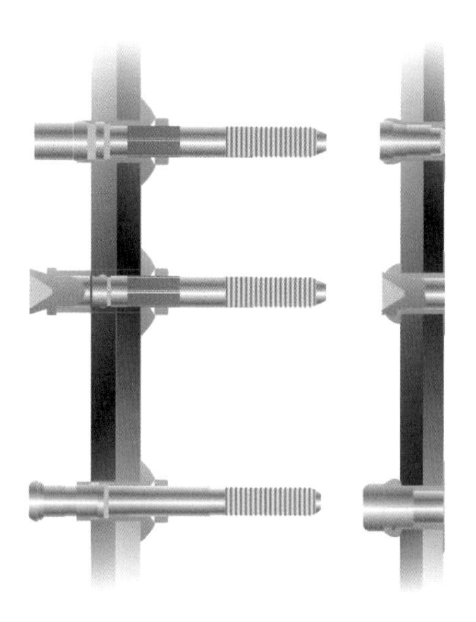

그림 5-15 셀프-플러깅 리벳(기계고정)

Self-plugging(기계고정) 리벳은 두 군데 이상의 제작회사에서 만들어진다. 리벳은 2017 알루미늄 합금과 5056 알루미늄 합금이나 모넬(Monel) 또는 스테인리스강의 슬리브(리벳 생크)로 만들어진다.

Self-plugging 리벳의 기계 고정형은 마찰 고정형 리벳과 같은 용도에 사용된다. 그 외에도 이 리벳은 견착 특성이 뛰어나므로 심한 진동을 받는 부분에도 사용된다. 기계 고정형 리벳의 선택에도 마찰 고정형 리벳과 같이 일반적인 요구사항을 만족시켜야 한다. 조합할 재료의 성분에 따라 리벳 슬리브의 싱분이 결정된나. 예를 들어, 대부분의 알루미늄 합금 재료에는 2017 알루미늄 합금 리벳을, 마그네슘 재료에는 5056 알루미늄 합금 리벳을 사용한다. 사용할 리벳의 생크 직경은 재료의 두께와 결합할 부분의 강도에 의해서 결정된다. 너무 큰 직경을 얇은 재료에 사용해서는 절대 안 된다.

사용할 리벳 생크의 길이는 리벳할 재료(그립 길이)의 두께에 의해서 결정된다. 여러 제작회사들이 자사 제품에 대해 리벳의 머리나 스템에 그립 길이를 표시하고 있다. 체리 고정 리벳(Huck 제작회사에서 제작)은 인치의 천분의 비로 그립의 범위를 표시한다. 리벳에 대한 최소 그립 범위, 사이의 차는 매우 적기 때문에 장착 시 적당한 길이를 선택하는 데는 크게 지장이 없다. 리벳 할 재료의 두께는 인치의 천분의 비로 표시하게 된다. 이 방법은 장착 시에 알맞은 리벳을 쉽게 선택할 수 있다.

2.3.2 리브너트(Riv nut)

리브너트는 속이 비어있는 블라인드 리벳으로서 6053 알루미늄 합금으로 되어 있고 안쪽에 구멍에는 나사산이 나있다. 리브너트는 부품이 안 보이는 쪽으로 집어넣고 특수공구를 머리에 장착한 다음 작업하므로 혼자서 작업이 가능하다. 리브너트는 안쪽에 나사산에 맞물리게 특수공구를 삽입한다. 특수공구가 부품에 대해 직각이 되도록 유지하고 핸들을 시계방향으로 돌리면 리벳은 압착된다. 핸들은 빽빽한 느낌이 느껴질 때까지 계속 회전시켜 리벳이 충분히 압착되게 한다.

리브너트는 초기에 너트 플레이트(nut plate)로 사용하였고, 날개 앞전에 제빙부츠를 장착하기 위해 사용하였다. 리브너트는 브라켓(bracket), 계기(instrument) 및 방음 재료와 같은 액세서리 장착이나 2차 구조부재에 리벳으로 사용한다.

리브너트는 두 가지 머리 모양 즉, 납작 머리와 접시 머리로 되어 있고 끝은 개방과 밀폐형이 있다. 모든 리브너트는 얇은 머리로 된 접시 머리형을 제외하고는 리브너트의 회전을 방지하기 위해 머리 부분에 작게 돌출된 키(key)가 있거나 또는 키(key)가 없는 두 종류로 만들어진다. 키가 있는 리브너트는 너트 플레이트로 사용되고 키가 없는 리브너트는 토크가 발생되지 않는 수리부분에 블라인드 리벳으로서 사용된다.

접시 머리형 리브너트는 두 종류의 머리 각도로서 만들어지는데, 0.048 인치와 0.063 인치의 머리 두께를 가진 100°와 0.063 인치의 머리 두께를 가진 115°이다. 이 머리형은 각각 3가지(6-32, 8-32, 10-32)의 크기로 제작된다. 이 숫자는 리브너트의 안쪽에 있는 나사에 적합한 기계용 스크류의 크기를 나타낸 것이다. 생크의 실제 외경은 6-32 규격에 3/16인치, 8-32 규격에 7/32인치, 10-32 규격에 1/4인치 등이다. 개방형 리브너트는 가장 널리 사용되고 있으며 가능한 한 밀폐형보다 먼저 사용하도록 권장되고 있다. 그러나 여압을 필요로 하는 부분에는 밀폐형 리브너트를 사용해야 한다.

리벳은 6개의 그립범위로 제작된다. 최소의 그립 길이는 머리에 아무런 표시가 없고 다음 번 큰 그립 길이는 머리에 방사형으로 대쉬(-) 기호가 있다. 각각 연속되는 그립 범위는 다섯 개의 기호가 최대범위를 표시할 때까지 단계적으로 하나씩 대쉬(-) 기호가 더 붙여진다.

다음은 부품규격번호의 예시이다.

10 KB 106

10 : 스크류와 나사크기

KB : 밀폐형이고 키(key)가 있음
"K"자는 개방형이고 키(key)가 있음/ 기호 사이의 대쉬(-)가 있으면 리브 너트가 개방형이고 키가 없음

106 : 그립 길이
(2자리 혹은 3자리 숫자로 구성되며, 최대 그립 길이를 천분의 비로 표시함. 또한, 숫자가 5의 배수이면 납작 머리형이고 5의 배수가 아니면 접시 머리형 리브너트임)

2.3.3 폭발 리벳(Explosive Rivet)

폭발 리벳은 블라인드 리벳으로서 속이 빈 생크를 가지며 그 속에 폭약이 채워져 있다. 폭약은 리벳 머리를 전기인두 등으로 가열시킴으로서 폭발된다. 폭약이 폭발하면 재료의 밀폐된 표면에 부푼 머리를 만들어낸다. 이 리벳은 비구조용 수리에 사용한다. 폭발 리벳의 외형은 솔리드 생크 알루미늄 합금 리벳과 같다. 폭발 리벳은 두 종류로 만들어지며, 생크의 길이 쪽에 구멍 뚫린 틈이 있고 팽창 시 구멍을 메우게 되는 새로운 형의 폭발 리벳과 리벳 끝부분만 팽창시키는 구형 폭발 리벳이 있다.

브레지어 머리형 폭발리벳은 0.025인치부터 0.244인치까지 0.020인치 차이로 제작된다. 접시머리(78° 또는 100°) 폭발리벳은 0.045인치부터 0.244인치까지 0.020인치 단계로 그립 길이를 가지고 있다.

폭발리벳의 부품번호는 생크직경, 머리모양, 그립길이 등을 표시한다.

다음은 부품규격번호의 예시이다.

DR - 127 A - 6

DR : 제작회사(Dupont)

127 : 생크 직경(127/1000 인치로 표시)

A : 머리 모양

6 : 그립 길이(6/100 인치)

2.3.4 딜락 스크루와 딜락 리벳(Dill Lok-Skrus/Dill Lok-Rivet)

딜락 스크루와 딜락 리벳은 내부에 나사가 나있는 리벳의 상품명이다. 딜락 스크루는 필렛(fillets), 점검창 덮개(Access door cover), 창틀(window frame), 바닥재(Floor panel) 등과 같이 뒷면이 보이지 않는 부분에 부품을 장착하기 위해 사용하는 블라인드 리벳이다.

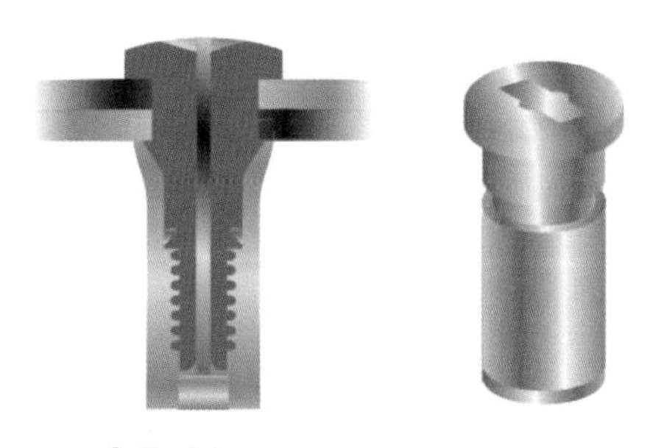

그림 5-16 내부 나사산이 나있는 리벳

락 스크루와 락 리벳은 모양과 용도 면에서 리브너트와 비슷하다. 이것은 2개 부분으로 구성되고 배럴(barrel)을 뒤쪽에서 끼우기 위해 보이지 않는 뒤쪽에 여유 공간이 필요하다. 락 리벳과 락 스크루는 구조상으로는 비슷하나 락 스크루는 내부에 나사가 나있고, 락 리벳은 나사가 없고 단지 리벳으로서만 사용할 수 있다. 락 스크루와 락 리벳은 모두 같은 방법으로 장착된다.

락 스크루의 주요 부품은 배럴, 머리, 상착스크루 등으로 구성된다. 배럴은 알루미늄 합금으로 되어 있고 밀폐형 또는 개방형으로 되어있다. 머리는 알루미늄 합금 혹은 강철로 되어있고, 장착스크루는 강철로 되어있다. 모든 강철부분은 카드뮴 도금이 되어있고, 알루미늄 부분은 부식을 방지하기 위해 양극산화처리가 되어있다. 장착 시 장착스크루에 의해 배럴이 머리 쪽으로 강하게 압착되고 뒤쪽의 금속에 밀착된다. 머리 모양은 접시머리와 납작 머리 2가지가 있다. 락 스크루는 7-32, 8-32, 10-32, 10-24 스크루에 알맞게 나사가 되어있다. 직경은 6-32 스크루에 대해서 0.230인치부터, 10-32 스크루에 대해서 0.292인치까지 다양하다. 그립의 범위는 0.010~0.225 인치까지이다.

2.3.5 더치 리벳(Deutsch Rivet)

이 리벳은 최근 항공기에 사용되는 고강도 블라인드 리벳이다. 75,000psi의 최소 전단강도를 가지고 있으며, 혼자서도 작업이 가능하다.

더치 리벳은 스테인리스강 슬리브와 경화강으로 된 드라이브 핀 등 두 부분으로 구성된다. 핀과 슬리브는 윤활유와 부식 방지제 등으로 코팅되어 있다.

더치 리벳은 직경이 3/16, 1/4 또는 3/8 인치로 만들어진다. 이 리벳의 그립 길이는 3/16인치에서 1인치까지 있다.

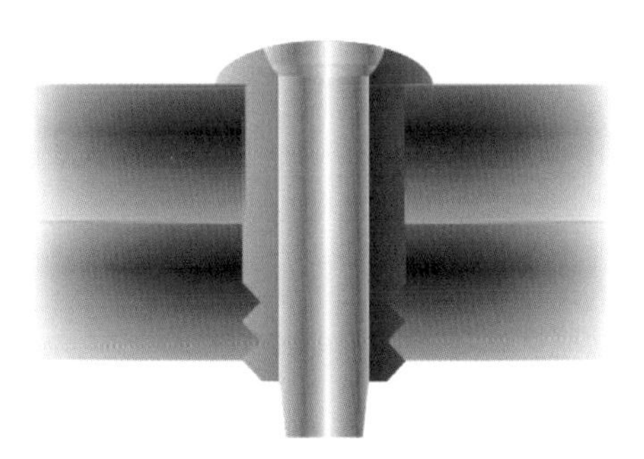

그림 5-17 더치 리벳

리벳을 장착할 때 그립 길이는 약간의 변형은 허용된다. 예를 들어, 3/16인치 그립 길이를 가지 리벳은 재료의 총 두께가 0.198~0.228인치 사이의 재료에 사용할 수 있다. 더치 리벳을 작업할 때는 망치 또는 공기압 리벳건과 납작머리 리벳 세트가 필요하다. 리벳을 구멍에 맞추고, 드라이브 핀을 슬리브 안으로 집어넣은 후 강하게 두드린다. 핀이 슬리브 안으로 들어가면서 슬리브를 외부로 밀어내려는 압력을 가한다. 이 압력은 슬리브의 끝에 샵 헤드를 만들고 고정시키게 된다. 리벳머리 상부에 있는 돌기는 몇 번의 타격에 의해 리벳 안으로 밀려 핀을 고정시킨다.

2.3.6 핀 리벳(Pin rivet)

핀 리벳은 특수리벳으로 분류되지만 블라인드 리벳은 아니다. 이 리벳을 장착할 때는 재료의 양쪽에서 작업이 가능해야 한다. 핀 리벳은 같은 직경의 볼트와 같은 전단강도를 지녔지만 리벳의 무게가 볼트 무게에 비해 40%에 불과하고 볼트, 너트, 와셔를 장착하는 시간보다 약 20%정도 작업 시간이 더 걸린다. 핀 리벳은 솔리드 생크 리벳보다 약 3배정도 강하다.

핀 리벳은 나사가 없는 볼트이며, 핀의 한쪽은 머리가 있고 다른 쪽은 주위에 홈이 나 있다. 금속칼라를 이 홈 위에 압착시켜 고정시킨다.

그림 5-18 핀(고전단) 리벳

핀 리벳은 여러 가지 재료로 만들어지지만, 오직 전단하중이 작용하는 부분에만 사용된다. 이들은 그립 길이가 생크 직경보다 적은 부분에는 사용할 수 없다.

핀 리벳에 대한 부품규격번호는 각 리벳의 직경과 그립 길이를 표시하게 되어 있다. 다음은 대표적인 부품규격번호를 보여준다.

NAS 177 - 14 - 17

NAS : National Aircraft Standard

177 : 100° 접시머리 리벳(178 : 납작머리 리벳)

14 : 인치의 32분비로 표시한 직경(14/32인치)

17 : 인치의 16분비로 표시한 최대그립길이(17/16인치)

3. 나사있는 체결부품(Threaded Fasteners)

부품의 접합은 리벳이나 용접 등으로 이루어지는 것에 비해 더 큰 인장강도나 강성이 필요한 경우는 볼트나 스크류 등의 나사가 있는 체결부품을 사용하게 된다. 일반적으로 볼트는 큰 강도가 요구되는 부분에 사용되며, 스크류는 이에 비해 강도가 그리 크지 않은 부분에 사용된다.

볼트와 스크류는 모두 체결과 고정에 사용되고 한쪽에는 머리, 다른 한쪽에는 나사산을 가지고 있다는 점에서 비슷하다. 하지만 볼트와 스크류의 분명한 차이점도 가지고 있다. 볼트의 나사부분 끝은 항상 뭉뚝하지만, 스크류의 끝은 뭉뚝할 수도 있고 뾰족할 수도 있다. 또한, 볼트는 나사산의 끝에 항상 너트(nut)를 끼우도록 되어 있고 너트와 조합이 되어야 완제품이 되지만, 스크류는 나사산의 끝부분에 너트를 끼우거나 장착할 재료에 직접 체결할 수도 있다.

볼트는 나사부분이 아주 짧고 그립 길이(나사산이 없는 부분)가 길다. 이에 비해 스크류는 나사부분이 길고 그립 길이가 정확하게 나타나있지 않다. 또한, 볼트의 체결은 보통 볼트에 너트를 돌려 고정시킨다. 일부는 볼트 머리를 돌려 고정시키는 것도 있다. 하지만 스크류는 항상 스크류 머리를 돌려 고정해야 한다.

항공기 체결부품을 교체할 필요가 있을 때는 가능한 한 원래 사용하든 체결부품과 같은 부품을 사용해야 한다. 같은 부품이 없을 때는 대치품을 사용해야 하는데 이런 경우에는 상당한 주의와 고려를 하지 않으면 안 된다.

3.1 나사의 구분(Classification of Threads)

항공기용 볼트, 스크류, 너트의 나사는 NC(American National Coarse) 나사계열, NF(American National Fine) 나사계열, UNC(American Standard Unified Coarse) 나사계열 및 UNF(American Standard Unified Fine) 나사계열 중의 하나로 되어있다. American National 계열과 American Standard Unified 계열간에는 알아두어야 할 차이점이 있다.

직경이 1인치일 때 NF나사는 1인치 당 14개의 나사산(1-14NF)을 가지고 있고 반면에 UNF나사는 1인치 당 12개의 나사산(2UNF)을 가지고 있다. 이들 두 종류의 나사는 주어진 직경의 볼트나 스크류 1인치의 길이 당 나사산의 감긴 수로 표시된다. 예를 들어 4-28 나사는 직경이 1/4인치인 볼트이고 길이 1인치 당 나사산수가 28개임을 표시한다. 나사는 끼워 맞춤(fit)의 등급으로도 구분된다. 나사의 등급은 제작과정에 적용되는 허용 공차를 적용한다.

1등급(class 1)은 헐거운 끼워 맞춤(loose fit), 2등급(class 2)은 느슨한 끼워 맞춤(free fit), 3등급(class 3)은 중간 끼워 맞춤(medium fit), 4등급(class 4)은 밀착 끼워 맞춤(close fit)이다. 항공기용 볼트는 거의 대부분 Class 3(medium fit)로 제작된다. 4등급(class 4)나사에서는 너트를 볼트에 끼우기 위해 렌치(wrench)를 사용해야 한다. 반면에 1등급(class 1)에서는 손으로 쉽게 돌릴 수 있다. 일반적으로 항공기 스크류는 조립할 때 용이하게 하기 위해서 2등급(class 2)으로 만들어진다. 볼트와 너트는 왼나사 또는 오른나사로 만들어진다. 오른나사는 시계방향으로 회전시키면 조여지고 왼나사는 반시계방향으로 회전시키면 조여지게 된다.

4. 볼트(Bolts)

4.1 항공기용 볼트(Aircraft bolts)

항공기용 볼트는 카드뮴 또는 아연으로 도금한 내식강이나 도금하지 않은 내식강 또는 양극 산화 처리한 알루미늄 합금 등으로 만들어진다.

항공기 구조부에 사용하는 대부분의 볼트는 일반용으로 사용되는 AN볼트, 정밀공차볼트, NAS 인터널 렌칭 볼트(Internal wrenching bolt), 그리고 MS볼트 등을 사용된다. 일부의 경우에는 항공기 제작사가 표준규격형보다 다른 규격을 갖거나 더 큰 강도를 갖는 볼트를 만들기도 한다. 이러한 볼트는 특수용으로 만들어지는 것이므로 교환 시 각별한 주의가 요구되며, 이것과 같은 볼트를 사용해야 한다. 특수볼트는 항상 볼트머리에 'S'자가 표시되어 구분할 수 있게 제작되었다. 그림 5-19와 같이 AN 볼트는 주로 3가지의 머리 모양(육각머리, 클레비스, 아이볼트)을 가지고 있다. NAS 볼트는 육각머리, 내부 렌칭 볼트, 접시머리 모양 등이 있고, MS볼트는 육각머리와 내부 렌칭 볼트로 되어있다.

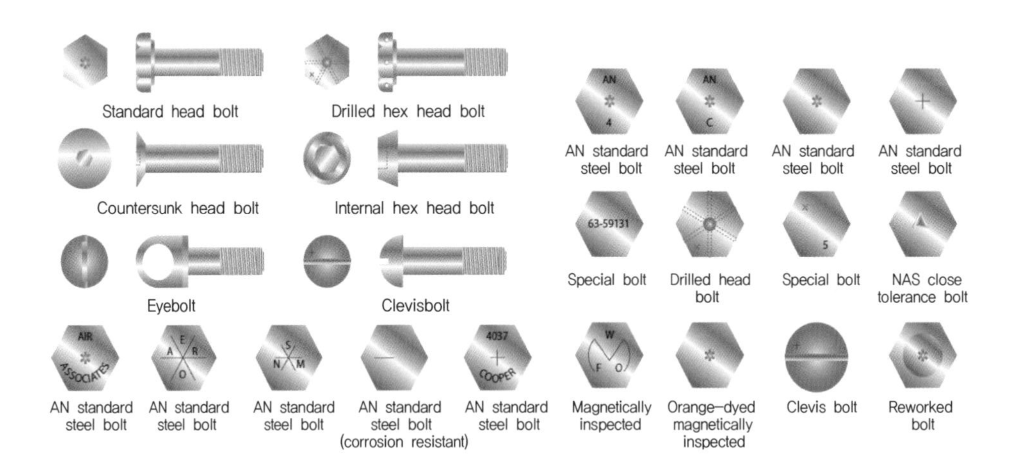

그림 5-19 항공기용 볼트 식별

4.1.1 일반용 볼트(General-purpose Bolts)

항공기용 육각볼트(AN-3 ~ AN-20)는 다목적 구조용 볼트로서 인장하중과 전단하중이 작용하는 일반적인 곳에 사용되며, 약간 느슨한 끼워 맞춤(5/8인치의 구멍일 때 0.006인치이고 그 이상에서는 이에 비례해서 허용한다)으로 결합된다.

직경이 1/4인치보다 작은 알루미늄 합금 볼트나 *NO.*10-32보다 작은 합금강 볼트는 주 구조부재에 사용해서는 안 된다. 또한, 알루미늄 합금 볼트와 너트는 정비와 검사 등의 목적으로 빈번한 장탈·착이 이루어지는 부분에는 사용해서는 안 된다.

알루미늄 합금 너트는 육상기에서 전단하중을 받는 카드뮴 도금한 강철볼트에는 사용할 수 있지만, 수상기의 경우에는 이질금속간의 부식 현상에 의해 사용이 제한된다. 볼트 머리에 구멍이 뚫린 AN-73볼트의 경우에는 표준 육각볼트와 비슷하나 안전결선용 구멍을 위해 머리 부분이 두껍게 제작되었다. AN-3과 AN-73 계열의 볼트는 인장 및 전단 강도면에서 볼 때 상호교환해서 모든 용도에 사용할 수 있다.

4.1.2 정밀 공차 볼트(Close-Tolerance Bolts)

정밀공차볼트는 일반용 볼트보다 더 정밀하게 가공되어 있다. 정밀공차볼트는 육각머리(AN-173에서 AN-186까지) 또는 100° 접시머리(AN-80에서 AN-86까지)로 되어 있다. 이러한 볼트들은 단단히 끼워 맞춰야 하는 곳에 사용한다.

(볼트는 12~14온스의 망치(hammer)로 쳐야 제자리에 들어가게 되어있다.)

4.1.3 인터널 렌칭 볼트(Internal wrenching Bolts)

이 볼트(MS20004에서 MS20024까지)는 고강도의 강으로 만들어져 있으며, 인장하중과 전단하중이 작용하는 부분에 사용하는 것이 적합하다. 이 볼트를 강철부품에 사용할 때는 볼트구멍의 입구를 접시모양처럼 조금 넓혀 머리와 생크 사이의 만곡된 부분이 안착될 수 있도록 해야 한다.

듀랄루민(duralumin) 재질에서는 특수 열처리된 와셔(washer)를 사용해서 머리에 걸리는 집중하중이 균일하게 분산되도록 해야 한다. 인터널 렌칭 볼트 머리는 볼트를 장탈, 착 할 때 인터널 렌칭 공구를 사용할 수 있도록 머리에 홈이 파여져 있다. 특수고강도 너트가 이들 볼트에 사용되며, 이 볼트를 교환할 때는 같은 종류의 인터널 렌칭 볼트로 교환해야 한다. 표준 AN 육각머리 볼트와 와셔는 강도상 이들 볼트와는 절대 대치해서 사용할 수 없다.

4.1.4 식별과 기호(Identification & Coding)

볼트는 다양한 모양으로 만들어지고 그 종류 또한 다양해서 분명한 분류 방법을 정하기는 곤란하다. 그러나 볼트는 머리모양, 안전고정 방법, 재질, 용도 등에 의해 구분될 수 있다. AN 항공기용 볼트는 볼트머리에 있는 식별부호로서 구분된다. 그 기호는 대부분 제작자, 볼트의 재질, AN 표준 볼트인지 특수용인지 등을 나타내 준다. AN 표준 강철볼트는 대쉬(-)나 별표의 돌출된 표시로 되어있고, 내식강은 한 개의 대쉬(-) 기호로 표시되며, AN 알루미늄 합금 볼트는 두 개의 돌기된 대쉬(-) 기호로 표시된다. 추가적으로 볼트의 부품번호를 통해 볼트의 직경, 길이, 그립 길이 등을 알 수 있다.

예를 들면 부품번호가 AN 3 DD 5 A 라면 AN은 Air force-Navy의 표준 규격 볼트이고 '3'은 직경이 3/16인치(직경을 1인치의 16분으로 나눈 값)을 나타낸다. DD는 2024 알루미늄 합금을 나타낸다. 만약, 'DD'대신 'C'가 들어간다면 내식강을 의미하고, 문자가 없을 경우 카드뮴 도금된 강을 의미하는 것이다. '5'란 숫자는 길이가 5/8인치(길이를 인치의 8분으로 나눈 값)를 나타낸다. 또는 'A'자가 오면 생크에 구멍이 뚫려 있지 않음을 나타내기도 한다. 만약, 'H'자가 '5' 앞에 오고 뒤에 'A'자가 오면 볼트 머리가 안전 결선을 위한 구멍이 있음을 나타낸다.

정밀공차 NAS 볼트는 삼각형 기호가 돌기 형태나 패인 형태로 표시된다. NAS 볼트의 재질표시는 AN 볼트와 같지만 돌기되거나 패여 있는 형태만 다르다. 자력 검사나 형광침투검사를 받은 볼트는 채색하거나 특수한 기호를 머리에 표시한다.

4.2 특수용 볼트(Special-purpose Bolts)

특수용 볼트는 특별한 용도에 사용하기 위해 만들어진 볼트이다. 클레비스 볼트, 아이 볼트, 조 볼트 및 락크 볼트 들은 특수용 볼트이다.

4.2.1 클레비스 볼트(Clevis Bolts)

그림 5-20과 같이 클레비스 볼트는 머리가 둥글고 일반적으로 스크류 드라이버(screw driver)나 십자(+) 스크류 드라이버를 사용하도록 머리에 홈이 파여 있다. 이 종류의 볼트는 오직 전단하중만 걸리고 인장하중이 작용하지 않는 부분에만 사용된다. 이것은 종종 조종계통에 기계적 핀(pin)으로 사용하기도 한다.

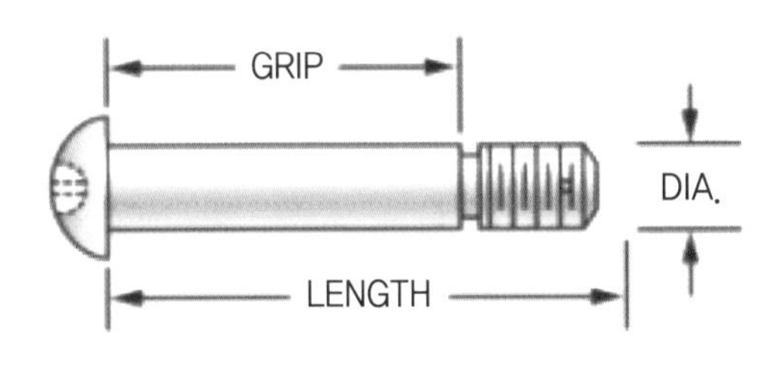

그림 5-20 클레비스 볼트

4.2.2 아이 볼트(Eye Bolts)

아이 볼트는 외부에서 인장하중이 작용되는 곳에 사용한다. 머리에 있는 고리구멍(eye)은 턴버클(turnbuckle)의 클레비스나 케이블(cable) 등과 같은 부품을 부착할 수 있도록 만들어졌다.

4.2.3 조 볼트(Jo Bolts)

조 볼트는 내부에 나사산이 있는 세 부분으로 구성된 리벳의 일종으로 상표명이다.

조 볼트는 합금강 볼트, 나사산이 있는 강철 너트, 늘어날 수 있는 스테인리스 강 슬리브 등 세 부분으로 나뉜다. 이 부품들은 제작사에서 조립하여 제작한다. 조 볼트를 장착할 때는 너트를 고정시키고 볼트를 회전시키면 슬리브가 너트 끝에서 팽창하여 블라인드머리(blind head)를 형성함으로써 부품을 고정시키게 된다. 회전이 끝나게 되면 볼트의 끝이 절단되어 분리된다.

조 볼트는 고 전단과 인장강도를 지니고 있기 때문에 다른 블라인드 리벳이 사용될 수 없는 높은 응력을 받는 부분에 사용이 가능하다. 가끔은 조 볼트가 항공기의 영구적인 구조물의 일부로도 사용된다. 또한, 자주 교환하거나 정비작업을 요하지 않는 부분에 사용해야 한다. 조 볼트는 세 개의 부분으로 되어 있기 때문에 볼트가 풀렸을 때 엔진 흡입구로 들어갈 가능성이 있는 부분에는 사용해서는 안 된다. 조 볼트의 또 다른 장점으로는 진동에 대한 저항성이 우수하고, 무게가 작아 혼자서 작업할 수 있다는 점이다.

현재 조 볼트는 네 가지 종류의 직경으로 나와 있다. 200계열은 직경이 3/16인치 정도이고, 260계열은 직경이 1/4인치 정도, 312계열은 5/16인치 정도의 직경, 375계열은 약 3/8인치 직경을 가지고 있다. 또한, 조 볼트의 머리 모양은 'F'(flush), 'P'(hux head), 'FA'(flush millable) 등의 세 가지 형태를 가지고 있다.

4.2.4 고정 볼트(Lock Bolts)

고정 볼트는 두 개의 부품을 영구적으로 체결할 경우 사용한다. 표준 볼트에 준하는 강도를 지녔지만 무게가 가볍고, 미군 규격(Military Standard)에 따라 몇 개의 제작사에서 만들어진다. MS규격에는 생크의 지름과 연계된 고정 볼트의 머리 크기, 재질에 대해 명시하고 있다. 볼트, 너트의 체결에 비해 고정 볼트는 제거가 쉽지 않다는 단점을 가지고 있다. 그림 5-21과 같이 고정 볼트는 고강도의 볼트와 리벳의 특징을 결합한 것처럼 보이지만, 이를 능가하는 장점을 가지고 있다.

고정 볼트는 대개 날개 연결부, 착륙장치 연결부, 연료탱크, 동체의 세로대, 빔, 외피, 기타 주 구조부분의 접합에 사용된다. 또한, 볼트, 리벳보다 쉽고 빠르게 장착할 수 있으며 고정와셔(lock washer)나 코터 핀(cotter pin) 및 특수 너트를 사용하지 않아도 되는 장점들을 가지고 있다. 리벳과 같이 고정 볼트를 장착하기 위해서는 에어 해머(pneumatic hammer) 또는 풀건(pull gun)을 사용해야 하며, 한번 장착하면 그 자리에 단단히 영구적으로 고정된다.

고정 볼트는 그림 5-21과 같이 풀(pull)형, 스텀프(stump)형, 블라인드(blind)형 등 세 종류가 일반적으로 사용된다.

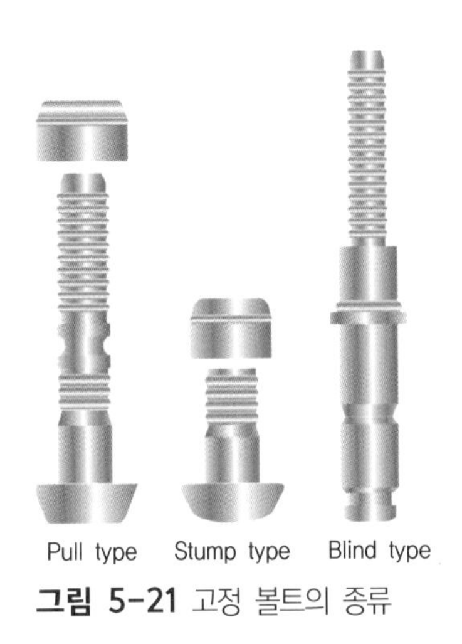

그림 5-21 고정 볼트의 종류

(1) 풀(Pull) 형

풀 형 고정 볼트는 항공기의 1차, 2차 구조부재에 주로 사용된다. 이 볼트는 매우 신속하게 장착할 수 있고 같은 AN강 볼트와 너트보다 무게가 약 1/2정도 밖에 되지 않는다. 이런 종류의 고정 볼트를 장착할 때는 특수 공기 풀 건이 사용된다. 압착이 필요 없기 때문에 버클링 바(buckling bar)가 필요하지 않고 혼자서도 작업이 용이하다.

(2) 스텀프(Stump) 형

스텀프 형 고정 볼트는 잡아당길 수 있는 홈이 파인 연장 스템(stem)은 없지만, 풀

(pull) 형 고정 볼트에 짝을 이루는 체결부품이다. 스텀프 형은 풀 형 고정 볼트를 사용하기에 공간, 간격 등이 너무 좁을 때 사용한다. 핀의 고정을 위해 홈 안으로 칼라(collar)를 압착시켜야 하며, 이를 위해 표준 공기 리벳 해머(Standard pneumatic riveting hammer)와 버클링 바 세트가 필요하다.

(3) 블라인드(Blind) 형

블라인드 형 고정 볼트는 완제품 또는 완전 조립된 상태로 나온다. 독특한 강도를 가지고 있고 결합할 판을 밀착시키는 특성을 가지고 있다. 블라인드 고정 볼트는 일반적으로 작업 공간이 부품의 한쪽에서만 가능할 때 사용되기 때문에 보통 리벳으로는 작업하기 힘든 장소에 사용된다.

이 종류의 고정 볼트는 풀(pull) 형 고정 볼트와 같은 방법으로 장착된다.

(4) 일반 모양

세 종류 고정 볼트는 공통적으로 핀(pin)의 원주방향으로 고정 홈이 나있고 인장하중 시 핀을 고정시키기 위해 핀의 고정 홈 안으로 고정 칼라를 압착시켜 핀을 고정시킨다. 풀(pull) 형과 블라인드 형 고정 볼트의 핀은 풀 공구를 상착할 수 있도록 길게 나와 있다. 길게 나와 있는 핀 부분은 체결 작업이 마무리 되면 인장력에 의해 절단된다.

(5) 구성

풀(pull) 형과 스텀프(stump) 형 고정 볼트의 핀은 열처리 합금강이나 고강도의 알루미늄 합금으로 되어 있다. 함께 사용되는 칼라(collar)는 알루미늄 합금이나 연강으로 되어 있다. 블라인드 고정 볼트는 열처리 합금강 핀, 블라인드 슬리브와 필러 슬리브, 연강 칼라 및 탄소강 와셔로 구성된다.

(6) 대체

합금강 고정 볼트는 고 전단강 리벳, 솔리드(solid) 리벳 또는 같은 직경과 같은 머리 모양을 가진 AN 볼트와 대체해서 사용할 수 있다. 알루미늄 합금 고정 볼트는 같은 직경과 같은 머리 모양의 솔리드 알루미늄 합금 리벳과 교환해서 사용가능하다. 강과 알루미늄 합금 고정 볼트는 강과 2024T 알루미늄 합금 볼트와 같은 직경으로 했을 때 대체해서 사용할 수 있다.

블라인드 고정 볼트는 솔리드 알루미늄 합금 리벳과 스테인리스 강 리벳 혹은 같은 직경의 모든 블라인드 리벳과 대체해서 사용이 가능하다.

(7) 규격번호 표시방법

그림 5-22는 다양한 종류의 고정 볼트 규격 번호에 대해 상세하게 설명하고 있다.

Pull-type lockbolt

ALPP H T 8 8

ALPP | **Head type**
ACT509 = close tolerance AN-509 C-sink head
ALPP = pan head
ALPB = brazier head
ALP509 = standard AN-509 C-sink head
ALP426 = standard AN-426 C-sink head

H | **Class fit**
H = hole filling (interference fit)
N = non-hole filling (clearance fit)

T | **Pin Materials**
E = 75S-T6 aluminum alloy
T = heat-treated alloy steel

8 | Body diameter in 32nds of an inch

8 | Grip length in 16ths of an inch

Blind-type lockbolt

BL 8 4

BL | Blind Lockbolt

8 | Diameter in 32nds of an inch

4 | Grip length in 16ths of an inch, $\pm \frac{1}{32}$ inch

Lockbolt collar

LC C C

LC | Lockbolt collar

C | **Material**
C = 24ST aluminum alloy (green color). Use with heat-treated alloy lockbolts only.
F = 61ST aluminum alloy (plain color). Use with 75ST aluminum alloy lockbolts only.
R = mild steel (cadmium plated). Use with heat-treated alloy steel lockbolts for high temperature applications only.

C | Diameter of a pin in 32nds of an inch

Stump-type lockbolt

ALSF E 8 8

ALSF | **Head type**
ASCT509 = close tolerance AN-509 C-sink head
ALSF = flathead type.
ALS509 = standard AN-509 C-sink head
ALS426 = standard AN-426 C-sink head

E | **Pin materials**
E = 75S-T6 aluminum alloy
T = heat-treated alloy steel

8 | Body diameter in 32nds of an inch

8 | Grip length in 16ths of an inch

그림 5-22 고정 볼트 규격 번호 표시 방법

① 그립 범위 : 각 용도에 따른 볼트 그립의 범위는 부품의 볼트 구멍에 구멍의 깊이를 측정할 수 있는 고리로 된 자(hook scale)를 걸어서 부품의 두께를 측정함으로써 결정된다.

표 5-4 풀/스텀프 형 고정 볼트 그립범위

Grip No.	Grip Range		Grip No.	Grip Range	
	Min.	Max.		Min.	Max.
1	.031	.094	17	1.031	1.094
2	.094	.156	18	1.094	1.156
3	.156	.219	19	1.156	1.219
4	.219	.281	20	1.219	1.281
5	.281	.344	21	1.281	1.344
6	.344	.406	22	1.344	1.406
7	.406	.469	23	1.406	1.469
8	.469	.531	24	1.469	1.531
9	.531	.594	25	1.531	1.594
10	.594	.656	26	1.594	1.656
11	.656	.718	27	1.656	1.718
12	.718	.781	28	1.718	1.781
13	.781	.843	29	1.781	1.843
14	.843	.906	30	1.843	1.906
15	.906	.968	31	1.906	1.968
16	.968	1.031	32	1.968	2.031
			33	2.031	2.094

이렇게 두께가 결정되면 리벳 제작사에서 만든 도표를 참고하여 알맞은 그립의 범위를 선택할 수 있다. 표 5-4와 표 5-5는 그립 범위의 예를 보여주고 있다.

표 5-5 블라인드 형 고정 볼트 그립범위

1/4-inch Diameter			5/16-inch Diameter		
Grip No.	Grip Range		Grip No.	Grip Range	
	Min.	Max.		Min.	Max.
1	.031	.094	2	.094	.156
2	.094	.156	3	.156	.219
3	.156	.219	4	.219	.281
4	.219	.281	5	.281	.344
5	.281	.344	6	.344	.406
6	.344	.406	7	.406	.469
7	.406	.469	8	.469	.531
8	.469	.531	9	.531	.594
9	.531	.594	10	.594	.656
10	.594	.656	11	.656	.718
11	.656	.718	12	.718	.781
12	.718	.781	13	.781	.843
13	.781	.843	14	.843	.906
14	.843	.906	15	.906	.968
15	.906	.968	16	.968	1.031
16	.968	1.031	17	1.031	1.094
17	1.031	1.094	18	1.094	1.156
18	1.094	1.156	19	1.156	1.219
19	1.156	1.219	20	1.219	1.281
20	1.219	1.281	21	1.281	1.344
21	1.281	1.344	22	1.344	1.406
22	1.344	1.406	23	1.406	1.469
23	1.406	1.469	24	1.469	1.531
24	1.469	1.531			
25	1.531	1.594			

다음은 각 종류에 대한 규격번호의 예를 보여준다.

-풀(pull) 형 고정 볼트

ALPP H T 8 8

ALPP : 머리모양을 나타낸다.
pan 머리(ACT509=정밀공차 AN-509C-sink 머리, ALPB=브레지어 머리, ALP509=표준 AN-509C-sink 머리, ALP426=표준 AN-426C-sink 머리)

H : Class fit
H=hole filling, N=non-hole filling

T : 핀의 재료
E=75S-T6 알루미늄 합금, T=열처리 합금강

8 : 인치를 1/32로 표시한 몸체의 직경

8 : 인치를 1/16로 표시한 그립의 길이

-블라인드(blind) 형 고정 볼트

BL 8 4

BL : 블라인드 고정 볼트

8 : 인치를 1/32로 표시한 직경

4 : 인치를 1/16로 표시한 그립의 길이 (±1/32인치)

-스텀프(stump) 형 고정 볼트

ALSF E 8 8

ALSF : 머리의 모양을 나타낸다.
(ASCT509=정밀공차 AN-509C-sink 머리, ALSF=납작 머리, ALS509=표준 AN-509C-sink 머리, ALS426=표준 AN-426C-sink 머리)

E : 핀의 재료
E=75S-T6 알루미늄 합금, T=열처리 합금강

8 : 인치를 1/32로 표시한 몸체의 직경

8 : 인치를 1/16로 표시한 그립의 길이

-고정 볼트 칼라(collar)

LC C 8

LC : 고정 볼트 칼라

C : 재료(C=24ST 알루미늄 합금, F=61ST 알루미늄 합금, R=연강)

8 : 인치를 1/32로 표시한 핀의 직경

- 열처리한 합금 고정 볼트에는 20ST 알루미늄 합금만 사용할 것.
- 75ST 알루미늄 합금 고정 볼트에는 61ST 알루미늄 합금만 사용할 것
- 열처리한 합금강 고정 볼트는 고온에서 사용할 때는 연강만 사용할 것

장착했을 때, 고정 볼트 칼라는 칼라의 총 길이가 모두 완전히 압착되어야 한다. 표 5-6과 같이 칼라 상부에서부터 절단된 핀 끝까지의 거리에 대한 허용 오차는 다음 치수 이내에 있어야 한다.

표 5-6 핀의 허용 범위

Pin diameter	Tolerance		
	Below		Above
3/16	0.079	to	0.032
1/4	0.079	to	0.050
5/16	0.079	to	0.050
3/8	0.079	to	0.060

고정 볼트를 제거할 필요가 있을 경우에는 날카로운 금속용 끌로서 칼라의 축을 쪼개어 제거할 수 있다. 이 때 구멍을 변형시키거나 균열이 생기지 않도록 주의해야 한다. 쪼개는 칼라 뒤쪽에 받침대를 사용하면 이를 방지할 수 있다. 나머지 핀은 핀 펀치(pin punch)를 사용해서 제거한다.

5. 항공기 너트(Nuts)

항공기용 너트는 다양한 모양과 크기로 만들어진다. 이들 너트는 카드뮴 도금한 탄소강 스테인리스 또는 양극 산화 처리한 2024T 알루미늄 합금으로 만들어지고 왼나사나 오른나사로 만들어진다.

너트에는 너트를 구분할 수 있는 식별기호나 문자가 없다. 단지 금속 특유의 광택 혹은 알루미늄 구리의 색체 또는 너트가 자동 고정식일 경우 안쪽에 삽입되는 볼트 등에 의해서 구분된다.

또한, 너트는 그 자체의 모양에 따라 쉽게 구분할 수 있다. 항공용 너트는 자동고정너트와 비 자동고정너트 등 두 종류로 분류된다. 비 자동고정너트에는 코터핀, 안전결선, 또는 고정 너트와 같은 외부 고정 장치에 의해서 안전조치가 필요하다. 이에 비해 자동고정너트는 구조 전체가 고정식 구조를 가지고 있다.

5.1 비 자동고정너트(Non-self-locking Nuts)

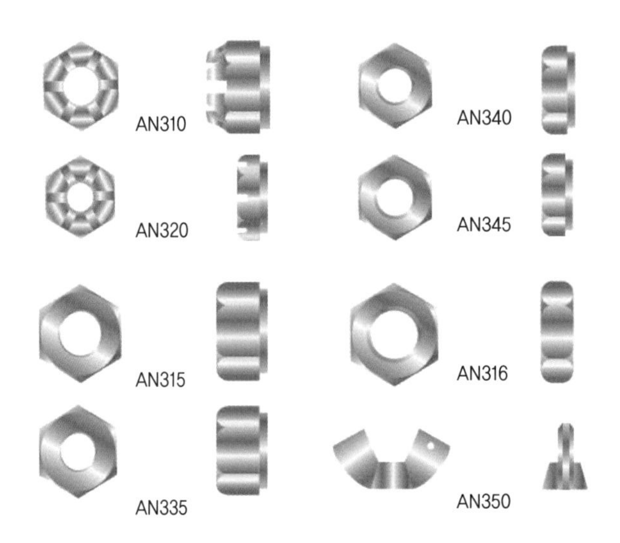

그림 5-23 비 자동고징니드

비 자동고정너트에는 그림 5-23과 같이 평 너트(plain nut), 캐슬 너트(castle nut), 전단 캐슬 너트(castellated shear nut), 평 육각 너트, 얇은 육각 너트(light hex nut), 체크 너트(check nut) 등이 포함된다.

AN310 캐슬 너트는 생크에 안전결선을 위한 구멍이 있는 육각 볼트, 클레비스 볼트, 아이 볼트, 머리에 구멍 뚫린 볼트, 스터드(stud) 등과 함께 사용된다. 이 너트는 성곽처럼 요철 모양으로 만들어져 있고, 큰 인장하중에 견딜 수 있다. 너트의 윗부분에 있는 요철의 사이 공간(slot)은 풀림을 방지할 수 있는 코터핀이나 안전결선을 할 수 있도록 만들어졌다. AN320 전단 캐슬 너트는 일반적으로 전단응력만이 작용하는 곳에서 생크에 구멍이 뚫린 클레비스 볼트나 나사산이 있는 테이퍼 핀 등과 같은 장치를 체결하기 위해 사용한다. 캐슬 너트와 같이 이 전단 캐슬 너트도 안전 결선을 하기 위한 성곽 모양의 요철이 되어 있다. 그러나 너트는 캐슬 너트만큼 두께가 깊거나 강도가 강하지 않아 주의해야 한다. 또한 성곽은 캐슬 너트에서와 같이 깊지가 않다. AN315와 AN335 평 육각 너트는 투박한 구조를 하고 있다. 이 너트는 투박한 모양으로 인해 큰 인장하중이 가해지는 부분에 적합하다. 그러나 체크 너트나 고정와셔와 같은 고정을 해줄 수 있는 보조 고정 장치를 같이 사용해야 하기 때문에 항공기 구조에서의 사용범위는 제한된다.

AN340과 AN345 얇은 육각 너트는 보통 육각너트보다 무게가 더 가벼워서 반드시 보조 장치로서 고정시켜야 한다. 이들 너트는 여러 가지 작은 인장하중이 작용하는 부분에 사용된다. AN316 체크 너트는 평 너트, 세트 스크류(set screw), 끝에 나사산이 있는 로드(rod) 및 기타장치에 고정을 위한 보조 장치로 사용된다. AN350 나비 너트(wing nut)는 손가락으로 조일 수 있을 정도의 토크가 요구되는 부분이나 빈번하게 장탈·착이 이루어지는 곳에 사용된다.

5.2 자동고정너트(Self-locking Nut)

자동고정너트는 안전결선을 위한 보조 방법이 필요 없고 전체적인 구조가 고정역할을 할 수 있게 만들어져있다. 다양한 종류의 자동고정너트들이 만들어지고 그들의 용도도 광범위하게 되었다.

대표적으로 사용되는 부분은 다음과 같다.

(1) 마찰 방지 베어링(Antifriction bearing)과 조종 풀리(pulley)의 장착
(2) 보기품(Accessory)의 장착, 점검창 주변의 앵커너트(anchor nut)와 소형 탱크의 장착 구멍
(3) 로커 박스 덮개(rocker box cover)와 배기관(exhaust stack)의 장착

자동고정너트를 항공기에 사용할 때는 해당 항공기 제작사에게 제공하는 지침에 따라야 한다. 자동고정너트는 과도한 진동에서도 쉽게 풀리지 않는 토크를 요하는 연결부에 사용된다. 자동고정너트를 볼트나 너트가 회전하는 연결부에 사용해서는 절대 안 된다. 이들 너트는 마찰 방지 베어링과 조종 풀리를 고정하는데 사용하는데 이 경우는 베어링의 내부 레이스(inner race)가 볼트와 너트에 의해서 지지구조물에 고정되도록 체결해야 한다. 볼트와 스크류를 체결할 때 판을 사용하여 잘 맞지 않거나 회전하는 일이 없도록 적당한 방법으로 고정시켜야 한다.

자동고정너트는 사용상 전 금속형과 화이버형 고정 너트로 나눠는데 이 장에서는 대표적인 자동고정너트의 세 가지 종류에 대해 설명할 것이다. 전 금속형을 대표하는 부츠 자동고정너트와 스테인리스강 자동고정너트 그리고 화이버형을 대표하는 탄성 스톱 너트 등이다.

5.2.1 부츠 자동고정너트(Boots self-locking Nut)

부츠 자동고정너트는 전부 금속으로 되어 있으며 심한 진동에서도 단단하게 장착되어 있게 만들어졌다.

그림 5-24에서 보는 바와 같이 고정용 너트와 하중 담당용 너트 두 부분으로 나누어져 있지만 근본적으로 두 개의 너트가 결합하여 하나의 너트 형태를 갖추고 있다. 이 두 부분의 너트는 한 개의 스프링에 의해 연결되어 있다. 이 스프링은 고정 역할을 하고 두 부분의 나사산의 피치가 위상차를 갖도록 서로 떨어져 있게 유지하게 되고 하중 담당용 부분을 지지해 준다. 즉, 위상차로 인해 하중담당부분이 조여지면 고정 부분을 스프링 힘에 의해서 밖으로 밀기 때문에 고정 부분의 나사가 스프링 힘에

의해서 적절하게 고정된다. 그래서 고정 부분의 중앙을 통과한 스프링은 너트를 조일 수 있는 힘을 전달함으로서 같은 방향으로 볼트에 일정한 압력을 주게 된다.

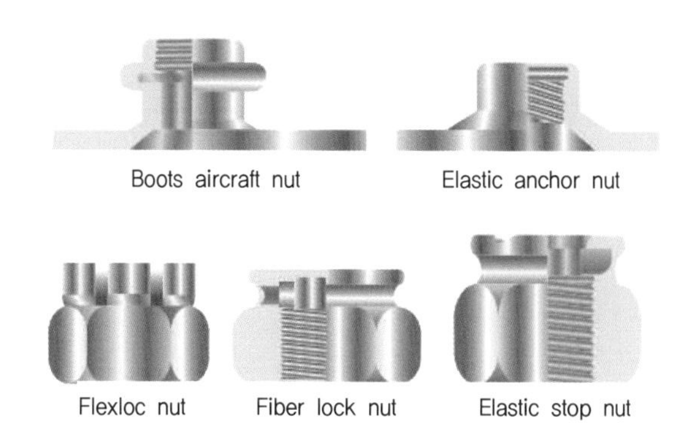

그림 5-24 자동고정너트

고정 부분이 볼트의 나사에 힘을 가하여 단단히 조일 수 있음에 비해 하중담당 부분은 같은 크기의 표준 너트의 나사 강도를 가지고 있다. 렌치를 사용해야만 너트를 풀 수 있다. 너트는 효율이 저하되지 않았다면 재사용이 가능하다. 부츠 자동고정너트는 서로 다른 세 가지 종류의 스프링 형태로 만들어지며 크기와 형태가 다양하다. 크기의 범위는 가장 흔한 나비형은 No. 6~1/4in까지 이며, 롤 탑(rol-top)은 1/4~9/16in까지 그리고 벨로우형(bellow)은 No. 8~3/8in까지의 크기가 있다. 나비형은 양극 산화 처리한 알루미늄 합금, 카드뮴 도금한 탄소강 또는 스테인리스강으로 만들어진다. 롤 탑 너트는 카드뮴 도금된 강으로 만들어지고, 벨로우형은 오직 알루미늄 합금으로 만들어진다.

5.2.2 스테인리스강 자동고정너트(Stainless steel Self-locking Nut)

스테인리스강 자동고정너트는 손으로 조이고 풀 수 있으며, 너트가 단단한 표면에 접촉했을 때부터 고정력이 발생된다. 너트는 두 부분, 즉 경사진 고정용 숄더(shoulder)와 키(key)가 들어가는 케이스(case), 그리고 고정용 숄더(shoulder)와 키 홈(key way)이 있고, 나사산을 낸 너트 코어(core)로 되어있다.

적절한 크기의 나사산을 낸 너트 코어는 너트를 돌리면 쉽게 볼트에 체결된다. 그러나 너트가 단단한 표면에 접착되어 조여질 때, 너트 코어의 고정용 숄더는 아래쪽으로 계속 조여지고 케이스의 고정용 숄더와 밀착된다. 이 작용은 나사산을 낸 너트 코어를 압착시키려 하며, 상대적으로 볼트가 풀리지 않도록 잡아주는 역할을 하게 된다. 그림 5-25에 나타난 단면도는 케이스의 키(key)와 너트 코어의 키 홈이 고정되는 방법을 보여주고 있다. 키 홈은 키보다 조금 넓게 제작한다. 이것은 너트가 조여질 때 너트 코어가 압착되어 키 홈이 좁혀지는 것을 가능하게 한다.

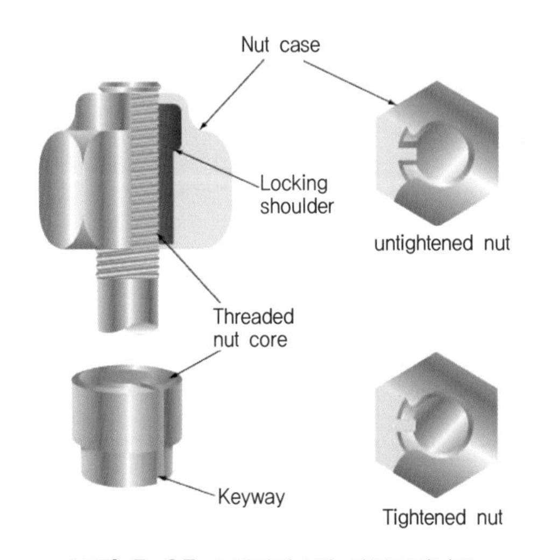

그림 5-25 스테인리스강 자동고정너트

5.2.3 탄성스톱 너트(Elastic stop nut)

탄성스톱 너트는 화이버로 된 고정칼라(fiber locking collar)를 가질 수 있도록 높이를 증가시킨 표준너트다. 이 화이버 칼라는 단단하고 내구성이 좋으며, 차거나 뜨거운 물 또는 탄소, 에테르(ether), 사염화탄소(carbon tetrachloride), 윤활유, 그리고 항공유와 같은 일반적인 솔벤트(solvent)에 영향을 받지 않으며, 볼트의 나사산이나 도금 등을 손상시키지 않는다.

그림 5-26에 표시된 화이버로 된 고정 칼라는 나사산이 없고 그 내경은 나사부분의 최대 직경에 해당하는 볼트의 외경보다 작다. 너드를 볼트에 체결할 때 볼트가 화

이버로 된 칼라에 도달할 때까지 너트는 보통의 너트처럼 작용한다. 그러나 볼트가 화이버 칼라까지 오게 되면 마찰로 인해 파이버를 위로 밀어낸다. 이것에 의해서 하중담당 부분에 아래로 향하는 큰 힘이 생기고 자동적으로 너트의 하중담당 부분을 밀고 볼트는 밀착되면서 나사산을 만든다. 화이버 칼라를 지나서 볼트가 모든 방향으로 힘을 받은 후에는 밑으로 작용하는 압력을 일정하게 유지시켜준다. 이 압력이 심한 진동에서도 제자리에서 안전하게 너트를 잡고 조여 주는 역할을 한다.

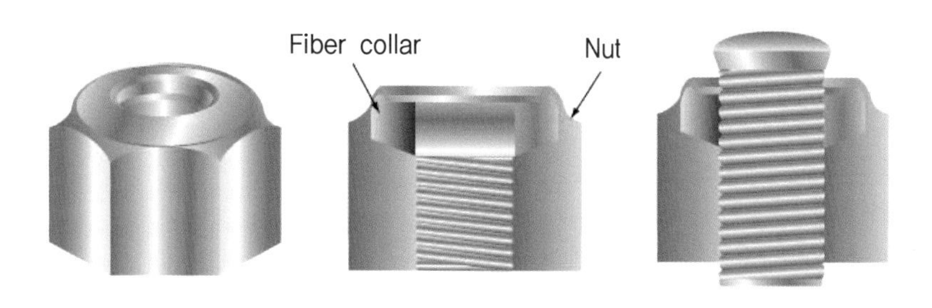

그림 5-26 탄성 스톱 너트

거의 모든 탄성스톱 너트는 강이나 알루미늄 합금으로 되어 있는데 실제로 어떤 금속재질이라도 사용이 가능하다. 알루미늄 합금 탄성스톱 너트는 양극 산화 처리한 상태로 사용되며, 강 너트는 카드뮴 도금이 되어 있다. 일반적으로 탄성스톱 너트는 고정 효율이 저하되지 않고 안전하다면 재사용이 가능하다. 재사용할 때는 화이버가 고정 마찰 저항을 잃지 않았는지 또는 부서지기 쉽게 경화되었는지를 확인하고 사용해야 한다. 그리고 손으로 화이버를 회전시켜봐서 회전한다면 교환해야 한다.

너트가 완전히 조여진 후 볼트, 스터드, 스크류 끝의 원형부나 경사진 부분이 적어도 너트를 통하여 외부로 노출되어야 한다. 볼트, 스터드, 스크류의 평평한 끝이 적어도 너트를 통하여 1/32인치는 나와야 한다. 5/32인치 직경의 볼트와 그 이상의 코터핀 구멍이 있는 볼트는 구멍 주위가 거칠지만 않다면 자동고정너트와 같이 사용될 수 있다. 나사산이 손상되었거나 끝이 거칠어진 볼트에는 사용할 수 없다. 그리고 화이버 고정 칼라 부분을 두들겨서는 안 된다. 탄성스톱 너트의 자동 고정 작용은 나사가 없는 화이버 속으로 볼트가 파고들면서 나사를 만들기 때문에 생긴다. 250°F 이상의 온도에서는 탄성스톱 너트를 사용하면 안 되는데 그 이유는 자동 고정 작용이 감소되기 때문이다. 자동고정너트는 엔진 제작자에 의해서 사용이 지정된 엔진과 부착물에 한하여 사용이 가능하다.

그림 5-26과 같이 자동고정너트의 받침(base)은 항공기의 구조부나 부품에 리벳 작업과 용접으로서 다양한 형태와 재료로서 만들어진다. 특정한 곳에 사용하는 것으로서 채널(channel)에 자동고정너트를 장착하여 몇 개의 리벳으로 많은 너트를 장착할 필요가 있는 경우가 있다. 이 채널은 너트를 제거할 수 있거나 제거할 수 없는 두 가지 종류의 이동식 받침이다. 장탈이 가능한 종류는 채널 외부로 너트 제거가 가능하므로 파손된 너트를 제거할 수 있다. 너트의 머무름이 마찰에 의하여 행해지는 크린치(clinch) 형이나 스플라인(spline) 형과 같은 너트는 항공기 구조부에 사용할 수 없다.

5.3 시트 스프링 너트(Sheet spring Nut)

스피드 너트(speed nut)와 같은 시트 스프링 너트는 표준 및 시트 메탈 셀프테이핑 스크류(sheet metal self tapping screw)와 같이 비 구조용에 사용한다. 이들은 전선 클램프, 도관 클램프(conduit clamp), 전기 장비, 점검창(access door)과 같은 곳에 사용하며 다양한 종류가 있나. 스피드 너드는 스프링 강으로 만들어지며 조이기 전에는 활처럼 휜 아치 모양을 하고 있다. 이 아치형 스프링 락(lock)은 나사가 풀리는 것을 막아주며 이 너트는 항공기 조립에 대해 사용했던 곳에만 다시 사용할 수 있다.

5.4 내부/외부 렌칭 너트(Internal/External wrenching Nuts)

상업용을 목적으로 하는 고강도 내부 또는 외부 렌칭 너트에는 내부와 외부 렌칭 탄성 스톱 너트와 언브라코(unbrako) 내부와 외부 렌칭 너트 등 두 종류가 사용된다. 자동고정식인 이것은 열처리하였으며 고강도 볼트의 인장하중에 견딜 수 있다.

5.5 식별과 기호(Identification & Coding)

너트의 종류를 표시할 때는 부품번호를 사용하는데 일반 종류와 대표적 부품번호는 다음과 같다.

AN315/AN335 : 평 너트, AN310 : 캐슬(castle) 너트, AN316 : 평 체크 너트, AN340/AN345 : 얇은 육각 너트, AN320 : 전단 캐슬 너트 등 이다. 특허 받은 자동 고정형은 MS20363에서 MS20367 사이의 부품번호를 가지고 있다. 부츠 너트, 플랙스 락(flex loc), 화이버 고정 너트, 탄성 스톱 너트 그리고 자동고정너트 등이 이 그룹에 속한다.

AN350은 나비너트를 나타낸다. 부품번호의 문자나 숫자는 재질, 크기, 인치 당 나사산 수, 오른나사 또는 왼나사 등을 나타낸다. 부품번호에서 'B'는 재질이 황동임을 나타내며, 'D'는 2017-T 알루미늄 합금, 'DD'는 2024-T 알루미늄 합금, 'C'는 스테인리스강 등으로 재질을 나타낸다.

대쉬(-) 다음에 오는 숫자 또는 문자는 너트의 대쉬(-)번호이며 생크의 크기와 너트가 장착될 볼트의 인치 당 나사산 수를 나타낸다. 대쉬(-)번호는 일반용 볼트의 부품번호에 나타나는 첫 번째 숫자에 해당된다. 예를 들면 대쉬(-)와 3번은 AN3볼트(10-32)에 맞는 너트를 나타내며 대쉬(-)와 번호4는 AN4 볼트(1/4~28)에 맞는 너트를 나타내고, 대쉬(-)와 번호5는 AN5 볼트(5/16~24)에 맞는 너트를 나타낸다. 자동고정너트의 코드(code)번호는 3자리나 4자리이고 그중에 뒤의 2자리는 인치 당 나사산 수를 나타내며 앞의 한자리 또는 두 자리 숫자는 너트의 크기를 인치 당 16분으로 나타낸다.

다음은 일반용 너트와 그들의 코드번호의 예시이다.

코드번호 AN310D 5 R

AN310 : 항공기 캐슬 너트
D : 2017-T 알루미늄 합금
5 : 5/16 인치 직경
R : 오른 나사(보통 인치 당 24개 나사)

코드번호 AN320-10

AN320 : 항공기 전단 캐슬 너트
카드뮴 도금한 탄소강
10 : 5/8 인치 직경, 인치 당 18개 나사산(이 나사는 보통 오른 나사이다.)

코드번호 AN350 B 1032

AN350 : 항공기 나비 너트(wing nut)
B : 황동
10 : 번호 10 볼트
32 : 인치 당 나사산 수

6. 항공기용 와셔(Washer)

항공기 기체수리에 사용되는 항공기용 와셔는 평형, 고정형, 특수형 등이 있다.

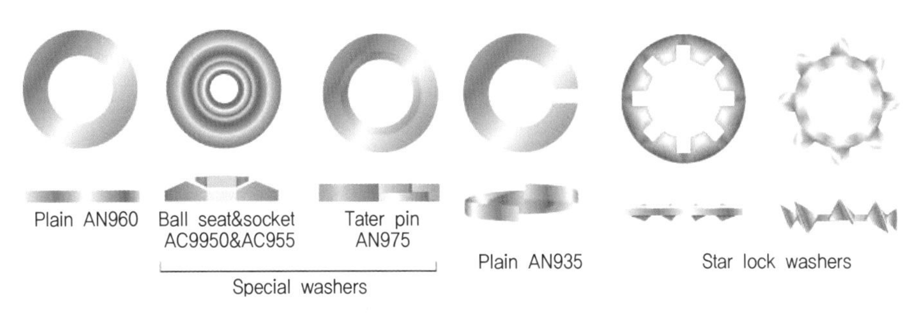

그림 5-27 와셔의 여러 가지 종류

6.1 평 와셔(Plain Washer)

AN960/AN970 평 와셔는 육각 너트 체결 시 사용된다. 이 너트는 평평한 면의 압력을 형성시키고 볼트와 너트가 조립 시 알맞은 그립 길이를 얻도록 심(shim) 역할을 한다. 또한 볼트에 있는 코터핀 구멍이 일치되도록 캐슬 너트의 위치를 조절하는데도 사용된다.

평 와셔는 재료의 표면을 상하지 않게 하기 위해 고정 와셔 아래에 사용된다. 알루미늄이나 알루미늄 합금의 와셔는 다른 이질금속간의 부식이 발생되는 알루미늄합금 또는 마그네슘 구조부의 너트나 볼트의 머리 밑에 사용하기도 한다. 이렇게 사용될 때는 와셔와 강철로 된 볼트 사이에 전위차에 의한 약간의 전류가 발생하게 되는데 이로 인한 부식을 막기 위하여 구조에 직접 접하는 너트 밑에 보통 카드뮴 도금한 강으로 된 와셔를 사용한다.

이 경우 강으로 된 와셔가 알루미늄 합금 와셔보다 더 부식 저항성이 더 크기 때문이다. AN970 강 와셔는 AN960 와셔보다 더 큰 면에 대한 압력을 주며 목재 표면 등이 손상되지 않게 하기 위하여 볼트나 너트의 머리 밑에 사용한다.

6.2 고정 와셔(Lock Washer)

AN935/AN936 고정 와셔는 자동고정너트나 캐슬 너트가 사용될 수 없는 곳에 기계용 스크류나 볼트와 함께 사용한다.

AN935 와셔의 스프링 작용은 진동으로 인해 너트가 풀리는 것을 방지할 수 있도록 충분한 마찰을 준다.

고정 와셔는 다음과 같은 조건에서는 절대 사용해선 안 된다.

(1) 1차, 2차 구조물에 고정 장치로 사용되는 경우
(2) 파손 시 항공기나 인명에 피해나 위험을 줄 수 있는 부분에 고정 장치로 사용되는 경우
(3) 파손 시 공기 흐름에 접합 부분이 노출될 수 있는 부분
(4) 스크류를 자주 장탈·착 하는 부분
(5) 와셔가 공기 흐름에 노출되는 부분
(6) 와셔가 부식할 수 있는 환경에 있는 부분
(7) 표면을 손상시키지 않게 하기 위해서 밑에 평 와셔를 고정 와셔 아래에 사용하지 않고 연한 재료에 바로 와셔를 끼울 필요가 있는 부분

6.3 세이크 프루프 고정 와셔(Shake proof lock Washer)

세이크 프루프 고정 와셔는 너트를 제자리에 고정하기 위해 볼트나 육각 너트의 측면을 따라 위쪽으로 구부릴 수 있는 탭(tap) 또는 립(lip)을 가진 둥근 와셔이다.

회전을 방지하게 위해 고정 와셔를 지지하는 방법은 여러 가지이다. 세이크 프루프 고정 와셔는 다른 여러 가지 안전 고정 장치보다 고온에서 잘 견딜 수 있다. 그리고 심한 진동에서도 안전하게 사용할 수 있다. 재사용 시 탭을 구부릴 때 부러질 수 있으므로 재사용할 수 없다.

6.4 특수 와셔(Special Washer)

AC950과 AC955인 볼 소켓(boll socket)과 시트 와셔(sheet washer)는 표면에 비스듬하게 장착되는 부분 또는 표면과 완전히 일치하게 해야 하는 부분에 사용되는 특수 와셔이다. 이들 와셔는 함께 사용된다.

MS30002 와 NAS143 와셔는 NAS144에서 NAS158계열의 인터널 렌칭 볼트에 사용된다.

이들 와셔는 평형 또는 접시머리형이 있다. 접시머리형 와셔는 MS20002C와 NAS143C로 표시되고, 볼트 머리의 생크 만곡부에 사용되며 평 와셔가 너트 밑에 사용된다.

7. 너트와 볼트의 장착(Installation of Nuts & Bolt)

7.1 볼트와 구멍치수(Bolt & Hole size)

볼트 구멍에 약간의 유격은 볼트가 인장하중을 받거나 역방향의 하중이 작용하지 않는 부분이라면 허용된다. 구멍의 유격이 허용되는 부분의 예로서는 풀리 브라켓(pulley bracket), 도선 상자(conduit box), 라이닝 트림(lining trim), 그리고 기타 지지대와 브라켓(bracket) 등이다. 볼트구멍은 볼트 머리와 너트에 충분한 접촉 면적을 제공하기 위해 접촉표면에 수직이 되어야하고, 구멍이 커지거나 늘어나서는 안 된다. 이런 구멍에서 볼트는 전단하중을 받지 않지만, 과도한 크기의 구멍 접촉면이 볼트와 닿아서 하중을 전달할 때는 전단하중을 받게 되어 그 부분이 부러지거나 변형이 일어나게 된다. 이런 점에서 볼트는 리벳과 같이 구멍을 메우기 위해 압착되지 않는다는 점을 항상 상기해야 할 것이다.

중요한 구조부재에서 치수가 초과되거나 늘어난 구멍은, 한 단계 더 큰 치수의 볼트를 장착하기 위해 구멍을 뚫거나 넓히기 전에 해당 항공기 제작사, 또는 엔진 제작사로부터 지침을 받아야 한다. 대개 연거리(edge distance), 유격(clearance), 하중계수(load factor)와 같은 요소들을 고려해야 한다. 중요하지 않은 구조부에서 치수가 초과되거나 늘어난 구멍은 한 단계 더 큰 치수의 볼트를 사용하기 위해서 구멍을 더 크게 뚫거나 넓히는 작업이 가능하다. 특히 주 연결부재에 사용되는 볼트 구멍은 정밀 공차를 가져야 한다. 보통은 정밀 맞춤이 요구되는 AN 육각볼트를 사용하는 장소나 NAS. 정밀공차 볼트 또는 AN 클레비스 볼트를 사용하는 부분을 제외하고는 일반적인 볼트 직경보다 치수가 더 큰 것 중에서 첫 번째 드릴을 사용하는 것이 허용된다.

볼트의 가벼운 끼워 맞춤(볼트와 구멍 사이 최대 유격이 0.0015in로 수리도면에 표시됨)이 요구되는 부분은 볼트를 수리 작업에 사용하거나 원 구조에 사용할 때이다. 구멍과 볼트의 끼워 맞춤은 축과 구멍의 직경으로 정해지지 않는다. 볼트가 구멍 안으로 들어갈 때 구멍과 볼트 사이에 발생하는 마찰에 따라 결정된다. 예를 들어 단단한 끼워 맞춤은 12 또는 14온스의 쇠망치로 강하게 때려 박는 정도이다. 강한 타격이 필요하거나 빽빽한 소리가 나는 볼트는 너무 강한 끼워 맞춤의 정도를 나타낸다. 경미한 끼워 맞춤은 망치 손잡이를 머리와 반대로 잡고 망치의 무게 정도의 힘으로 볼트를 내리누를 때 밀려서 들어가는 정도를 나타낸다.

7.2 장착 실습(Installation Practice)

볼트 머리의 표시를 확인하여 해당 볼트가 올바른 재질인지 확인한다. 볼트를 교환하는데 있어서 비슷한 볼트를 사용하는 것이 가장 중요하다. 모든 경우에 있어서 해당 정비 교범을 참고해야 한다. 만약 특별한 지시사항이 없다면 볼트나 너트의 머리 아래에 와셔를 끼워 사용해야 한다. 와셔는 볼트의 기계적 손실을 보호하고 구조 부재의 부식을 방지한다. 알루미늄 합금 와셔는 알루미늄 합금 또는 마그네슘 합금 부재를 보호하도록 강 볼트의 너트나 머리 아래에 끼워 사용해야한다. 그때 일어나는 부식은 부재보다 와셔에 미치게 된다.

강 와셔는 강 부재에 강 볼트를 끼울 때 항상 사용된다. 가능한 한 항상 볼트는 위로 또는 앞으로 향하게 장착하는 것이 바람직하다. 이 위치는 너트가 갑자기 빠져도 볼트가 빠져나가는 것을 방지해줄 수 있다. 볼트 그립 길이가 정확한지 확인해야 한다. 그립 길이는 볼트 생크의 나사가 나 있지 않은 부분의 길이를 의미한다. 일반적으로 그립 길이는 볼트로 접합할 재료의 두께와 같아야 한다. 그러나 와셔를 너트나 볼트 머리 아래에 끼우기 때문에 볼트 길이를 조금 더 길게 한다. 플레이트 너트의 경우에는 판 밑에 심(shim)을 끼워 사용한다.

7.3 토크(Torque)

구조물의 전체에 걸쳐 안전하게 하중을 분포시키기 위해서는 모든 너트, 볼트, 스터드, 스크류 등에 적절한 토크를 적용하는 것이 중요하다. 적절한 토크를 적용한다는 것은 구조물 등이 설계 강도를 발휘할 수 있게 하고, 피로로 인한 손상 가능성을 최소화할 수 있도록 해준다.

7.3.1 토크 렌치(Torque wrench)

체결 부품에 정확한 토크 값을 주기 위해 사용하는 공구를 토크 렌치라고 한다. 일반적으로 많이 사용하는 토크 렌치에는 그림 5-30과 같이 제한식 토크렌치(Audible indicating torque wrench), 그림 5-28과 같이 빔 식 토크렌치(Deflecting beam torque wrench), 그림 5-29와 같이 다이얼식 토크렌치(Rigid frame torque wrench) 등으로 세 가지 종류가 있다.

그림 5-28 빔 식 토크렌치

그림 5-29 다이얼식 토크렌치

그림 5-30 제한식 토크렌치

빔 식 토크렌치와 다이얼식 토크렌치를 사용할 때, 토크 값은 렌치의 손잡이에 설치된 눈금을 직접 읽어준다. 제한식 토크렌치는 사용을 위해서, 그립의 잠금 장치를 풀고 마이크로미터형 눈금을 조절하여 필요한 토크 값을 설정한 다음 그립의 잠금 장치를 이용해서 다시 잠근다. 토크렌치와 체결 작업에 필요한 소켓(socket)이나 어댑터(adapter)등을 조립하여 토크렌치를 너트나 볼트에 장착하고 너트와 볼트가 잠기는 방향으로 천천히 안정되게 손잡이를 끌어당긴다. 너무 빠르거나 갑작스런 움직임은 부적절한 토크 값을 초래하게 된다.

가해진 토크가 설정된 토크 값에 도달하게 되면, 손잡이가 자동적으로 풀리거나 살짝 꺾여 아주 잠깐 동안 자유롭게 움직인다. 이러한 풀림과 자유로운 움직임은 손으로 쉽게 느낄 수 있으며, 토크 작업이 종료되면 요구하던 토크 값을 만족하게 된다. 모든 토크렌치는 정확한 토크 값을 얻기 위해 적어도 한 달에 1번 정도(사용빈도에 따라) 교정해야만 한다.

빔 식 토크렌치에 손잡이 길이를 연장해서 사용하는 것은 권장하지 않는다. 손잡이 연장공구 자체는 측정에 영향을 주지 않는다. 어떤 종류의 토크렌치에서는 연장공구를 필수적으로 사용해야 하는 경우도 있다. 이런 경우 공식을 적용할 때, 측정이 취해지는 부분으로부터 토크렌치 손잡이까지의 거리를 고려해야 한다. 만약 이렇게 하지 않는다면 얻어진 토크는 부정확한 값이 될 것이다.

7.3.2 표준 토크 값(Torque tables)

정비 작업 절차에 명확한 토크 값이 나와 있지 않는 경우에는 체결되는 볼트, 너트, 스터드, 스크류 등의 규격에 따른 표준 토크 값에 따라야 한다. 표 5-7은 표준 토크 값을 나타낸다. 또한, 정확한 토크 값의 사용을 위해서는 다음의 규칙에 따라야 한다.

(1) in-lb 값에 12를 곱하여 ft-lb 값을 구할 수 있다.
(2) 내식강 부품이나 별도로 지시하는 곳을 제외하고, 볼트나 너트에 기름(윤활유)을 바르지 않는다.
(3) 토크 작업을 할 때 가능하면, 너트를 회전시켜 잠근다. 공간적으로 볼트 머리를 돌려 토크 작업을 해야 하는 경우에는, 정비교범에 지시된 토크 범위의 상한 값을 적용하지만, 최대 허용 토크 값을 초과해서는 안 된다.
(4) 결합되는 부품이 충분한 두께, 면적, 또는 끊김, 뒤틀림 등의 다른 손상에 견딜 수 있는 충분한 강도일 때 최대 토크 범위를 적용할 수 있다.
(5) 내식강 너트는 전단형 너트에 대해 주어진 토크 값을 적용해야 한다.
(6) 토크렌치에 연장공구를 사용하였다면, 표준 토크 값에서 제시하는 실제 작용하는 값을 얻기 위해 요구되는 다이얼(dial) 지시 값을 수정해야 한다. 연장공

구를 사용할 때 토크렌치 지시 값은 다음과 같이 공식을 이용하면 계산할 수 있다.

표 5-7 표준 토크 값

Bolt, Stud or Screw Size		Torque Values in Inch-Pounds for Tightening Nuts			
		On standard bolts, studs and screws having tensile strength of 125,000 to 140,000 psi		On bolts, studs and screws having tensile strength of 140,000 to 160,000 psi	On high-standard bolts, studs and screws having tensile strength of 160,000 psi and over
		Shear type nuts (AN320, AN364 or equivalent)	Tension type nuts and threaded machine parts (AN-310, AN365 or equivalent)	Any nut, except shear type	Any nut, except shear type
8-32	8-36	7-9	12-15	14-17	15-18
10-24	10-32	12-15	20-25	23-30	25-35
1/4-20		25-30	40-50	45-49	50-68
	1/4-28	30-40	50-70	60-80	70-90
5/16-18		48-55	80-90	85-117	90-144
	5/16-24	60-85	100-140	120-172	140-203
3/8-16		95-110	160-185	173-217	185-248
	3/8-24	95-110	160-190	157-271	190-351
7/16-14		140-155	235-255	245-342	255-428
	7/16-20	270-300	450-500	475-628	500-756
1/2-13		240-290	400-480	440 636	480-792
	1/2-20	290-410	480-690	585-840	690-990
9/16-12		300-420	500-700	600-845	700-990
	9/16-18	480-600	800-1000	900-1,220	1,000-1,440
5/8-11		420-540	700-900	800-1,125	900-1,350
	5/8-18	660-780	1,000-1,300	1,200-1,730	1,300-2,160
3/4-10		700-950	1,150-1,600	1,380-1,925	1,600-2,250
	3/4-16	1,300-1,500	2,300-2,500	2,400-3,500	2,500-4,500
7/8-9		1,300-1,800	2,200-3,000	2,600-3,570	3,000-4,140
	7/8-14	1,500-1,800	3,500-3,000	2,750-4,650	3,000-6,300
1"-8		2,200-3,000	3,700-5,000	4,350-5,920	5,000-6,840
	1"-14	2,200-3,300	3,700-5,500	4,600-7,250	5,500-9,000
1 1/8-8		3,300-4,000	5,500-6,500	6,000-8,650	6,500-10,800
	1 1/8-12	3,000-4,200	5,000-7,000	6,000-10,250	7,000-13,500
1 1/4-8		4,000-5,000	6,500-8,000	7,250-11,000	8,000-14,000
	1 1/4-12	5,400-6,600	9,000-11,000	10,000-16,750	11,000-22,500

$$TW = TA \times L / A + L$$

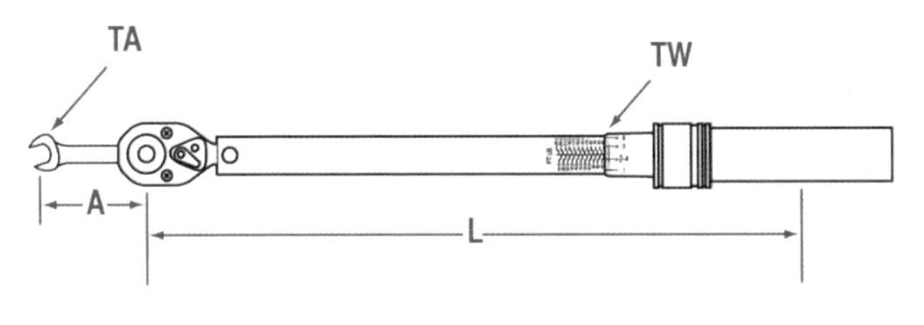

그림 5-31 토크 값 구하기

TW : 토크렌치 눈금에 표시되는 토크 값

TA : 필요한 토크 값

7.3.3 코터핀 구멍(Cotter pin Hole)

볼트에 캐슬 너트를 체결할 때, 코터핀 구멍이 권고된 범위에서 너트에 있는 홈과 정렬되지 않는 경우도 있다. 큰 응력을 받는 엔진 부품을 제외하고, 너트는 토크 범위를 넘지 않도록 해야 한다. 이런 경우 와셔, 볼트 등의 하드웨어(hardware)를 교체하여 구멍 위치를 재조정한다. 제시되는 토크 값은 거의 같은 나사산의 수와 같은 접촉 면적을 갖는 고운 나사 또는 거친 나사 계열의 기름을 바르지 않은 카드뮴 도금 강철너트 모두에 대해 적용하게 된다. 이 값은 정비 교범에 특별한 토크 요구사항이 제시된 곳에는 적용하지 않는다.

만약 너트가 아닌 볼트 머리 쪽에서 토크작업을 해야 한다면, 최대 토크 값은 생크의 마찰에 따른 크기만큼 추가해야 한다. 추가되는 값은 너트가 체결되지 않은 상태에서 볼트만을 회전시켰을 때 토크렌치에 측정된 토크 값이다.

7.4 너트와 볼트의 안전조치(Safetying of Nut & Bolt)

자동 고정형을 제외하고는 모든 볼트, 너트는 장착 후 안전 조치가 필요하다. 이것은 비행 중 진동에 의해서 풀리는 것을 방지해 준다. 안전조치에 대한 구체적인 방법은 앞에서 언급하였다.

8. 항공기용 스크류(Aircraft screw)

스크류는 항공기에 대부분 사용되는 나사로 된 고정 장치이다. 스크류는 강도가 낮아 볼트와는 다르며, 이것은 헐거운 나사로 되어있고 머리 모양은 드라이버나 렌치를 사용할 수 있도록 만들어졌다. 일부 스크류는 전 길이에 걸쳐 나사산이 있는 것도 있고 일부는 나사산이 없는 즉 그립 부분이 명확한 것도 있다.

구조용 나사의 몇 가지 종류는 오직 머리 모양만 표준 구조용 볼트와 다른 것이 있다. 재료도 똑같고 그립에 해당되는 길이도 명확하다. AN525 와셔 머리 스크류와 NAS1220에서 NAS227 계열과 같은 것들이다.

흔히 사용되는 스크류는 크게 세 가지로 구분한다.

(1) 볼트와 크기가 같고 강도가 같은 스크류
(2) 일반 수리에 사용되는 종류로서 대부분을 차지하는 기계용 나사
(3) 가벼운 부품의 장착에 사용되는 자동 테핑 스크류(self tapping screw) 그리고 4번째 드라이브 스크류는 실제로는 스크류가 아니라 못이다. 이들은 금속 부분에 망치로 박아 넣으며 이들 머리에는 구멍이나 움푹 파인 곳이 없다.

8.1 구조용 스크류(Structural Screw)

구조용 스크류는 합금강으로 만들어지며 적당한 열처리가 되고 구조용 볼트로서도 사용이 된다. 이 스크류는 NAS204~NAS235까지 그리고 AN509와 AN525 계열이다. 이들 스크류는 같은 크기의 볼트와 같은 전단강도를 가지며 명확한 그립도 가지고 있다. 생크 공차는 AN 육각머리볼트와 비슷하며 National Fine 나사로 되어있다. 구조용 나사는 둥근 머리, 브레지어 머리, 접시 머리 등의 머리 모양을 가진다. 머리에 홈이 파인 나사는 필립스(phillips) 또는 리드와 프린스 스크류 드라이버(reed & prince screwdriver)를 사용하여 조일 수 있다. AN509(100°) 접시 머리 스크류는 평평한 표면이 요구되는 접시 머리 구멍에 사용된다. AN525 와셔 머리를 가진 구조

용 스크류는 돌출머리 스크류를 사용해도 상관없는 부분에 사용한다. 와셔 머리 스크류는 큰 접촉 면적을 가지고 있다.

8.2 기계용 스크류(Machine Screw)

기계용 스크류는 일반적으로 납작 머리, 둥근 머리, 와셔 머리형이 있다. 이 스크류는 일반용인 나사이며 저탄소강, 황동, 내식강, 알루미늄 합금 등으로 되어있다. AN515, AN520 둥근 머리 스크류는 머리에 "-" 자나 "+" 자 홈이 나있다. AN515 스크류는 Coarse나사를 가지고 있으며, AN520은 Fine 나사를 가지고 있다. 접시 머리 기계용 스크류는 82°인 AN505와 AN510, 100°인 AN507등이 있다. AN505와 AN510은 재질과 용도에 있어서 AN515와 AN520과 같다. 필리스터 헤드 스크류(fillister head screw)는 AN500에서 AN503까지 일반용인 스크류이며 경미한 구조장치에 캡 스크류(cap screw)로써 사용된다. 이들은 기어 박스(gear box) 덮개와 같은 주로 알루미늄 부품의 장착에도 사용된다. AN500, AN501 스크류는 저탄소강, 내식강 및 황동으로 제작된다. AN501은 Fine 나사임에 비해 AN500은 Coarse 나사이다. 이들 나사에는 명확한 그립의 길이가 정해져 있지 않다. No.6 이상의 스크류는 안전결선을 위한 구멍이 있다.

AN502와 AN503 필리스터 헤드 스크류는 열처리 된 합금강으로 만들어져 있으며 조그만 그립이 있고 Finc과 Coarse 나사로 되어있다. 이 스크류는 고강도를 필요로 하는 곳에 캡 스크류로 사용된다. 금속이 연질이기 때문에 Coarse나사 스크류는 일반적으로 다듬어진 알루미늄 합금과 주조용 마그네슘에 캡 스크류로써 사용된다.

8.3 자동 테핑 스크류(Self tapping screw)

기계용 자동 테핑 스크류는 AN504, AN506 이다. AN504 스크류는 둥근 머리이며, AN506은 82° 접시 머리형이다. 이들 나사는 이름에서 알 수 있듯이 자신이 나사를 만들 수 있는 부품과 부물로 된 재료를 고정시키는데 사용된다.

AN530과 AN531은 자동 테핑 판 금속 스크류(tapping sheet metal screw)이며, 이것은 끝이 뭉뚝하다. 이들은 리벳 작업 시 판금을 일시적으로 장착시키는데 사용되며, 비 구조용 부재의 영구적인 부품으로 사용된다. 이 자동 테핑 스크류는 표준 스크류, 너트, 볼트, 리벳과 교환해서 사용하면 절대 안 된다.

8.4 드라이브 스크류(Drive Screw)

AN535인 드라이브 스크류는 프레인 헤드 자동 테핑 스크류로서 주물로 된 네임 플레이트 또는 튜브형 구조에서 부식 방지용으로 드레인 구멍을 밀폐시키는 캡 스크류로 사용된다. 일단 장착한 후에는 탈거해서는 안 된다.

8.5 식별과 기호(Identification & Coding)

스크류를 식별하는데 사용되는 방법은 볼트에서 사용하는 방법과 비슷하다.

AN과 NAS 스크류 중에 NAS 스크류는 구조용 스크류이다.

부품번호 510, 515, 550 등은 카탈로그 스크류(catalog screw)로서 둥근 머리, 평머리, 와셔 머리 등으로 구분된다. 문자나 숫자는 재질의 성분, 길이, 두께를 나타낸다. 다음은 AN과 NAS 코드 번호의 예시이다.

AN501B-416-7

AN : 미 공군-해군 표준

501 : 필리스터 헤드

B : 황동

416 : 1/16 인치의 직경

7 : 7/16 인치의 길이

"B" 대신 사용된 "D"는 재료가 2017-T 알루미늄 합금을 나타내며, "C"는 내식강을 나타낸다. 재료 코드 문자 앞의 "A"는 머리에 안전결선을 위한 구멍이 있다는 것을 나타낸다.

NAS144DH-22

NAS : National Aircraft Standard

144 : 머리 모양(직경과 나사: 1/4-28 볼트, 인터널 렌칭)

DH : 구멍이 뚫려 있는 머리(Drilled Head)

22 : 스크류의 길이를 16분으로 표시(1 3/8인치의 길이)

기본 NAS 번호는 부품을 식별시킨다. 뒤의 문자나 대쉬(-), 번호는 치수 구별, 도금 재료, 드릴링(drilling) 규격 등을 나타낸다. 대쉬(-) 번호와 뒤에 붙는 문자는 표준임을 나타내지 않는다. 상세한 것은 표준서의 기본 NAS 항을 참고해야 한다.

9. 패스너(Fasteners)

9.1 턴-록 패스너(Turn-lock Fastener)

턴-록 패스너는 항공기에 있는 점검 판넬, 문, 기타 장탈이 가능한 판을 안전하게 고정시키는데 사용된다.

턴-록 패스너는 빠른 개방, 빠른 동작, 응력 판넬(stressed panel fastener) 패스너 라고도 부른다. 이들 패스너의 가장 요구되는 형태는 검사와 정비의 목적으로 보조 판넬을 빠르고 쉽게 장탈할 수 있다는 것이다. 턴-록 패스너는 여러 가지 상표명으로 수많은 제작사에 의해 만들어졌다. 가장 흔히 사용되는 것으로 주스 패스너, 캠-록 패스너, 에어-록 패스너 등이 있다.

9.2 주스 패스너(Dzus Fastener)

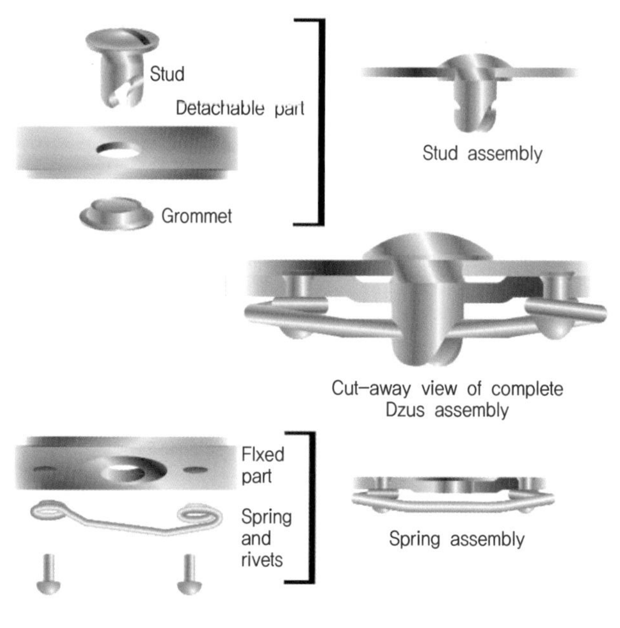

그림 5-32 주스 패스너

주스 턴-록 패스너(dzus turn lock fastener)는 스터드, 그로밋(grommet), 리셉터클(receptacle) 등으로 구성된다. 그림 5-32는 장착된 주스 패스너와 분해된 여러 부품을 보여주고 있다. 그로밋은 알루미늄이나 알루미늄 합금으로 만들어지며 스터드를 장착시키는 역할을 한다.

그로밋은 일반적으로 구입이 안되더라도 1100 알루미늄 관으로 만들 수 있다.

스프링은 두 부분이 연결될 때 스터드를 원위치에 고정시키고 안전하게 하는 힘을 제공한다. 스터드는 강으로 만들어지고 카드뮴 도금이 되어 있다. 주스 패스너는 윙(wing) 머리, 플러시(flush), 타원(oval) 등 3가지 머리 모양이 있다. 직경, 길이, 머리 모양은 스터드의 머리에 있는 표시로 결정되고 구별할 수 있다.

F=fluxh head

6½=body diameter in 16ths of an inch

.50=length($^{50}/_{100}$ of an inch)

그림 5-33 주스 패스너의 식별

직경은 항상 1인치의 16분의 비로서 측정한다. 스터드 길이는 인치의 100분의 비로 측정되며 스터드 머리에서부터 스프링 구멍의 끝까지의 거리를 말한다.

시계 방향으로 1/4회전시키면 패스너를 고정시킬 수 있고, 반시계 방향으로 스터드를 회전시키면 풀 수 있다. 주스 키(dzus key) 또는 지상용 스크류 드라이버를 사용하여 패스너를 장탈, 착 할 수 있다.

9.3 캠-록 패스너(Cam-lock Fastener)

캠-록 패스너는 여러 모양과 설계로서 제작된다. 가장 널리 사용되는 것 중에는 보통 정비에 2600, 2700, 40S51, 4002 계열과 중정비용(heavy-duty line)으로 응력 판넬형(stressed panel type) 패스너가 있다. 후자는 구조상 하중을 전달하는 응력 판넬에 사용된다.

캠-록 패스너는 항공기 카울링(cowling)과 페어링(fairing)을 장착하는데 사용된다. 이것은 스터드 어셈블리(stud assembly), 그로밋, 리셉터클 등 세 부분으로 되어 있다. 리셉터클(receptacle)은 고정형(rigid)과 유동형(floating) 두 종류를 사용한다. 그림 5-34에는 캠-록 패스너에 대한 구조가 나타나 있다.

스터드와 그로밋은 탈거할 수 있는 부분에 장착되고 리셉터클은 항공기 구조부분에 리벳 작업으로 체결되어 고정된다. 스터드와 그로밋은 장착 위치와 재료의 두께에 따라 평형, 오목형, 접시 머리형, 또는 카운터 보어 홀(counter bored hole) 중 한 가지로 장착한다. 스터드를 1/5 바퀴(시계 방향) 회전시키면 패스너가 고정되고, 스터드를 반시계 방향으로 회전시키면 풀 수 있다.

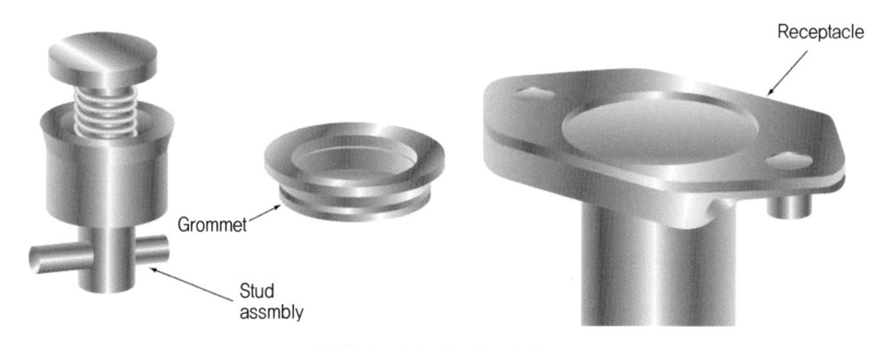

그림 5-34 캠-록 패스너

9.4 에어-록 패스너(Air-lock Fastener)

그림 5-35에 표시된 에어-록 패스너는 스터드, 크로스 핀(cross pin)과 스터드 리셉터클(stud receptacle)의 세 부분으로 구성되어 있다. 스터드는 과도한 마모를 방지하기 위해 강으로 만들어지고 표면 경화 처리된다. 스터드 구멍에 크로스 핀을 장착해서 끼우기 위해 구멍을 넓혔다.

에어-록 패스너로 고정되는 재료의 총 두께는 장착한 스터드의 정확한 길이를 결정하기 전에 알고 있어야 한다. 스터드로 적당하게 고정시킬 수 있는 재료의 총 두께는 0.001in 단위로 0.040, 0.070, 0.190 인치로 표시되고 부품의 총 두께를 스터드의 머리에 새겨 넣었다. 스터드는 플러쉬(flush) 형, 타원(oval) 형, 나비 형의 세 종류로 만들어 진다.

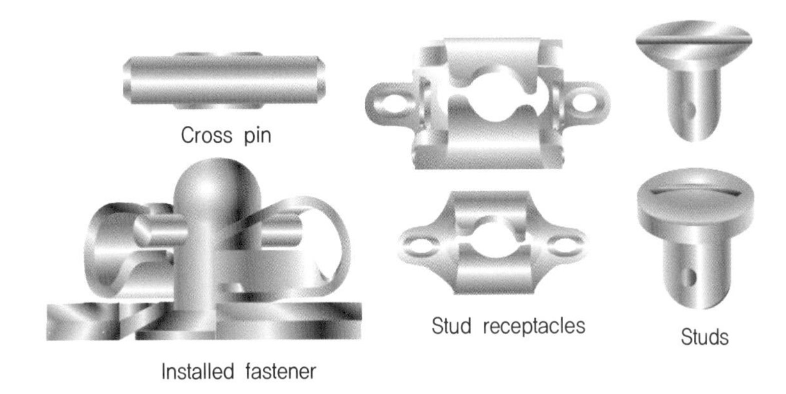

그림 5-35 에어-록 패스너

그림 5-35의 크로스 핀은 크롬-바나듐강으로 제조되며 최대강도, 마모, 고정력을 보기 위하여 열처리 되어있다. 이것은 재사용해서는 안 된다. 스터드로부터 한번 탈거한 것은 반드시 새것으로 교환해서 사용해야 한다.

에어-록 패스너의 리셉터클은 고정형과 유동형의 두 가지 형으로 만들어진다. 크기는 No.2, No.5, No.7과 같이 숫자로서 구분 된다. 또 No.2 : 3/4 인치, No.5 : 1 인치, No.7 : 1 3/8 인치 등과 같이 리셉터클의 리벳 구멍간의 중심 거리로써도 구분된다. 리셉터클은 고탄소강으로 열처리가 되어 있다.

10. 비금속 재료(Non-metal Aircraft Materials)

10.1 목재(Wood)

초기에는 목재와 천을 이용해 항공기를 조립하였다. 현재는 옛 모델을 복원시키는 항공기 또는 일부 제작 항공기를 제외하고는 항공기 구조물로 사용되지 않는다.

10.2 플라스틱(Plastics)

플라스틱은 오늘날의 항공기 전체에 걸쳐 다양한 곳에 사용된다. 사용 범위는 유리섬유로 보강된 열경화성 플라스틱 구조물에서부터 창문등과 같은 열가소성 플라스틱 내장용 재료에 이르기까지 다양하게 사용된다.

투명 플라스틱 재료는 항공기의 캐노피(canopy), 윈드쉴드(windshield), 및 기타 투명함이 요구되는 부분에 사용되는데 일반적으로 두 가지 종류로 구분된다. 열에 대한 반응에 따라 열가소성수지(thermoplastic)와 열경화성수지(thermosetting) 등 두 가지로 분류한다.

열가소성 수지의 재료는 열을 기할 경우 부드러워지며 냉각시키면 굳어지는 성질을 가지고 있다. 따라서 열가소성 수지는 재료를 가지고 재료의 화학적 성분을 손상시키지 않고, 여러 번 성형 작업이 가능한 플라스틱이다.

열경화성 수지의 재료는 플라스틱에 열을 가해서 모양을 만들고 굳혔다면, 다시 열을 가해도 한 번 성형시킨 다음에는 다시 다른 모양으로 만들 수 없다.

10.3 투명 플라스틱(Transparent Plastic)

추가적으로 투명 플라스틱은 두 가지의 형태로 제조되는데, 한 가지는 덩어리로 된 고형(solid)이고, 다른 한 가지는 얇은 조각으로 된 층형(laminated)이다. 층형 투명 플라스틱은 폴리비닐 부티릴(polyvinyl butyryl)을 함유한 내층 재료에 의해 집착된 투명 플라스틱 판재로 만들어진다. 충형 투명 플라스틱은 내파열 특성에 의해 고형 플라스틱보다 우수해서 여압하는 항공기에 많이 사용된다. 항공기에 사용되는 대부분의 투명판을 여러 가지 군용 규격에 따라서 제작된다.

투명 플라스틱에서 새로운 개발품은 신축성이 있는 아크릴(acrylic) 수지이다. 신축성이 있는 아크릴 수지는 성형하기 전에 분자구조의 재배열을 위하여 양방향으로 잡아 당겨서 제조한 플라스틱의 일종이다. 신축성 아크릴 판넬은 충격과 파손에 대한 저항성이 크며, 화학적 저항 능력도 크다.

가장자리는 단순하고 잔금(crazing)이나 스크래치(scratch)가 적게 발생한다.

각각의 플라스틱 판재는 접착제가 첨가된 보호용 필름으로 덮여있다. 이 필름은 저장이나 취급 시 우연히 발생하는 상처를 방지하는데 도움을 준다. 플라스틱을 취급할 때는 상처나 손상이 발생하지 않도록 가능한 한 서로 비비거나 거칠고 지저분한 작업대 위에서의 작업등은 피해야 한다.

판은 가능하다면 수직으로부터 약 10° 경사진 선반에 보관해야 한다. 만약 수평 위치로 보관할 필요가 있을 경우에는 높이가 18in 이상 쌓이지 않게 해야 하며, 작은 판은 큰 판 위에 올려놓아서 작은 판 위에 얹히지 않도록 해야 한다.

플라스틱을 보관할 때는 차고 건조한 곳에 보관해야 하고, 솔벤트 증기, 가열 코일, 방열기, 증기 파이프로부터 멀리 떨어져야 한다. 보관 장소의 온도는 100°F를 초과하지 말아야 한다. 직사광선은 아크릴 플라스틱을 손상시키지는 않지만, 보호용 필름의 접착제를 마르게 하여 경화시키기 때문에 필름을 제거하기 어려워진다. 만약, 필름이 쉽게 제거되지 않는다면 250°F 정도의 오븐(oven)에 약 1분간 넣어두면 필름의 접착제가 열에 의해 부드러워져서 필름을 쉽게 제거할 수 있게 된다. 만약 오븐이 없다면, 지방족 나프타(aliphatic naphtha)로 접착제를 부드럽게 만들어 경화된 보호용 필름을 제거할 수 있다. 나프타로 적신 천으로 보호용 필름을 문지르면, 접착제가 부드럽게 되고 플라스틱으로부터 필름을 쉽게 제거할 수 있다. 필름을 제거한 플라스틱 판재는 즉시 깨끗한 물로 씻어내야 하고 표면이 손상되지 않도록 주의해야 한다.

- 주의 : 지방족 나프타(aliphatic naphtha)는 플라스틱에 악영향을 미치는 방향족 나프타 또는 드라이클리닝 용제(dry cleaning solvent)와 혼합해서는 안 된다. 또한, 지방족 나프타는 가연성이므로 가연성 액체 사용에 따른 주의사항을

준수해야 한다.

10.4 복합 소재(Composite Materials)

1940년대부터 항공 산업은 전체적인 항공기 성능을 향상시킬 수 있는 합성섬유 개발에 집중하기 시작했다. 그 후 더욱더 많은 복합재료가 사용되고 있다. 복합재료에 대한 설명을 하게 될 때, 많은 사람들이 단순히 유리섬유(fiber glass)를 생각하고, 또는 그라파이트(graphite), 아라미드(aramid) 섬유 등을 생각하게 된다. 복합재료는 항공기용으로 개발되었지만 지금은 자동차, 운동기구, 선박 뿐 아니라 방위 산업을 포함한 다른 여러 산업분야에도 사용된다.

복합재료는 서로 다른 재료나 물질을 인위적으로 혼합한 혼합물로 정의할 수 있다. 이 정의와 같이 강도, 연성, 전도성, 또는 다른 어떤 특성들을 향상시키기 위해 서로 다른 금속으로 만든 몇몇의 합금은 많이 일반화 되어있다. 일반적으로 복합소재는 보강재(reinforcement)와 모재(matrix)로 구성된다. 보강재는 모재에 의해 접합되거나 둘러싸여 있다. 보강재는 섬유(fiber), 휘스커(whisker) 또는 미립자(particle) 등으로 만들어진다. 모재는 액체인 수지(resin)가 일반적이며, 보강재를 접착하고 보호하는 역할을 담당한다. 예를 들어 콘크리트는 수지에 해당하는 시멘트와 보강재로서의 자갈 또는 철근으로 구성된다. 비록 보강재와 수지가 혼합된 상태지만, 각각을 구별할 수 있고 구조적으로 분리할 수 있더라도, 이것들이 단독으로 있을 경우와 혼합된 상태일 경우는 매우 다르다.

10.4.1 복합소재의 장, 단점

복합재료는 많은 장점을 가지고 있으며 다음은 그중의 일부이다.

(1) 무게 당 강도비가 높다.
(2) 섬유 간의 응력 전달은 화학결합에 의해서 이루어진다.
(3) 강성과 밀도비가 강이나 알루미늄의 3.5~5배이다.

(4) 금속에 비해 수명이 길다.
(5) 부식에 대한 저항성이 우수하다.
(6) 인장강도는 강이나 알루미늄의 4~6배이다.
(7) 복잡한 형태나 공기역학적 곡률 형태의 제작이 가능하다.
(8) 결합용 부품이나 패스너를 사용하지 않아도 되므로 제작이 쉽고 구조가 간단하다.
(9) 수리가 쉽다.

복합재료의 단점은 다음과 같다.

(1) 판재의 박리(들뜸 현상)에 대한 탐지와 검사가 어렵다.
(2) 새로운 제작 방법에 대한 축적된 설계 자료가 부족하다.
(3) 가격이 비싸다.
(4) 제작 공정에 대한 설비 구축에 많은 예산이 든다.
(5) 제작 방법의 표준화된 시스템이 부족하다.
(6) 재료, 과정 및 기술이 다양하다.
(7) 수리 지식과 경험에 대한 정보가 부족하다.
(8) 생산품이 종종 독성과 위험성을 가지고 있다.
(9) 제작과 수리에 대한 표준화된 방법이 부족하다.

현대 항공기에 사용되는 복합재료 생산품은 강도 증가와 필요한 성능을 부여하기 위한 설계 능력 면에서 원 재료보다 탁월하기 때문에 수요가 점점 더 증가하고 있다. 항공기 구조에 대한 재료 선택에 있어서 강도 대 무게 비율, 비용, 설계, 검사의 편리성, 관련 정보 등을 고려할 때 복합소재가 더 유리할 것이다.

10.4.2 복합소재 취급 시 안전

복합재료 제품은 우리 몸에 매우 해로울 수 있다. 인체 건강에 단기 또는 장기적으로 심각한 자극과 해를 입을 수 있다. 개인의 건강을 위해 개인 보호용구는 반드시 착용해야 한다. 방독면(respirator)은 작은 유리 기포나 섬유 조각으로 인한 폐의 영구적인 손상으로부터 신체를 보호할 수 있기 때문에 방독면의 착용은 매우 중요하다. 먼지 마스크(dust mask)는 유리섬유 작업에 인가된 최소한의 필수품이며, 최선의 보호 방법은 먼지 필터(dust filter)를 갖춘 방독면을 착용하는 것이다. 만약 주위의 공기가 그대로 흡입된다면, 마스크는 착용한 사람의 폐를 보호할 수 없기 때문에 방독면이나 먼지 마스크의 정확한 착용이 매우 중요하다.

수지 작업을 할 때, 발생하는 증기에 대한 보호를 위해 방독면을 착용하는 것은 매우 중요하다. 방독면에 있는 숯 여과기는 한동안 증기를 제거해준다. 만약 마스크를 뒤집어 놓고 휴식을 취한 다음 다시 착용하였을 때 수지 증기 냄새를 느낄 수 있다면, 즉시 여과기를 교체해야 한다. 숯 여과기의 사용시간은 일반적으로 4시간 이하이다. 사용하지 않을 때는 밀폐된 가방에 방독면을 보관해야 한다. 만약 오랜 시간 동안 유독성 물질로 작업을 해야 한다면, 두건 딸린 송풍식 마스크(supplied-air mask)를 사용하는 것이 좋다.

긴 바지와 장갑까지 내려오는 긴 소매를 입거나 보호크림을 발라주면 섬유나 다른 미립자가 피부에 접촉되는 것을 방지할 수 있다. 보통 눈의 화학적인 손상은 회복될 수 없기 때문에 수지나 용제로 작업할 때는 통기구멍이 없는 누설방지 고글(goggle)을 착용하여 눈을 보호해야 한다.

10.4.3 섬유강화 재료

강화재는 최상의 강도를 제공하는 역할을 하고, 섬유 강화재는 미립자, 휘스커, 섬유 등 세 가지 주요 형태를 갖고 있다. 강화재에는 유리섬유(Glass), 탄소섬유(Carbon/Graphite), 아라미드(Aramid) 및 보론(Boron)섬유 등이 사용되며, 모재에는 열경화성 수지와 열가소성 수지, 금속, 세라믹(Ceramic) 등이 사용된다. 항공기 연료비 절감과 성능 향상을 위해 기체 구조물의 높은 강도와 경량화가 요구됨에 따라, 금속재료보다 가볍고 강도가 높은 다양한 종류의 새로운 복합재료들이 개발되고 있다.

10.4.4 박층 구조

복합 재료를 만들 때는 재료의 중심에 코어가 있는 경우도 있고 없는 경우도 있다. 코어가 있는 샌드위치구조(sandwich structure)는 같은 강도에 비해 무게가 가볍다.

박판의 코어는 거의 모든 재질로도 만들 수 있으며, 사용되는 용도, 강도, 적용하고자 하는 제조방법 등에 의해 결정된다. 박판 구조(laminated structure)의 코어 종류로는 단단한 폼(form), 목재, 금속, 또는 항공우주산업에 사용되는 종이, 노멕스(Nomex), 탄소섬유, 유리섬유 또는 금속 허니컴(honeycomb) 등을 포함한다.

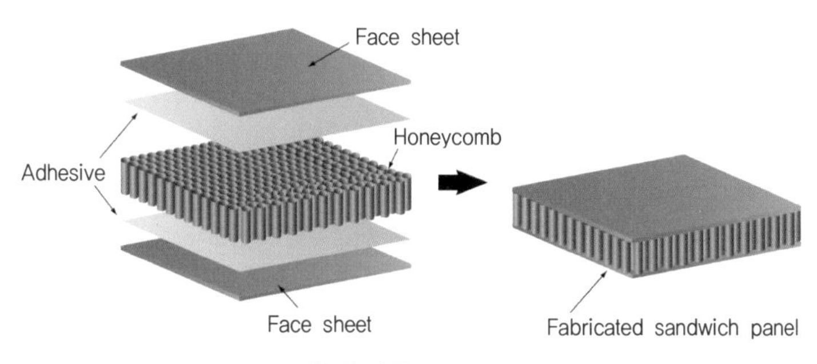

그림 5-37 샌드위치 구조

그림 5-37은 일반적인 샌드위치 구조를 보여주고 있다. 강도를 확실하게 하기 위해 박판 구조를 제작 또는 수리할 때는 적합한 기술이 뒷받침되어야 한다. 샌드위치 구조는 박판이나 단단한 면으로 된 앞판과 뒤판으로 구성되고 중심에는 코어가 삽입되는 구조이다. 앞판과 뒤판에 대한 재료의 선정은 부품의 용도에 따라 설계자(design engineer)에 의해 결정된다. 특정한 항공기에 적용할 경우에는 시험과 수리 절차에 대한 제작사 정비 교범에 있는 특별사용법 설명서(manufacturer's maintenance manual specific instruction)의 지침을 따라야 한다.

10.4.5 강화 플라스틱(Reinforced plastic)

강화 플라스틱은 레이돔(radome), 안테나 덮개(antenna cover), 날개 끝(wing tip) 등의 제작, 전기 장치와 연료 셀(fuel cell), 다양한 부분품에 대한 절연물(insulation)

등으로 사용되는 열경화성 재료이다. 이것은 우수한 절연 특성을 가지고 있어서 레이돔을 만드는데 이상적이다. 또한 강도대 무게비가 크고, 곰팡이, 녹, 부식에 대한 저항력과 제작이 용이하다는 장점 때문에 항공기의 다른 부분에도 많이 사용된다.

항공기에 사용되는 강화 플라스틱 구성품은 고형판(solid laminate)으로 된 것과 샌드위치현판으로 구성된 것이 있다. 유리섬유직물에 주입되는 수지는 경화하는 동안에 거의 압력을 필요로 하지 않는 접착 · 압력 방식이다. 이런 수지는 물과 비슷한 농도에서 끈끈한 시럽 정도의 점도를 유지하는 액체 상태로 만들어진다. 경화나 중화 작용은 보통 과산화 벤졸(benzoyl peroxide)을 촉매(catalyst)로 해서 반응이 일어난다. 고형판은 고형 판재나 주형(molded) 모양을 형성하기 위해 수지를 침투시킨 습식 박판을 3겹 이상 쌓아서 조립한다.

샌드위치형판은 내부에 있는 유리섬유로 만든 벌집형 코어나 거품형 코어를 두 장 또는 그 이상의 판형이나 주형으로 둘러싸여 있다. 벌집형 코어는 폴리에스테르(polyester) 또는 나일론(nylon)과 페놀 수지(phenolic resin)의 혼합물을 침투시킨 유리섬유 천으로 만든다. 벌집형 코어는 틀에서 제조한 후 원하는 크기만큼 잘라서 사용한다. 거품형 코어는 알키드 수지(alkyd resin)와 메타톨루엔(meta-toluene), 디이소시안 에스테르(di-isocyanate)의 혼합물로 만들어진다. 거품형 코어로 채워진 샌드위치형 유리섬유 부품은 주형 면과 코어 재료의 전체 두께를 매우 정밀한 공차로 제작한다. 이러한 정밀도를 얻기 위해, 수지를 정밀한 공차로 제작한 주형틀에 주입시킨다. 수지는 즉시 거품을 일으키며 흘러들어가 주형 공간을 채우고 외판과 코어를 결합시킨다.

10.5 고무(Rubber)

고무는 먼지, 습기, 공기 등이 들어오는 것을 방지하고 액체, 가스 또는 공기의 손실을 방지할 목적으로 사용된다. 또한 진동을 완충시키고 잡음을 감소시키며 충격 하중을 감소시키는 데도 사용된다. 고무에는 천연고무, 인조고무나 실리콘 고무등도 포함 된다.

10.5.1 천연 고무(Natural Rubber)

천연고무는 합성고무나 실리콘 고무보다 가공성이나 물리적 특성이 더 좋다. 이러한 특성을 말하면 신축성, 탄성, 인장강도, 전단강도와 유연성에 기인한 저열가공성 등을 포함한다. 천연고무는 다양한 용도를 갖는 제품이지만 쉽게 변질되고 모든 영향에 대해 저항성이 부족하기 때문에 항공용으로는 부적합하다.

천연고무는 합성고무보다 훨씬 빨리 변질되어 현재는 물과 메탄올 계통의 차폐물질로 사용되고 있다.

10.5.2 합성 고무(Synthetic Rubber)

합성 고무도 다양한 종류로 제조되고 있으며 각각 요구되는 성질에 부합되게 하기 위해 여러 재료로서 합성된다. 가장 널리 사용되는 것으로 부틸(butyl), 부나(buna), 네오프렌(neoprene) 등이 있다.

부틸은 가스침투에 높은 저항력을 갖는 탄화수소 고무이다. 이것은 또한 퇴화에 대한 저항성도 있지만 물리적 비교특성이 천연고무보다 훨씬 덜하다. 부틸은 산소, 식물성 기름, 동물성 지방, 알카리, 오존 및 풍화작용에 견딜 수 있다.

천연고무와 같이 부틸은 석유나 콜타르 용제(coal-tar solvent)에 부풀어 오르며 습기의 흡입성이 낮으나 큰 온도범위에 대해 좋은 저항력을 가지고 있다. 등급에 따라 -65°F~300°F의 온도범위에서 사용이 가능하다.

부틸은 에스테르 유압유(skydrol), 실리콘 유체, 가스 케톤(ketone), 아세톤(acetone) 등과 같이 사용해도 된다.

부나고무는 처리나 성능 특성에 있어서 천연고무와 비슷하다. 부나 고무는 천연고무와 같이 방수특성을 가지고 있고, 어느 정도 우수한 시효특성을 가지고 있다. 또한 열에 대한 저항성이 강하지만, 유연성은 결여되어 있다. 부나는 일반적으로 가솔린,

오일, 농축된 산과 솔벤트 등에는 저항성이 약하다. 부나는 천연고무의 대용품으로 타이어나 튜브 등에 일반적으로 사용된다.

부나-S는 탄화수소나 다른 솔벤트에 대해 우수한 저항력을 갖지만, 낮은 온도의 솔벤트에는 저항력이 약하다. 부나-N 합성제는 300°F 이상의 온도에 대해 좋은 저항성을 가지고 있고, -75°F까지 온도에 적용되는 저온용으로도 사용할 수 있다. 부나-N은 균열이나 태양 오존에 대해 좋은 저항성을 가진다. 또한 금속과 접촉하여 사용할 때 마모에 대한 저항이 좋으며 절단 특성도 좋다. 유압 피스톤에 실(seal)로 사용될 경우에도 실린더 벽에 고착되지 않는다. 부나-N은 오일이나 가솔린 호스, 탱크 내벽, 가스켓(gasket) 및 실에 사용된다.

네오프렌은 천연고무보다 더 심하게 다룰 수 있으며 더 우수한 저온 특성을 가지고 있다. 또한 오존, 햇빛, 시효에 대해 특이한 특성을 가지고 있다. 네오프렌은 고무처럼 보이고 그렇게 느껴지지만, 부틸이나 부나보다 몇 가지 특성에 있어서 고무와 같은 특성이 좀 부족하다. 인장강도, 신장력 같은 네오프렌의 물리적 특성은 천연고무와 같지 못하고 제한된 범위에서만 유사하다. 마모 저항과 마찬가지로 균열저항도 천연고무보다는 조금 부족하다. 비록 변형에 대한 회복이 완전하지만 천연고무처럼 신속하게 회복되지 못한다.

네오프렌은 오일에 대해서는 우수한 저항성을 갖는다. 비록 비 방향족 가솔린 계통에는 좋은 재료지만 방향족 가솔린 계통에는 약한 저항력을 가진다. 네오프렌은 주로 기밀용 실, 창문틀, 완충패드(bumper pad), 오일 호스, 기화기 다이어프램(carburetor diaphragm) 등에 주로 사용된다. 또한 이것은 프레온(freon)이나 실리케이트 에스테르(silicate ester) 윤활제와 함께 사용하기도 한다.

다황화 고무(poly-sulfide rubber)로도 알려진 티오콜(thiokol)은 퇴화에 대해서 높은 저항성을 가지고 있으나 물리적 성질에 있어서는 최하의 위치를 차지하고 있다. 일반적으로 티오콜은 석유(petroleum), 탄화수소(hydrocarbon), 에스테르, 알코올, 가솔린 혹은 물에 대해 심하게 영향을 받지 않는다.

타오콜은 압축방향 인장강도, 탄성 그리고 균열, 마모 저항과 같은 물리적 성질에 있어 낮은 위치를 차지하고 있다. 티오콜은 오일호스, 방향족 항공용 가솔린(AV gas)를 위한 탱크내벽, 가스켓, 실 등에 사용된다.

실리콘 고무는 규소, 수소와 탄소로 만들어진 플라스틱 고무 재질에 속한다. 규소 제품은 우수한 고온 안정성과 아주 낮은 온도에 대한 유연성을 가지고 있다. 이들은 가스켓, 실 또는 온도가 600°F 이상 되는 기타 부분에 적절하게 사용된다.

또한, 규소고무는 -150°F까지의 저온도에서 저항력을 가지고 있다. 이 온도범위에 걸쳐 규소고무는 높은 유연성을 가지고 있고 경화 내지 점착(gumminess)되는 일이 없다. 이 물질이 오일에 대해 좋은 저항력을 가지고 있지만 방향 및 비 방향족 가솔린에 대해서는 좋지 않은 반응이 나타난다. 가장 많이 알려진 규소제품에 실라스틱(silastic)은 전기와 전자장치의 절연에 사용된다. 넓은 온도 범위에 걸쳐 부전도성 때문에 유연성을 가지며 잔금이 가거나 손상되지 않는다. 또한 실라스틱은 특정 오일 계통의 가스켓이나 실로 사용된다.

10.6 완충장치 코드(Shock Absorber Cord)

완충장치 코드는 천연고무 가닥을 산화와 마모에 잘 견디도록 처리한 무명실로 짠 외피를 씌워서 만든다. 고무줄 다발이 원래 길이의 약 3배 정도로 늘어나는 동안, 이 고무줄에 무명실로 짠 외피를 직조해 넣으면 큰 장력과 신장을 얻을 수 있다. 탄성식 충격흡수 코드에는 두 종류가 있다. 제1형은 직선 코드이고, 제2형은 번지(bungee)라고 알려진 연결된 고리형식이다. 제2형 코드의 이점은 신속 용이하게 교환할 수 있고 늘리거나 꼬임에 대해 안정성이 있는 것이다. 완충기 코드는 표준 직경이 1/4 인치에서 13/16 인치에 걸쳐 구입이 가능하다. 코드의 전 길이에 걸쳐 외피에 3가지 생상으로 표시된 실로 짜여진다.

이 실 중에 둘은 같은 색상이며 제작년도를 니티내고, 색상이 다른 세 번째 실은 코드가 제작된 시기를 1년의 1/4로 하여 표시된다. 코드는 5년을 단위기간으로 하여 표시되며 그 기간이 지나면 다시 반복된다. 이것은 표 5-8에 표시된 년도를 구분하기 위한 색상을 보여준다.

표 5-8 완충장치 코드의 색상 코딩

Year	Threads	Color
2000	2	black
2001	2	green
2002	2	red
2003	2	blue
2004	2	yellow
2005	2	black
2003	2	green
2007	2	red
2008	2	blue
2009	2	yellow
2010	2	black

Quarter Marking		
Quarter	Threads	Color
Jan., Feb., Mar.	1	red
Apr., May., June.	1	blue
July., Aug., Sept.	1	green
Oct., Nov., Dec.	1	yellow

10.7 실(Seals)

실은 어떤 부분에 유체가 통과하는 것을 방지할 뿐 아니라 계통으로부터 공기나 먼지의 유입을 방지하는데 사용된다. 항공기 계통에서 유압과 공압의 사용도가 증가됨에 따라 다양한 특성의 패킹(packing)과 가스켓에 대한 필요성이 증가하고 해당되는 가동속도와 온도에 알맞게 여러 가지 모양으로 설계된다. 한 개의 형상이나 종류의 실이 모든 장치에 만족하지 못한다. 이것에 대한 몇 가지의 이유는 다음과 같다.

(1) 계통이 작동하는 압력
(2) 계통에 사용되는 유체의 종류
(3) 금속의 정도와 접한 부분 사이의 유격
(4) 운동형태(회전 또는 왕복)

실은 패킹, 가스켓, 와이퍼 등 세 가지 종류로 구분한다.

10.7.1 패킹(Packing)

패킹은 합성고무나 천연고무로 만들어진다. 패킹은 일반적으로 작동실에 사용된다. 즉 작동 실린더, 펌프, 선택밸브 등과 같이 움직이는 부분을 포함하는 장치에 사용된다. 그림 5-38와 같이 패킹은 O-링, V-링, U-링 등의 형태로 만들어지며 각각은 특수한 용도를 위해 설계되었다.

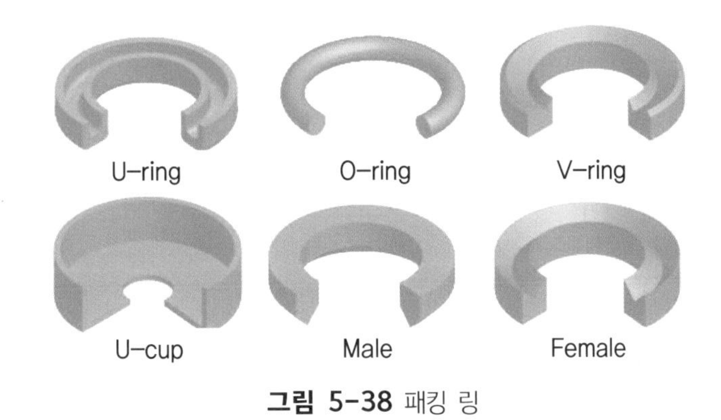

그림 5-38 패킹 링

10.7.2 O-링 패킹(O-ring packing)

O-링 패킹은 내부와 외부 누설을 방지하기 위해 사용된다. 이 종류의 패킹 링은 양방향에서 효과적으로 밀봉하며 가장 일반적으로 사용되는 종류이다. 1500psi 이상의 압력을 받는 장치에서는 O-링이 밀려서 이탈하는 것을 방지하기 위해 O-링과 함께 받침 링(backup ring)이 사용된다.

작동 실린더에서와 같이 양측에서 압력을 받는 O-링이 사용될 때는 O-링의 양쪽에 한 개씩 모두 2개의 받침 링(backup ring)을 사용해야 한다. O-링이 단지 한 방향에서만 압력을 받게 되는 경우는 일반적으로 받침 링을 하나만 사용하면 된다. 이러한 경우에는 받침 링은 압력을 받고 있는 O-링의 반대편에 항상 위치시켜야 한다. O-링을 만드는 재료는 다양한 작동 조건, 온도 그리고 유체에 따라 다양하다. 특별히 움직이지 않는 실로 설계된 O-링은 유압 피스톤과 같은 움직이는 부분에 장착했을 때는 그 기능을 다하지 못한다. 대부분의 O-링은 모양이나 구조에 있어 비슷하나 특성은 아주 다르다. 만약 계통유압과 작동온도에 맞지 않는 O-링은 소용이 없다.

항공기 설계가 발전됨에 따라 변화하는 작동조건에 대처할 수 있는 새로운 O-링 제작이 필요해지고 있다. 유압. O-링은 원래 -65°F~160°F의 온도 범위에서 MIL-H-5606 유압에 사용하도록 AN 규격번호(6227, 6230)가 정해져 있다. 새로운 설계로서 작동온도를 275°F까지 사용이 가능하도록 하고 있다. 또한 많은 재료들이 개발되고 완성되고 있다. 최근에는 고온 성능을 희생시키지 않고 저온성능을 향상시킬 수 있는 물질이 개발되었다. 이 우수한 재료는 MS28775 계열에 채택되었다. 이 계열은 온도가 -65°F까지 변화하는 MIL-H-5606 계통에 표준으로 사용되고 있다.

제작사는 어떤 O-링에는 색 표시를 하기도 한다. 그러나 이것은 의뢰할 만하거나 완전한 식별방법이 아니다. 색 표시는 방법 크기를 표시하는 것이 아니고, 계통에 사용되는 유체, 증기의 적합성, 경우에 따라서는 제작사를 나타내기도 한다.

MIL-H-5606 유체에 적합한 O-링은 항상 푸른색으로 되어 있다. 그러나 적색이나 다른 색상으로 표시할 수도 있다. 스카이드롤 유체에 적합한 패킹과 가스켓은 항상 초록색 띠로 표시하게 되었지만, 색 표시의 일부로써 청색, 적색, 초록색 또는 노란색 점을 찍기도 한다. 탄화수소 유체에 적합한 O-링의 색 표시는 항상 적색이고 청색은 포함되지 않는다. 주위에 둘러서 나타낸 색상 띠는 O-링이 보스 가스켓 실(boss gasket seal)이란 것을 나타낸다. 띠의 색상은 유체의 적합성을 나타낸다. 연료용은 적색, 유압용은 청색이다.

어떤 링의 코딩은 영구적인 것이 아니며 어떤 링의 코딩은 작동에 방해되거나 제작 상의 어려움으로 인해 생략하기도 한다. 더구나 색 표시의 방법은 O-링의 수명이나 온도한계를 정하는 방법이 되지 못한다.

색 표시의 어려움 때문에 O-링은 개별로 밀봉한 봉투에 넣고 해당되는 식별 자료가 붙어있다. 장착하기 위해 O-링을 선택할 경우 밀봉한 봉투에 있는 부품번호를 봄으로써 재료를 식별할 수 있다.

처음에 언 듯 보기에 O-링이 완전하게 보일지 모르지만 표면에 약간 흠이 있을 수도 있다. 이러한 흠은 항공기 계통의 다양한 작동 압력 하에서 만족스러운 O-링 성능을 발휘할 수 없을 지도 모른다. 그러므로 O-링은 성능에 영향을 주는 흠을 제거시켜야 한다. 그러한 흠들은 발견하기 어려우므로 항공기 제작사는 O-링을 장착하기 전에 배율이 4정도의 확대경을 사용하여 검사하는 것을 권장하고 있다.

검사용 원추대나 다우엘(dowel)에 링을 끼워 돌려가면서 내경부분에 균열이 가지 않았나, 외부물질이 들어가지 않았나, 또는 O-링의 수명을 단축시키고 누설원인이 되는 불균일성에 대하여 검사해야 한다. 링이 돌고 있을 때 안쪽에서 밖으로 약간 당겨보면 보이지 않는 흠도 발견하는데 도움이 된다.

10.7.3 받침 링(Backup Ring)

받침 링(MS28782)는 시간이 지나도 퇴화하지 않는 테프론(Teflon)으로 만들어졌고, 어떤 계통 유체나 증기에 의한 영향을 받지 않으며 높은 유압 계통에 나타나는 높은 온도에 대해서도 견딜 수 있다. 그들의 대쉬(-)번호는 크기를 나타낼 뿐 아니라 치수 상 적합한 O-링의 대쉬(-)번호와 직접적인 관계를 나타낸다. 그들은 기본 부품번호로서 찾을 수 있지만 상호교환이 가능하다. 즉 테프론 받침 링은 사용할 부분에 치수만 맞는다면 다른 테프론 받침 링으로 교환이 가능하다.

받침 링은 색 표시나 다른 표식이 되어 있지 않으나 포장의 표시로서 식별하도록 해야 한다. 받침 링의 검사는 표면의 불규칙 면이 없는지, 모서리의 윤곽이 선명한지, 접합부분이 평행한지 등을 확인하는 검사를 해야 한다. 테프론 나선형 받침 링을 검사할 때는 긴장을 주지 않을 경우 코일이 1/4인치 이상 벗어나지 않았는가를 확인해야 한다.

10.7.4 V-링 패킹(V-ring Packing)

V-링 패킹(AN6225)는 한쪽 방향 밀폐용 실이며 압력이 작용하는 쪽으로 V의 벌

어진 부분을 장착한다.

V-링 패킹은 장착 후 적당한 위치에 고정시키기 위해 한 쌍의 받침 링이 있어야 한다. 이것은 또한 제작사에 의해서 제시된 규정된 값까지 해당 부품의 실 리테이너(seal retainer)에 토크를 줄 필요가 있다. 그렇지 않으면 실은 만족스러운 역할을 못하게 된다.

그림 5-39은 V-링을 사용한 장착상태를 보여주고 있다.

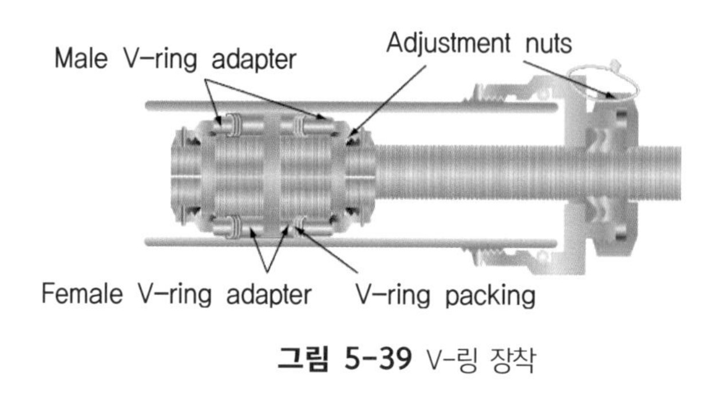

그림 5-39 V-링 장착

10.7.5 가스켓(Gaskets)

가스켓은 두 개의 평평한 면 사이에 고정되어 밀폐용으로 사용된다. 몇 가지 일반적인 가스켓의 재료는 석면 구리, 코크와 고무 등이다. 석면판은 내열 가스켓이 필요한 부분에 사용된다. 이것은 배기 계통의 가스켓으로서 광범위하게 사용된다. 대부분의 석면 배기 가스켓은 수명을 연장시키기 위해 구리로 가장자리를 입힌 얇은 판을 가지고 있다. 고체 구리 와셔는 비압축성이지만 약간 부드러운 가스켓이 필요한 스파크 플러그 가스켓(spark plug gasket)에 사용된다. 코크 가스켓(cork gasket)은 엔진 크랭크 케이스와 부품사이 기름을 밀폐하거나 면이 고르지 못하고 팽창과 수축 또는 거친 표면으로 공간이 생기는 부분에 사용된다.

고무판도 압축성 가스켓이 필요한 곳에 사용된다. 이것은 가솔린과 오일이 접촉하는 부분에는 사용되어서는 안 된다. 그 이유는 고무는 이러한 물질에 노출되었을 때는 아주 빠르게 변질되기 때문이다. 가스켓은 작동하는 실린더 마개 주위나 밸브 및 기타 부분의 유체계통에 사용된다. 이러한 목적에 사용되는 가스켓은 일반적으로 O-

링의 모양이거나, O-링 패킹과 비슷한 모양을 가지고 있다.

10.7.6 와이퍼(Wipers)

와이퍼는 피스톤 축의 노출된 부분을 윤활하거나 청소하는데 사용된다. 그들은 계통에 먼지가 들어가는 것을 막아주고 피스톤 축에 균열이 생기는 것을 막는 역할을 한다. 와이퍼는 금속제나 벨트형으로 되어 있고 그들은 자주 금속제 뒤에 벨트형을 붙여서 사용한다.

10.8 실링 컴파운드(Sealing Compound)

모든 항공기의 특정 부분은 공기에 의한 가압에 저항하기 위하여 또는 연료의 누설을 방지하기 위하여 또는 기포의 통과를 막고 풍화작용에 의한 부식을 방지하기 위하여 밀폐를 해야 한다. 대부분의 밀폐제는 가장 좋은 결과를 얻기 위하여 두 개 내지 두 개 이상의 성분으로서 구성되고 혼합이 되어 있고 기타 재료들은 사용하기 전에 혼합 작업을 해야 한다.

10.8.1 원 파트 실런트(One part sealants)

원 파트 실런트는 제작사에 의해서 만들어지고 포장 상태로 바로 사용할 수 있도록 되어 있다. 그러나 이 약품의 어떤 성분은 특수한 방법에 적용할 수 있도록 개조될 수 있다. 만약 희석이 요구된다면 실런트 제작사로부터 지정한 신나를 사용해야 한다.

10.8.2 투 파트 실런트(Two part sealants)

투 파트 실런트는 작업하기 전에 응고를 막기 위해 분리된 포장이 요구되는 혼합물이다. 그리고 본 실링 콤파운드와 악셀레이터(accelerator)로 구분되어 있다. 정해진 비율을 변경시키면 재료의 질을 감소시킨다. 일반적으로 투 파트 실런트는 기호 컴파운드와 악셀레이트를 중량에 있어서 똑같은 비율로 혼합한다. 모든 실런트 재료는 실런트 제작사의 권고에 따라서 조심스럽게 무게를 달아야 한다.

실런트 재료는 보통 실런트나 악셀레이터의 여러 가지 모양에 대해서 특별히 준비한 천칭 저울을 이용하여 무게를 측정해야 한다. 실런트 재료의 무게를 달기 전에 기초 실런트 합성물과 악셀레이터를 충분히 섞어야 한다. 건조해서 굳어진 악셀레이터의 덩어리나 부스러기를 사용해서는 안 된다.

미리 측정된 실런트 키트(sealant kit)로 모든 양을 같이 혼합할 때는 실런트와 악셀레이터의 무게를 측정할 필요가 없다. 실런트 재료와 악셀레이터의 정확한 분량이 결정되었으면 기초 실런트에 악셀레이터를 집어넣는다. 악셀레이터를 집어넣는 즉시 그 물질의 성분에 따라서 휘젓거나 뒤집어서 두 부분을 완전하게 혼합한다. 두 물질은 혼합에 있어서 공기가 들어가지 않도록 주의하면서 조심스럽게 섞어야 한다.

너무 성급하거나 또는 너무 완만하게 휘젓는 것은 피해야 한다. 이유는 혼합 중에 가열되거나 혼합된 실런트의 정상적 작용시간을 단축시키기 때문이다.

잘 혼합되었는지를 확인하기 위하여 유리나 깨끗하고 평평한 물질 표면 위에 조그맣게 칠해 봄으로써 확인할 수 있다. 만약 작은 부스러기나 덩어리가 발견되면 계속해서 혼합시켜야 한다. 또한 작은 부스러기나 덩어리가 제거될 수 없다면 그 통의 것은 버려야 한다.

혼합된 실런트의 작용시간은 한 시간 반부터 4시간 사이인데 이는 실런트의 종류에 따라 다르다. 그러므로 혼합된 실런트는 가능한 빨리 사용되어야 하고 그렇지 않다면 냉장고에 보관해야 한다.

다음의 그림 5-40은 다양한 실런트에 대한 일반적인 자료를 보여준다.

혼합된 실런트의 응고율은 온도나 습도의 변화에 따라 달라진다. 실런트의 응고는 만약 온도가 영하 60°F로 내려올 때 가장 낮아질 것이다. 많은 실런트 응고의 가장 이상적인 조건은 온도 77°F에 상대습도 50% 이다. 응고는 온도의 증가에 따라 가속된다. 그러나 온도는 응고 싸이클의 어느 때나 120°F를 초과해서는 안 된다. 열은 적외선램프나 가열한 공기를 이용해서 가해야 한다. 만약 가열한 공기를 사용한다면, 공기로부터 습기와 불순물을 여과해서 적절히 제거시켜야 한다.

Sealant Base	Accelerator (Catalyst)	Mixing Ratio by Weight	Application Life (Work)	Storage (Shelf) Life After Mixing	Storage (Shelf) Life Unmixed	Temperature Range	Application and Limitations
EC-801(black) MIL-S-7502A Class B-2	EC-807	12 parts of EC-807 to 100 parts of EC-801	2–4 hours	5 days at −20°F after flash freeze at −65°F	6 months	−65°F to 200°F	Faying surfaces, fillet seals, and packing gaps
EC-800 (red)	None	Use as is	8–12 hours	Not applicable	6–9 months	−65°F to 200°F	Coating rivet
EC-612 P (pink) MIL-P-20628	None	Use as is	Indefinite non-drying	Not applicable	6–9 months	−40°F to 200°F	Packing voids up to ¼ inch
PR-1302HT (red) MIL-S-8784	PR-1302HT-A	10 parts of PR-1302HT-A to 100 parts of PR-1302HT	2–4 hours	5 days at −20°F after flash freeze at −65°F	6 months	−65°F to 200°F	Sealing access door gaskets
PR-727 potting compound MIL-S-8516B	PR-727A	12 parts of PR-727A to 100 parts of PR-727	1½ hours minimum	5 days at −20°F after flash freeze at −65°F	6 months	−65°F to 200°F	Potting electrical connections and bulkhead seals
HT-3 (greygreen)	None	Use as is	Solvent release, sets up in 2–4 hours	Not applicable	6–9 months	−60°F to 850°F	Sealing hot air ducts passing through bulkheads
EC-776 (clear amber) MIL-S-4383B	None	Use as is	8–12 hours	Not applicable	Indefinite in airtight containers	−65°F to 250°F	Top coating

그림 5-40 일반적인 실런트의 종류

모든 작업준비가 끝날 때까지 어떠한 실런트 접합면에라도 열을 가해서는 안 된다. 접합면에 영구적이거나 임시로 부착하는 모든 구조물들은 실런트의 사용제한시간 안에 결합시켜야 한다.

제6장 지상 취급

1. 항공기 엔진시동
2. 지상 지원 장비
3. 항공기 급유
4. 항공기 오일 보급
5. 산소 보급
6. 계류
7. 항공기 견인
8. 항공기 유도
9. 항공기의 잭 작업

1. 항공기 시동(Aircraft Starting)

이 장에서 소개되는 엔진의 시동절차는 학습을 위한 일반적인 절차로서 특정엔진에 대한 시동절차는 해당엔진의 제작사 교범을 참고해야 한다.

항공기 엔진 시동 전 준비사항은 다음과 같다.

(1) 항공기의 기수는 엔진의 냉각을 위해서 바람이 부는 방향으로 향하게 하고 바람이 적절하게 통할 수 있도록 해야 한다.

(2) 프로펠러 후류 또는 제트 엔진의 배기가스등으로 인한 재산피해 또는 신체적 상해의 가능성이 없는지 확인해야 한다.

(3) 전기 시동기 등 시동을 위해 외부 전원이 사용될 경우는 시동이 완료되면 안전하게 분리되고, 전체적인 시동단계에 있어 충분한지를 확인해야 한다.

(4) 시동절차를 수행하는 동안에는 반드시 적당한 위치에 적절한 소화기가 배치되고 화재를 감시할 수 있는 화재감시원을 배치해야 한다. 소화기의 용량은 최소 5lb이상의 CO_2 소화기이어야 한다. 화재감시원의 적절한 위치는 엔진의 외측 측면부근으로 조종사와 교감을 이룰 수 있는 위치이여야 한다. 또한 항공기/엔진 등의 문제발생을 잘 확인할 수 있는 곳이어야 한다.

(5) 가스터빈엔진 항공기의 경우는 엔진 입구 주위에 사람이나 이물질 등의 F.O.D(Foreign Object Damage)가 없도록 해야 한다.

이러한 시동 전 절차는 모든 항공기 동력장치에 적용되며, 자세한 시동절차에 대해서는 해당 항공기/엔진 제작사의 점검표(check list)를 참고해야 한다.

1.1 왕복엔진(Reciprocating Engines)

다음에 절차는 왕복엔진을 시동하는데 이용되는 대표적인 절차이다. 그러나 여러 왕복엔진에 대한 시동절차는 매우 다양하므로 유형마다 시동절치기 많이 다르다. 그러므로 해당 엔진의 제작사 교범을 참고해야 한다.

엔진에 사용되는 오일의 등급에 따라 엔진을 예열 또는 오일희석(oil dilution)을 하지 않아도 저온에서 시동이 가능하다.

엔진 시동 전에 항공기를 보호하기 위해 날개, 꼬리, 조종석, 바퀴 등에 씌워진 덮개들을 제거해야 한다. 전기 시동기를 구비한 엔진은 시동 시 외부전원을 사용해서 항공기 배터리의 과도한 부담을 줄여야 한다. 모든 불필요한 전기 장치는 발전기(generator)가 항공기의 파워버스(power bus)에 전원을 공급할 때까지 off되어야 한다. 30분 이상 정지되어 있던 성형엔진(radial engine)의 경우 시동하기 전에 점화스위치가 'off' 되었는지 확인하고 프로펠러를 손으로 3~4회 정도 돌리면서 유압폐쇄(Hydraulic lock) 현상이 있는지 점검해야 한다. 어떠한 액체라도 실린더 내에 존재할 경우에는 프로펠러를 회전시키기 위해 요구되는 비정상적인 작용력이 발생되거나 회전 시에 갑자기 프로펠러가 멈출 수 있다. 유압폐쇄가 감지되었다면, 프로펠러를 강제로 돌리지 말아야 한다. 유압폐쇄가 발생되었을 경우 크랭크 축(Crankshaft)에 과도한 힘이 작용하여 커넥팅 로드(Connecting rod)를 굽히거나 파손시킬 수 있다.

폐쇄를 없애기 위해서는 아래쪽 실린더의 전, 후방 중 하나의 점화플러그를 제거한 후 프로펠러를 회전시켜야 한다. 프로펠러는 정상회전의 반대방향으로 회전시키지 말아야 한다. 이는 액체를 실린더로부터 흡기관(intake pipe)으로 보낼 수 있기 때문이다. 이렇게 되면 액체가 다시 실린더로 유입되어 다음 시동 시 전체 또는 부분적으로 폐쇄현상이 일어날 수 있다.

다음은 엔진 시동 절차이다.

(1) 항공기에 보조연료펌프(Auxiliary fuel pump)가 있다면 작동시킨다.

(2) 시동된 엔진과 기화기(Caburetor)의 조합을 위해 혼합기 조절은 권고된 위치에 놓는다. 일반적인 규정에 따르면 혼합기 조절의 위치는 연료 분사식(fuel injection)은 'Idle Cut-off' 위치이며, 부자식 기화기(Float-type Carburetor)는 'Full Rich' 위치에 있어야 한다. 대부분 경량 항공기의 혼합비 조종은 중간 멈춤 위치가 없는 혼합 조절 풀 로드(Pull rod)로 되어있다. 이러한 조절은 계기판 쪽으로 완전히 밀어주었을 때, 혼합기는 'Full Rich' 위치로 되고,

조절로드(Control rod)를 반대로 완전히 잡아당기면 기화기는 'Idle Cutoff' 또는 'Full Lean' 위치가 된다. 엔진을 작동하는 사람은 요구되는 혼합기 설정을 위해 이들 2개의 위치 사이에 표시가 없는 중간위치를 선택할 수 있다.

(3) 1000~1200 rpm 정도로 회전할 수 있는 위치로 스로틀(throttle)을 연다.
('Close' 위치에서 대략 1/8~1/2 인치 정도)

(4) 역화(back fire)가 발생하였을 경우에는 손상과 화재를 방지하기 위해 예열 또는 기화기 공기조절(Carburetor air control)을 'Cold' 위치에 놓는다. 이러한 보조가열장치(auxiliary heating device)는 엔진이 데워진(warm up) 후에 사용 되어야 하는데 연료의 기화(vaporization)를 촉진시키고, 점화플러그의 오염과 얼음의 생성을 방지하며, 흡입계통의 결빙을 제거해 준다.

(5) 항공기에 장착된 유형에 따라 시동 절차 중에 프라이머(primer) 스위치를 가끔씩 'On' 시키거나 프라이밍 펌프를 1~3회 정도 저어서 가솔린을 주입한다. 추운 날씨일수록 프라이밍(priming)은 더욱 필요해 진다.

(6) 시동기를 작동하기 전에 적어도 프로펠러를 완전히 2바퀴이상은 회전시켜야 된다. 시동기를 작동시키고 점화스위치를 'On' 시킨다. 유도 바이브레이터가 장착된 엔진은 점화스위치를 'BOTH' 위치로 돌려주고, 시동 스위치를 'Start' 위치로 돌려주면 시동기가 작동한다.

엔진이 시동된 후에 시동기 스위치는 'Both' 위치로 놓는다. 임펄스 커플링 마그네토(Impulse Coupling Magneto)를 사용하는 엔진을 시동할 때에는 'Left' 위치로 점화스위치를 돌린다. 시동 스위치가 'Start' 위치에서 엔진이 시동되면 시동스위치는 해제된다. 시동기로 1분 이상 엔진을 가동시키지 말아야 한다. 재시동을 시도할 경우에는 시동기 냉각을 위해서 3~5분간 기다려야 한다. 이러한 듀티 사이클(duty cycle)은 준수되지 않으면 시동기의 과열로 인해 시동기가 타버릴 수도 있다.

(7) 엔진이 원활하게 작동되면 혼합비 조종을 'Full Rich' 위치로 놓고 오일 압력을 점검해야 한다.

엔진의 작동상태를 모니터링하기 위한 계기는 회전계, 매니폴드 압력계, 오일 압력계, 오일 온도계, 실린더 헤드 온도계, 배기가스 온도계, 연료 유량계 등이 있다.

1.1.1 수동식 시동 엔진(Hand Cranking Engine)

자체 시동을 할 수 없는 항공기에서는 프로펠러를 손으로 돌려서 엔진을 시동해야 한다. 프로펠러를 돌리는 사람은 'Fuel on, Switch off, Throttle closed, brake on' 이라고 외친다. 엔진을 조작하는 사람은 이러한 항목들을 확인하고 스위치를 'On' 시킨다. 엔진 조작자는 'Contact'를 복명복창하고 스위치를 'On' 시켜야 한다. 스위치를 'On'시킨 후 'Contact'를 외쳐서는 절대로 안 된다.

프로펠러를 회전시킬 때는 다음과 같은 몇 가지의 간단한 주의사항을 통해 수동 엔진 시동에서 발생할 수 있는 사고를 방지할 수 있다.

(1) 프로펠러에 손을 댈 때는 항상 점화스위치가 켜져 있는 상태라고 가정한다. 마그네토를 작동하는 스위치는 점화를 중지시키기 위해 전류를 끊는 원리로 되어 있지만 결함이 있는 경우라면, 스위치가 'Off' 위치라고 해도 마그네토 일차회로(magneto primary circuit)에 전류를 흐르게 할 수 있으며, 이러한 상황은 스위치가 꺼져 있어도 엔진을 시동하게 할 수 있다.

(2) 지면이 단단한지 확인한다. 지면에 미끄러운 풀이나 진흙, 그리스(grease) 또는 자갈 등이 프로펠러 안쪽 또는 밑으로 떨어질 위험이 있다.
엔진이 작동되고 있지 않더라도 프로펠러의 회전반경 안에 신체의 어느 한 부분도 들어가 있어서는 안 된다.

(3) 프로펠러를 회전할 때 발이 프로펠러로부터 멀리 떨어져 있도록 서야한다. 제동장치고장으로 인한 사고에 대비해 프로펠러를 가동 시키자마자 멀리 떠나야 한다.

(4) 프로펠러로 쏠려 넘어질 위치에 서면 안 된다. 엔진이 시동될 때 신체의 중심을 잃어 프로펠러 쪽으로 넘어질 수 있는 위험을 초래할 수 있다.

(5) 프로펠러를 회전함에 있어 항상 프로펠러를 손바닥으로 밀어 아래쪽으로 동작시키고 손가락으로 프로펠러를 잡지 말아야 한다. 이는 'kick back' 발생 시 손가락을 다치게 하거나 신체를 프로펠러 반경 안으로 들어가게 할 수도

있기 때문이다.

시동 중 엔진이 점화된 후에 스로틀을 과도하게 열고 간헐적으로 프라이밍을 시도한다면 역화(back fire)의 주원인이 될 것이다. 계속적으로 프라이밍을 하는 동안 스로틀을 천천히 열면 최초의 농후한 혼합비를 원활한 작동을 통해 최적의 출력 혼합비로 감소시킬 수 있다. 과 농후 혼합비에서 엔진 작동을 하게 되면 작동은 원활하지 않지만 역화는 일어나지 않는다.

프라이밍 펌프를 사용하는 엔진을 시동시킬 때는 엔진이 점화가 될 때 혼합기 조절을 'Full Rich' 위치로 이동시켜야 한다.(혼합기 조절이 'Full Rich'가 아닐 때). 엔진이 즉시 시동되지 않으면 즉시 혼합기 조절을 'Idle Cutoff' 위치로 되돌려야 한다. 이러한 절차를 실패한다면 기화기의 연료 흡입구에 과도한 연료가 흘러 들어가 화재를 발생 시킬 수도 있다.

엔진이 시동기에 의해 회전될 때까지는 프라이밍을 하지 말아야 한다. 이는 화재를 발생시키거나 또는 실린더 및 피스톤의 파손뿐만 아니라 유압폐쇄에 의한 엔진 고장을 일으킬 수 있다. 부적절하게 엔진이 연료로 차거나 프라이밍 되었을 때는 점화스위치를 끄고 스로틀을 'Full Open' 위치로 이동시켜야 한다.

엔진으로부터 과도한 연료를 제거하려면 엔진을 손 또는 시동기로 회전시켜야 한다. 엔진을 회전 시키는 데 과도한 힘이 들 때는 즉시 회전을 중지해야 되며, 엔신을 회전시키는 데 과도한 힘을 가하면 안 된다. 유압폐쇄의 의심이 될 때는 아래쪽 실린더의 점화플러그를 장탈한다. 만약 과부하가 걸릴 경우에는 아래쪽 실린더의 흡입관을 제거할 수도 있다. 항공기에서 프라이밍에 의한 엔진 파손을 감소시키기 위해서는 엔진 과급기에 드레인 밸브(drain valve)가 결함 또는 고착되었는지를 수시로 점검해야 한다.

엔진이 시동되면 제일 처음 오일 압력계를 보아야 한다. 오일 압력이 30초 이내에 올라가지 않는다면 엔진을 끄고 고장탐구를 실시해야 한다. 오일 압력이 정상적으로 지시한다면 엔진의 난기운전을 위해 항공기 제작사가 규정하는 rpm으로 스로틀을 고정한다. 난기 운전은 보통 1000~1300rpm의 범위이다.

왕복엔진은 주로 공랭식을 사용한다. 공랭식의 적절한 냉각은 항공기 전진속도에 의해 유지되므로 엔진을 지상에서 운전할 때는 각별한 주의가 요구된다.

모든 지상 작동 중에는 프로펠러를 저 피치(Low Pitch)로 하여 작동시키고, 카울링(Cowling)은 최대냉각을 위해 최대한 열어야 하며, 엔진을 바람이 불어오는 방향으로 향하게 해야 된다. 엔진 계기는 항상 주의 깊게 관찰해야 한다. 엔진의 난기운전을 위해 카울 플랩(Cowl flap)을 닫지 말아야 한다. 만약 카울 플랩을 닫으면 점화하네스(ignition harness)가 과열되기 쉽다. 엔진을 난기 운전할 때는 손상위험이 있는 요원, 지상설비 및 장비 등을 주시하여야 하고, 타 항공기는 프로펠러의 영향 구역 내에 있어서는 안 된다.

1.1.2 엔진화재의 진화(Extinguishing Engine Fires)

어떠한 경우라도 화재감시자는 항공기 엔진이 시동되고 있는 동안에는 CO_2 소화기 옆에서 대기해야 한다. 화재감시자은 화재 발생 시 화재진압을 위해서 엔진 흡입구를 향하여 소화기를 분사할 수 있도록 엔진 흡입계통에 대해 잘 알고 있어야 하며, 화재는 실린더에서 점화되고 있는 액체 연료에서부터 엔진 배기계통에 이르기까지 다양하게 일어날 수 있으므로 엔진이 정상적으로 회전하고 있는 경우도 분사될 수 있어야 한다.

만약 시동 중에 엔진 화재가 발생되었다면 엔진 시동을 계속하여 불꽃을 밖으로 불어내도록 하여야 한다. 그리고 엔진이 시동은 걸리지 않고 화재가 지속된다면 시동을 즉시 중지해야 할 것이다. 화재감시자는 이용할 수 있는 소화 장비를 사용하여 화재를 진화시켜야 한다. 그리고 시동 중 대기상태에서 항상 안전 상태를 관찰하여야 한다.

1.2 터보프롭엔진(Turboprop Engine)

1.2.1 시동 전 절차

터빈엔진의 시동은 세 단계로 순차적으로 이루어진다. 시동기는 엔진으로 흡입된

공기를 공급해 주기 위한 압축기(compressor)를 구동시켜준다. 공기의 속도가 연소하기 위한 충분한 속도에 도달하게 되면 점화플러그가 작동하여 연료를 연소하기 위한 불꽃을 일으킨다. 엔진의 속도가 점차 증가하여 스스로 회전 할 수 있는 속도에 도달하면 시동기는 분리된다.

엔진 시동 전에 항공기를 보호하기 위해 씌워둔 각종 덮개들을 제거하고, 엔진 배기부분에서 연료나 오일이 새어나오지 않는지 주의 깊게 점검한다. 엔진부분과 엔진 조종 장치부분은 정밀하게 육안검사를 실시한다. 그리고 모든 검사 창과 점검 창들이 잘 고정되어 있는지 나셀(nacelle)부분을 점검한다. 섬프(sump)를 점검하여 물이 고여 있는지 확인한다. 공기흡입구 부분의 일반적인 상태와 이물질 여부를 점검한다. 압축기에 손이 닿는다면 손으로 블레이드(blade)를 돌려서 회전이 자유로운지(free rotation) 확인해야 한다.

다음은 대표적인 터보프롭엔진의 시동절차이다. 그러나 터보프롭엔진은 여러 가지 유형이 있으며, 유형마다 시동절차가 많이 다르므로 이 절차를 실제의 엔진시동에 적용해서는 안 된다.

이 절차는 대표적인 절차로서 시동에 대한 절차와 방법 등을 학습을 위해 제공되는 것이므로 실제 터보프롭엔진을 시동할 경우에는 해당 엔진 제작사의 규범에서 제공되는 세부절차를 참고해야 한다.

터보프롭엔진은 보통 고정터빈(fixed turbine)과 자유터빈(free turbine)으로 나누어진다. 고정터빈은 프로펠러가 엔진에 직접 연결되어 있어서 엔진이 시동될 때 큰 저항을 준다. 만약 시동 시에 프로펠러가 'Start' 위치에 있지 않다면 큰 부하로 인해 시동이 어려워질 수 있다. 이것 때문에 프로펠러는 엔진이 정지된 상태에서는 부하를 최소한으로 줄일 수 있는 플랫피치(flat pitch)에 있으며, 시동 중에도 플랫피치를 유지한다.

자유터빈엔진은 프로펠러로 연결되는 가스발생기(gas generator)와 동력터빈 사이에 기계적인 연결이 되어있지 않다. 이러한 유형의 엔진에서는 시동 중에 프로펠러의 위치는 페더링(feather) 위치를 유지하며, 가스발생기가 가속될 때 회전하기 시작한다. 터빈엔진에 사용하는 계기는 형식에 따라 다르다. 그림 6-1은 터보프롭엔진의 대표적인 계기를 보여주고 있다.

그림 6-1 전형적인 터보프롭엔진의 계기

오일압력(oil pressure), 오일온도(oil temperature), 터빈온도(inter-turbine temperature) 및 연료유량(fuel flow) 등이다. 그리고 가스 발생기의 속도(gas generator speed), 프로펠러의 속도(propeller speed), 프로펠러가 만들어낸 토크를 측정하기 위한 계기들이 사용된다.

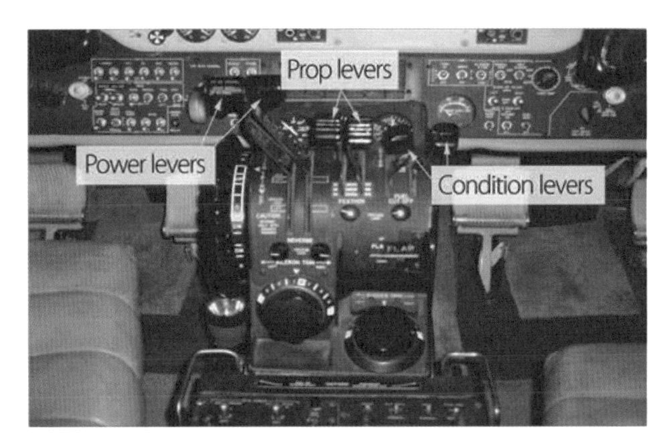

그림 6-2 터보 프롭 항공기의 엔진 조절

그림 6-2와 같이 전형적인 터보프롭엔진은 엔진조종을 위해 동력레버, 프로펠러 레버 및 컨디션 레버 등을 세트로 사용한다.

터빈엔진을 시동할 때 첫 번째 단계는 시동기를 위한 적당한 동력원을 제공하는 것이다. 소형 터빈엔진의 시동기는 전기전원으로 엔진을 회전시키는 전동기를 사용한다. 그러나 대형엔진은 더욱 강력한 시동기를 필요로 하는데 전동기는 전류흐름과 무게로 인해서 사용이 제한됨에 따라 가벼우면서도 시동에 충분한 동력을 만들어낼 수 있는 공기터빈시동기를 사용하고 있다. 공기터빈 시동기를 작동하기 위한 공기 공급은 항공기에 탑재된 보조동력장치(auxiliary power unit), 외부 지상동력장치 및 엔진 크로스 블리드(engine cross-bleed)로부터 공급된다. 일부의 경우 저압의 대 용적 탱크(large volume tank)에서 엔진 시동을 위한 공기를 공급 받기도 한다.

엔진 시동 중에는 항상 다음 사항을 유의해야 한다.

- 항상 시동기 듀티 사이클(duty cycle)을 준수한다. 그렇지 않으면 시동기가 과열되어 손상될 수 있다.
- 시동을 시도하기 전에 공기압이나 전력량이 충분한지 확인한다.
- 터빈입구온도가 제작사에서 명시된 규정 값 이상이라면 지상 시동을 할 수 없다.
- 엔진의 연료펌프에 낮은 압력으로 연료를 공급한다.

1.2.2 터보 프롭 시동절차(Turboprop Engine Starting Procedures)

지상에서 엔진시동 절차는 다음과 같이 수행한다.

(1) 항공기 승압펌프(boost pump)를 작동시킨다.
(2) 동력 레버가 'Start' 위치에 있는지 확인한다.
(3) 시동 스위치를 'Start' 위치에 놓는다.
(4) 점화 스위치를 ON 한다. 일부 엔진에서는 연료 레버(fuel lever)에 의해서 점화가 되기도 한다.
(5) 컨디션 레버(condition lever)를 'ON' 위치로 이동시켜 연료를 공급한다.
(6) 배기온도 엔진 감시등을 관찰한다. 배기온도의 한계를 최과하는 경우에는 시동을 즉시 중단해야 한다.
(7) 오일 압력과 오일 온도를 확인한다.

(8) 엔진이 스스로 회전할 수 있는 속도가 되면 시동기를 분리한다.
(9) 엔진이 완속 운전까지 증가되는지 확인한다.
(10) 규정된 최소 오일 온도에 도달될 때까지 동력레버를 'Start' 위치에 고정시킨다.
(11) 엔진 시동 시 지상 지원 장비를 사용했다면 장비를 분리한다.

다음에 나오는 현상은 시동 중에 나타날 수 있는 현상으로 만약 이러한 현상이 나타난다면 연료와 점화를 즉시 차단하고 시동을 중지해야 하며, 원인을 조사하여 발견된 사항을 기록해야 한다.

- 터빈 입구 온도가 최대 규정치를 초과하면 최고의 온도를 기록해야 한다.
- 프로펠러가 회전하기 시작하여 안정된 rpm까지 도달하는 가속시간이 규정된 시간을 초과한다면 그 시간을 기록해야 한다.
- 5000rpm에서 감속기어(reduction gear) 동력 장치에서 오일 압력이 상승되지 않을 경우
- 화염(정상적인 농후혼합 조작이 아닌 경우에 배기노즐에서 화염이 육안으로 보이는 경우) 또는 과도한 연기가 최초의 발화기관 동안 나타났을 경우
- 엔진이 4500rpm 또는 최대 모터링(motoring) rpm에서 점화에 실패하였거나, rpm이 감소하기 시작할 경우
- 비정상적인 진동이 나타나거나 압축기 서지(compressor surge) 현상이 발생한 경우(역화 발생)
- 엔진의 과열이나 화재에 의해 화재 경고 벨이 울릴 경우

1.3 터보팬 엔진(Turbofan Engine)

왕복 엔진이 장착된 항공기와는 달리 가스터빈엔진이 장착된 항공기들은 결함이 의심되어 고장탐구를 목적으로 하는 경우를 제외하고는 비행 전 시운전이 필요 없다.

시동 전에 모든 보호 덮개와 엔진 흡입구, 배기구 가림막 등은 제거해야 한다. 올바른 엔진 성능을 얻고 원활한 시동과 냉각 효율 등을 위해서 가급적이면 항공기는 바람이 부는 쪽으로 향하게 해야 한다. 특히 엔진 트림(trimmed)작업 시에는 항공기 기수가 바람 방향을 향하게 하는 것이 매우 중요하다.

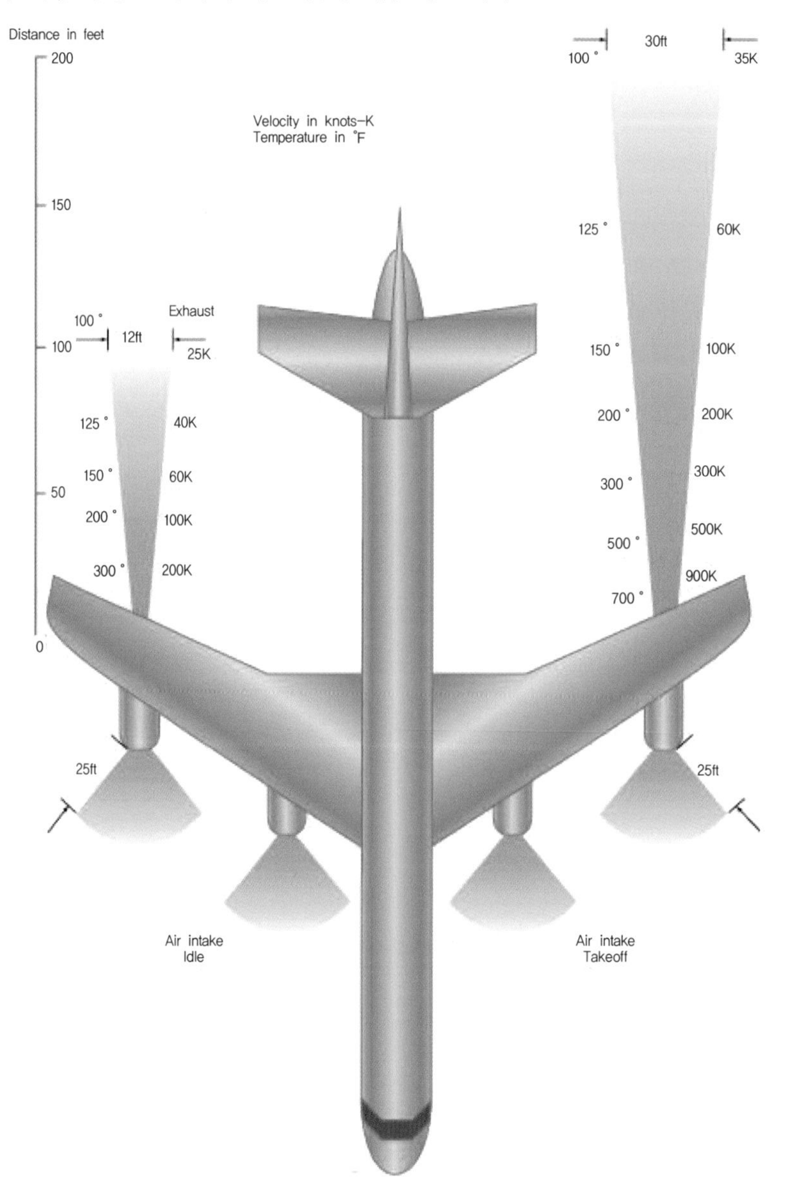

그림 6-3 엔진 흡입부분과 배기부분의 위험구역

항공기 시운전시 시운전 안전 범위 내에 사람이나 장비 등은 없어야 한다. 그림 6-3은 터보팬엔진의 흡입구와 배기 부분의 위험지역을 보여주고 있다. 또한, 시운전 지역 내에는 너트, 볼트, 돌 조각, 걸레 등의 모든 FOD와 같은 이물질은 제거되어야 한다. 대부분의 인명과 관련된 여러 가지 중대한 사고들은 터빈 엔진의 공기 흡입구 부근에서 발생된다. 따라서 터빈 항공기를 시동할 때는 세심한 주의가 필요하다.

항공기 연료섬프(fuel sump) 내에 물이나 얼음이 있는지 점검한다.

엔진의 흡입구에 이물질이 있는지 확인한다. 팬 블레이드(fan blade), 전방 압축기 블레이드(forward compressor blade) 및 압축기 입구 안내 베인(inlet guide vane)에 찍힘이나 다른 손상이 없는지 육안으로 확인한다.

가급적 손으로 팬 블레이드를 돌려서 걸림 없이 자유롭게 회전하는지 확인한다. 모든 엔진 조종 계통을 작동시켜야 하며, 엔진 계기와 경고등도 제대로 정상적으로 작동되는지 확인한다.

1.3.1 터보 팬 엔진 시동(Starting a Turbofan Engine)

다음에 나오는 절차는 대부분의 터빈엔진에 대한 대표적인 시동절차이다. 이 절차는 터빈엔진의 시동절차로서 학습을 위한 지침일 뿐, 실제의 엔진시동 절차와는 엔진 형식에 따라 많은 차이가 있음을 알아야 하며, 실제 엔진시동 절차는 해당 항공기의 제작사의 항공기 정비교범에 제공된 세부절차를 참고해야 한다.

대부분의 터보팬 엔진은 공기터빈 시동기 또는 전기 시동기로 시동이 이루어진다. 공기터빈 시동기는 앞에서 설명한 바와 같이 외부 공급원으로부터 제공되는 압축 공기를 이용해서 시동하는 방식이다.

연료는 시동레버를 'Idle/Start' 위치로 이동하거나 연료차단밸브(fuel shutoff valve)를 열어줌으로써 들어오게 된다. 공기터빈 시동기가 구동되고, 연료가 공급되기 시작했다면 규정된 시간 내에 엔진은 시동되어져야 할 것이다. 만약, 규정된 시간을 초과한다면 엔진에 어떤 결함이 존재한다는 것을 나타내므로 즉시 시동을 중단해야 할 것이다.

대부분의 터보팬 엔진 조종은 그림 6-4와 같이 추력레버(Thrust Lever), 역 추력 레버(Reversing Lever) 및 시동 레버(starting Lever)에 의해 이루어진다.

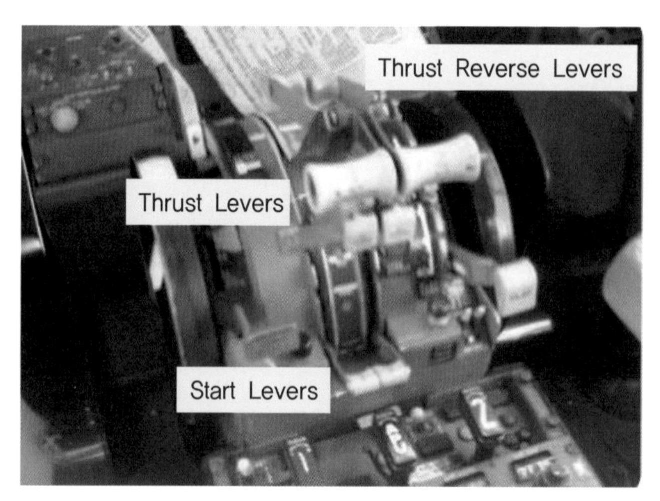

그림 6-4 터보팬 엔진 조절 레버

최근에 만들어진 새로운 항공기는 연료스위치가 시동 레버를 대신하기도 한다. 또한 터보 팬 엔진은 속도(총 rpm의 백분율), 배기가스 온도(exhaust gas temperature), 연료 유량(fuel flow), 오일 압력(oil pressure)과 오일 온도(oil temperature) 등의 일반적인 계기들을 사용한다. 엔진에 의해 발생되는 추력을 측정하는 계기로는 엔진 압력비(EPR : Engine Pressure Ratio) 계기로서 엔진의 입구압력과 출구압력의 비율을 측정한다.

다음 절차는 터보팬 엔진의 시동순서를 보여주기 위한 일반적인 지침이다.

(1) 동력 레버를 ‘Idle’ 위치에 놓는다.
(2) 연료 승압펌프 스위치(fuel booster switch)를 ‘On’ 한다.
(3) 연료 압력 지시계가 일정 압력을 지시한다면 연료가 엔진 연료펌프로 들어가고 있음을 의미하는 것이다.
(4) 엔진 시동기 스위치를 ‘On’ 한다. 엔진이 회전하기 시작하면 오일압력이 증가하는지 확인해야 한다.

(5) 점화 스위치를 'On' 한다. 이 절차는 시동 레버를 'On' 위치 쪽으로 밀면 레버에 연결된 마이크로 스위치에 의해 점화가 된다.
(6) 시동 레버를 'Idle' 또는 'Start' 위치로 밀면 엔진으로 연료흐름이 시작된다.
(7) 점화가 되어 엔진 시동이 되고 있다는 것은 배기가스 온도의 상승으로 확인할 수 있다.
(8) 이중 스풀(Two-spool) 엔진일 경우는 팬 또는 N1(Low)의 회전을 확인한다.
(9) 오일 압력이 규정 치에 있는지 확인한다.
(10) 적당한 속도에서 엔진 시동 스위치를 'Off' 한다. 최근 항공기의 경우에는 시동기가 자동으로 Off 된다.
(11) 엔진이 완속(Idle) 위치에서 안정되면 엔진 작동 한계가 초과되는 것이 없는지 확인한다.

1.4 보조동력장치(APU : Auxiliary Power Unit)

일반적으로 APU는 항공기가 지상에 있는 동안 엔진을 시동하기 위한 압축공기, 객실 내의 냉/난방을 위한 압축공기와 전원을 제공하는 소형 엔진이다. APU의 작동 절차는 간단하다. 스위치를 On하고 시동 위치로 스위치를 올리면 자동으로 시동이 된다. 시동 중에는 배기가스 온도를 관찰해야 한다. APU는 무부하 상태에서는 완속운전(100% rpm)이 유지된다. 엔진이 적절한 상태에 도달했을 때 객실의 냉/난방을 위한 공기와 전원 등을 사용할 수 있다. 또한, 압축공기는 일반적으로 주 엔진(main engine)을 시동하기 위해서도 사용된다.

1.5 불안정한 시동(Unsatisfactory Engine Start)

1.5.1 과열 시동(Hot start)

Hot Start는 엔진이 시동은 가능하지만 배기가스 온도가 규정치를 초과할 경우 발생한다. 원인으로는 과 농후 혼합가스가 연소실로 유입되는 경우를 들 수 있다. 이때 엔진으로 들어가는 연료는 즉시 차단되어야 한다.

1.5.2 결핍 시동(False/Hung Start)

Hung start는 엔진이 정상적으로 시동은 가능하지만 정상 시동 rpm으로 증가되지 않고 rpm이 낮은 범위로 내려가는 경우가 발생한다. 이는 시동기에 공급되는 동력이 부족하거나 엔진이 자체적으로 가속되기 전에 시동기가 분리되었기 때문이다. 이러한 경우에도 즉시 엔진을 정지시켜야 한다.

1.5.3 시동 실패(Engine will not start)

시동 실패는 엔진이 규정 시간 내에 시동되지 않은 경우를 말한다. 주요 원인으로는 엔진으로 공급되는 연료의 부족, 점화 계통의 익사이터 고장, 전력의 부족하거나 전혀 공급되지 않는 경우 또는 부정확한 연료 혼합비 등을 들 수 있다. 시동 실패의 경우에도 엔진은 정지시켜야 한다.

모든 불안정한 시동상태에서는 연료와 점화 계통은 Off 되어야 하고 엔진에 남아 있는 연료를 제거하기 위해 약 15초 동안 엔진 모터링을 실시해야 된다. 엔진을 모터링 할 수 없는 경우에는 재시동을 시도하기 전에 30초간 연료가 빠져나갈 수 있는 시간을 주어야 한다.

2. 지상 지원 장비(Ground Support Unit)

2.1 전기지상전원장치(Electric Ground Power Unit)

지상지원 전력보조 동력장치(Ground Support Electric Power Unit)로 사용되는 지상전원장치(GPU: Ground Power Unit)는 크기와 형태가 매우 다양하다. 그러나 이 장치들은 일반적으로 견인식, 고정식 그리고 자체 추진식 등 크게 3가지로 분류한다. 일부의 장치는 격납고 내에서 정비를 목적으로 사용되기도 하고, 어떤 장치들은 게이트 지역(gate area)에 위치해 사용하거나 또는 비행대기선에서 사용할 수 있도록 항공기에서 항공기로 이동이 가능하도록 만들어졌다.

고정식은 지상시설로부터 전원을 받아 전력을 제공한다. 이동식 동력장치, 즉 GPU는 일반적으로 전력을 만들어 줄 수 있는 발전기를 직접 구동시켜줄 수 있는 소형 엔진이 장착되어 있다. 일부의 소형 장치는 직렬 연결된 배터리를 사용하기도 한다. 견인식 지상전원 장치도 크기와 이용 가능한 전력범위에 있어서 여러 가지가 있다. 가장 작은 장치로는 경항공기 시동에 사용되는 대용량의 배터리가 있다. 이들 장치는 일반적으로 바퀴나 스키드 부분에 장착되어 있고, 적당한 플러그 장치에 연결되는 상당히 긴 전선을 구비하고 있다.

좀 더 큰 장치는 발전기가 장착되어 있으며, 전력 범위가 넓은 것이 특징이다. 이러한 지상전원 장치는 일반적으로 가스터빈엔진을 시동하기 위한 정 전류, 가변 전압 직류 전력을 공급한다. 또한, 왕복엔진 항공기를 시동하기 위한 정 전압 직류도 공급하도록 만들어졌다. 그림 6-5는 대형 전원장치를 보여주고 있다. 이와 같은 대형 견인식 전원장치는 아주 무겁고 관성이 크므로 견인 속도가 제한되며, 급선회 등은 피해야 한다.

자체 추진식 지상전원 장치는 견인식 장치보다 가격이 비싸고, 대부분의 경우 더 넓은 출력전압과 주파수를 공급한다. 예를 들면, 그림 6-6에서 보여주는 고정식 전력장치는 5분간 연속적으로 115/200V, 3상, 400Hz 교류전력 뿐 아니라 가변의 직류 전력을 공급할 수 있다.

그림 6-5 이동용 전기 동력 장치

그림 6-6 고정식 전기 동력 장치

지상 전력 장치를 사용할 경우에는 제동장치의 고장으로 인한 항공기와의 충돌 또는 주변의 다른 물건들과의 충돌 등을 방지하기 위해서 위치를 선정하는 것이 무엇보다 중요하다. 또한 지상 전력 장치는 전원을 공급하고 있는 항공기와 충분한 전원 케이블의 거리간격을 두어 계류해야 한다.

항공기에 지상전원 장치의 전원 케이블을 연결할 때는 모든 전기 취급상의 안전사항을 숙지해야 하고 전원 케이블이 항공기에 연결되어 있거나 발전기 계통이 작동 중일 때는 절대로 지상전원 장치를 움직여서는 안 된다.

2.2 유압 지상동력장치(Hydraulic Ground Power Unit)

이동식 유압시험대는 여러 가지 크기와 가격으로 만들어진다. 일부는 제한된 작동 범위를 갖고 있고 일부는 고정된 공장시험대가 할 수 있는 모든 계통의 시험을 수행할 수 있다. 어떤 유압동력장치는 항공기 정비를 수행할 때 항공기 계통을 작동시키기 위해 유압을 공급하며 다음과 같은 기능을 갖고 있다.

(1) 항공기 유압계통의 배출
(2) 항공기 계통 작동유의 여과작용
(3) 항공기 계통을 깨끗하고 미세하게 여과시킨 작동유로 재보급
(4) 항공기 계통 및 부수계통에 대한 성능검사
(5) 항공기 유압 계통에 대한 내부 및 외부 누설검사

그림 6-7 이동용 유압 동력 장치

이와 같은 형식의 이동식 유압시험장치는 보통 전기 동력장치이다. 이러한 장치는 3,000psi까지의 가변압력에 의해 약 0~24gallon/min까지 다양한 양의 액체를 공급

할 수 있다. 유압동력장치는 3000PSI이상의 고압으로 작동한다. 3,000PSI의 압력에서의 누설은 사물을 절단시킬 만큼 날카로운 칼날과도 같다. 따라서 더욱더 세심한 주의를 기울여야 할 것이다. 따라서 유압동력장치의 선에 절단, 마모 그리고 다른 어떠한 손상이 없는지 검사하고 꼬임, 비틀림 등이 없이 사용해야 하며, 사용한 후에는 릴에 감아서 깨끗하고 건조하게 보관해야 한다.

2.3 공기 조절 및 가열 장치 (Air Conditioning & Heating Unit)

공기 조절 및 가열 장치는 항공기를 가열시키거나 냉각시키기 위해서 조절된 공기를 공급하도록 만들어진 지상 지원 장비이다. 이 장비는 공기 조절능력에 비하면 가열능력은 보통 부가장치에 지나지 않으나 기후조건에 따라서는 가열작용도 냉각작용만큼 유용하게 이용된다.

2.4 지상지원 공기터빈 시동장치 (Ground Support Air Start Unit)

그림 6-8 통합 지상 동력 장비

공기 터빈 시동장치는 터보 프롭 또는 가스터빈 엔진의 공압식 시동기를 작동시키기 위해 압축공기를 생성하여 공급하여준다. 공기터빈 시동장치는 항공기를 견인하는 트레일러 장치에 장착하거나 자체 추진 장치로 되어있다.

그림 6-8은 통합 항공기 지상 동력 장비의 한 예를 보여준다. 이 장비는 항공기 시동용 압축공기(건조한 공기) 뿐 아니라 전기적 전원도 공급이 가능하다.

3. 항공기 급유(Aircraft Fueling)

일반적으로 사용되고 있는 항공연료에는 왕복엔진에 사용되는 항공용 가솔린 연료와 터빈엔진에 사용되는 연료로 나누어진다.

항공용 가솔린 연료는 AVGAS라고 부르며 왕복엔진에 사용되고 있다.

최근에 널리 사용되고 있는 연료는 80/87, 100/130, 100L, 115/145 등의 네 가지 등급이 있다. 네 번째 등급인 115/145는 대형 왕복엔진 항공기에서 제한적으로 일부 사용되고 있다. 항공기 연료 등급의 두 숫자는 혼합비의 한정을 나타내는 것이다. 100/130 등급의 연료를 예를 들면, 100은 희박 혼합비를 130은 농후 혼합비를 의미한다. 항공 연료를 다른 등급으로 표시하는 방법은 100까지는 옥탄가 번호로 나타내고 있으며, 이 옥탄가는 연료 속에 함유된 이소옥탄(C_8H_{18})과 정햅탄(C_7H_{16})의

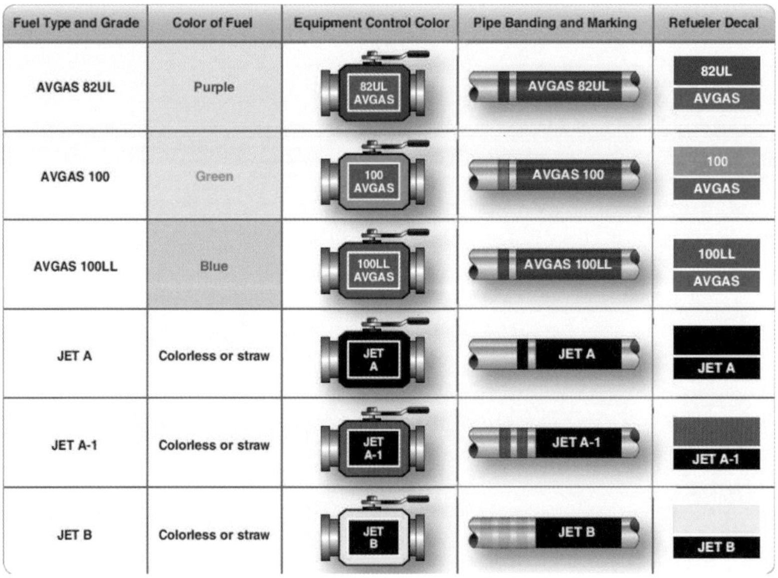

Fuel Type and Grade	Color of Fuel	Equipment Control Color	Pipe Banding and Marking	Refueler Decal
AVGAS 82UL	Purple	82UL AVGAS	AVGAS 82UL	82UL AVGAS
AVGAS 100	Green	100 AVGAS	AVGAS 100	100 AVGAS
AVGAS 100LL	Blue	100LL AVGAS	AVGAS 100LL	100LL AVGAS
JET A	Colorless or straw	JET A	JET A	JET A
JET A-1	Colorless or straw	JET A-1	JET A-1	JET A-1
JET B	Colorless or straw	JET B	JET B	JET B

그림 6-9 연료 장비 등에 사용되는 색깔 코드 및 표시

혼합비율을 기초로 하고 있다. 어떤 연료의 이소옥탄만으로 이루어진 표준 연료의 안티노크성을 옥탄(octane) 100으로 정하고, 정햅탄만으로 이루어진 표준 연료의 안티노크성을 옥탄 0으로 하여 표준 연료 속의 이소옥탄의 비율을 백분율로 표시한 것을

옥탄값이라고 한다. 만약 어떤 연료의 옥탄가가 97이라면 이 연료 중 이소옥탄이 97% 혼합되었다는 것이 아니라 97%의 이소옥탄과 3%의 정헵탄이 혼합된 시험연료가 표준연료의 노킹 압축비와 동일한 압축비에서 노킹이 발생했다면 이 연료를 옥탄가 97이라고 하는 것이다. 또한 어떠한 엔진이 순수한 이소옥탄만으로 노킹 없이 100%의 출력이 1,000마력이었다고 가정 했을 경우, 100 옥탄의 연료를 사용했을 경우 노킹 없이 1.3배의 출력(1,300 마력)을 얻었다고 하면 이 연료의 성능지수는 130의 연료라고 한다.

항공기용 가솔린은 등급 혼란을 막기 위해 일반적으로 80, 100, 100LL 또는 115로 식별한다. 또한, 그림 6-9와 같이 항공용 가솔린은 색상에 의해 확인된다. 색상은 배관과 주유장비에 있는 색상 띠와도 일치가 되어야 한다.

터빈 연료(또는 제트 연료)는 터보 제트 엔진과 터보 샤프트 엔진, 터보 팬 엔진 등에 공급되는 연료로서 케로신(kerosene)계 연료와 wide-cut계 연료로 나눈다. 케로신계 연료에는 가솔린이 전혀 포함되어 있지 않으며, Jet-A, Jet A-1 등이 포함된다. wide-cut계 연료에는 Jet-B등이 있으며, 이 연료는 30%의 케로신과 70%의 가솔린이 혼합되어 만들어진다. 군용으로는 케로신계의 JP-8과 wide-cut계의 JP-4 등이 이에 포함된다.

터빈 연료는 배관과 주유장비에 검정색으로 식별되지만 실제 색깔은 맑거나 밀집 빛깔을 띄고 있다.

항공용 가솔린과 터빈 연료는 절대로 혼합해서 사용되어서는 안 된다. 항공용 가솔린에 터빈 연료가 첨가되면 엔진출력이 감소하고, 디토네이션(이상폭발)의 원인이 되어 엔진의 손상과 수명을 감소시킬 수 있다.

3.1 오염(Contamination)

항공 연료의 오염은 엔진 고장 등을 일으키거나 나아가 엔진의 수명을 단축시키기 때문에 오염을 관리하는 것은 매우 중요하다. 오염은 연료계통으로 오염물질이 유입되거나 연료계통 내에 오염물질이 생기기도 한다. 오염의 유형으로는 물, 고형물, 미생물 성장 등이 있다.

항공연료에 함유되어 있는 물은 일반적으로 두 가지 형태로서 물에 용해된 증기와 자유수(free water)이다. 용해된 물은 온도가 떨어져 자유수가 될 때까지 큰 문제는 아니지만, 자유수에 의해 얼음이 형성되면 여과기 또는 다른 작은 도관을 막히게 하는 문제를 발생시킬 수 있다. 자유수는 물 슬러그(water slug)나 떠다니는 물로 나타날 수 있는데, 물 슬러그는 농축된 물로서 항공기 급유 후 배출되는 물 같은 것이다. 떠다니는 물은 작은 물방울들로 눈에 잘 보이지 않지만, 연료가 투명하게 보이지는 않으며, 시간이 지나면 가라앉는다.

고형물은 연료에 녹아들지 않는 것으로 녹, 오물, 모래, 개스킷 재질, 실 보푸라기 및 걸레조각 등이다. 연료 조종 장치를 비롯한 연료 관련 기계장치들의 정밀한 공차는 인간의 머리카락 직경의 1/20보다 더 작은 입자에 의해 손상되거나 막힐 수 있다.

미생물학적 성장은 터빈연료에서의 문제점이다. 터빈연료에 함유된 자유수에는 다양한 미생물의 개체가 생존하고 있다. 어떤 것은 흙속에 살지만 이들 유기체 중 일부 변종은 공기 중에 떠다니므로 항공기가 연료를 채울 때마다 이러한 유기체들이 쉽게 유입될 수 있다. 연료에 함유된 미생물의 성장에 좋은 환경은 따듯한 온도와 물에 함유되어 있는 산화철과 무기산염(mineral salt)의 존재이다.

다음에 나오는 항목은 미생물의 영향에 대한 것이다.

(1) 여과기, 분리기(Separator), 연료 조종 장치 등을 막히게 할 수 있는 점액 또는 찌꺼기의 형성
(2) 연료의 유화(emulsification)
(3) 연료탱크의 구조물을 침식시킬 수 있는 부식성의 화합물 생성.(습식날개탱크의 경우, 탱크는 항공기 구조물의 일부이며, 악취를 발생하기도 한다.)

미생물 성장을 방지하기 위한 최선의 방법은 연료에서 수분을 제거하는 것이다.

3.2 급유 절차(Fueling Procedures)

항공기의 급유는 정확한 유형의 연료와 안전한 급유절차를 적용하여 급유를 수행

해야 한다. 항공기 급유에는 두 가지 기본적인 절차가 있다.

그림 6-10과 같이 경항공기는 날개 위에서 연료를 급유한다.

그림 6-10 날개 위에서 연료 급유

이러한 방법은 연료호스를 사용하여 날개 상부의 주유구를 통해 연료를 보급한다. 대형 항공기에서 사용되는 방법은 단일 지점(single point) 급유 장치이다.

그림 6-11 단일 지점 급유

그림 6-11과 같이 이러한 형태의 급유장치는 한 지점에서 모든 연료탱크를 채우기

위해 날개 하부의 전연부에 있는 리셉터클(receptacle)을 이용한다. 이러한 방법은 항공기 급유시간을 줄여주고, 오염을 감소시키며, 연료를 발화시키는 정전기를 줄여준다. 대부분 가압급유장치는 가압급유호스, 제어 패널 그리고 한 사람이 항공기의 일부 또는 모든 연료탱크에 연료를 급유 또는 배유(defuel) 작업을 가능하게 하는 게이지로 구성된다. 각각의 탱크는 미리 설정된 수준으로 채워지게 된다. 이러한 절차들이 그림 6-12와 그림 6-13에 나타나 있다.

급유하기 전에 다음 사항들을 점검해야 한다.

(1) 항공기의 모든 전기 계통과 기상 레이더를 포함한 전자장치가 'Off' 되었는지 확인한다.

(2) 작업복 주머니에는 아무것도 넣어서는 안 된다. 연료 탱크로 떨어질 수도 있다.

(3) 급유작업에 인화성 물질을 소지하지 않았는지 확인한다. 순간적인 방심이 사고를 불러온다.

(4) 적절한 형식과 등급의 연료인지 확인한다. 항공용 가솔린과 제트 연료를 혼합해서는 안 된다.

(5) 모든 섬프(sump)가 배출되었는지 확인한다.

(6) 보안경을 착용한다. 보안경만큼 중요하지는 않지만, 고무장갑과 앞치마와 같은 보호 장구는 넘치거나 튀어 오르는 연료로부터 피부를 보호할 수 있다.

(7) 연료를 보급하고 있는 항공기 방향으로 다른 항공기의 후류에 의해 불순물들이 날아올 경우에는 연료보급을 중단해야 한다. 바람에 날아온 오물, 먼지 및 기타 오염물은 열려져 있는 연료탱크로 유입되어 탱크를 오염시킬 수 있다.

(8) 5mile 이내에서 번개가 칠 때는 연료보급을 하면 안 된다.

(9) 지상레이더가 500feet 이내에서 작동할 경우에는 연료보급을 할 수 없다.

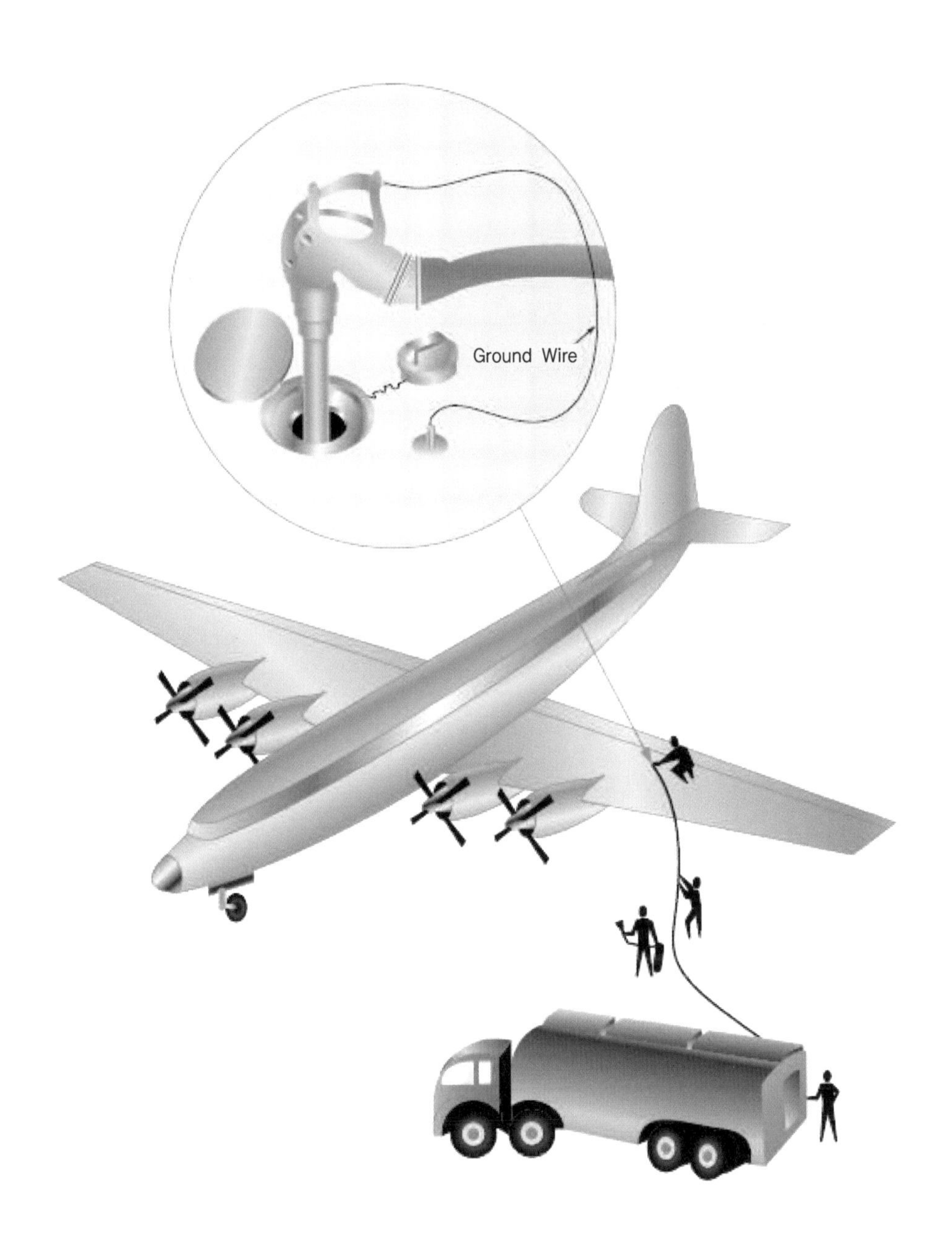

그림 6-12 날개 위에서의 급유

그림 6-13 대형 항공기의 단일 지점 연료 보급 위치

다음은 이동식 급유장치를 사용 시 주의 사항이다.

(1) 비상 시 철수 등을 고려하여 후진하지 않고 빠르게 출발할 수 있도록 연료트럭을 배치한다.

(2) 연료트럭의 핸드 브레이크를 당기고, 흔들림을 방지하기 위해 차륜지를 고여야 한다.

(3) 항공기를 접시 시키고, 연료트럭을 접지시킨 다음 항공기와 연료트럭을 함께 접지시킨다. (3점 접지 : 항공기 → 지상, 연료차 → 지상, 연료차 → 항공기) 이러한 3점 접지는 연료트럭에 있는 3개의 분리된 접지선(Ground wire)을 이용하여 이루어지게 된다.

(4) 접지가 금속 또는 항공기에 적절한 접지 점에 접촉되어 있는지 확인한다. 엔진배기장치 또는 프로펠러를 접지 점으로 이용하지 않는다. 프로펠러에 손상을 줄 수 있으며, 엔진과 기체 사이에 긍정적인 접속을 보장할 수 없기 때문이다.

프로펠러에 손상을 줄 수 있으며, 엔진과 기체 사이에 긍정적인 접속을 보장할 수 없기 때문이다.

(5) 노즐을 항공기에 접지한 후, 연료탱크를 open한다.

(6) 연료가 넘치거나 노즐, 호스, 접지선 등의 부주의한 취급으로 생길 수 있는 손상으로부터 항공기 날개와 관련 부품을 보호해야 한다.

(7) 항공기의 급유가 마무리 되면 연료마개가 잘 닫혀있는지 확인해야 한다.
(8) 3점 접지한 역순으로 접지선을 제거한다. 만약 항공기가 비행에 바로 투입되거나 이동하지 않는다면 항공기 접지선은 장착된 상태로 놓아둘 수 있다.

3.3 배유(Defueling)

배유 절차는 항공기의 형식에 따라 다르므로 배유 전 세부절차와 주의사항에 대해 정비 교범 또는 서비스 매뉴얼을 참고해야 한다.

배유는 연료를 중력 또는 펌프의 가동으로 탱크 외부로 배출 할 수 있다. 중력방법이 사용될 때는 연료를 모으는 방법을 갖추는 것이 필요하고, 펌프 가동방식은 탱크를 손상시키지 않도록 주의해야 한다. 배출된 연료는 좋은 연료와 혼합되지 않아야 한다.

배유 시 일반적인 예방책은 다음과 같다.

(1) 항공기와 배유장치를 접지한다.
(2) 전기와 전자장치를 Off한다.
(3) 정확한 유형의 소화기를 배치한다.
(4) 보안경을 반드시 착용한다.

3.4 급유 시 위험요인(Fueling Hazards)

항공연료의 휘발성은 항공기의 화재위험성을 증가시킨다. 휘발성은 비교직 저온에서 가스로 변환되는 것으로서 액체 상태에서는 항공 연료는 연소되지 않을 것이다. 그러나 액체 연료가 증기상태나 기체상태로 변환되면 항공기에 동력을 공급할 수 있는 상태가 되며, 반면에 화재 위험도 증가하게 된다.

정전기는 임의의 두 물체(기체, 액체, 고체 등)의 접촉으로 두 물체 간에 전하가 교환되어 양과 음의 전기를 띄는 현상을 말한다. 모든 비전도성 물체에 상당히 높은 전압의 전기 에너지가 축적된다. 일반적으로 항공기에서 발생되는 정전기는 비행 중이나 활주 중 일 때와는 달리 계류 중에는 항공기 외부로의 정전기 방출이 약해져 정전기 발생 부위에 축적된 상태로 존재하게 되고 특히 습도가 적은 추운 겨울철에는 높은 정 전압을 띄게 된다. 현재 사용중인 케로신계 터빈 연료는 항공가솔린에 비행 비중이 높고 발화점이 넓어서 다른 연료에 비해 급유 중 연료와 호스 간의 마찰에 의해 발생되는 정전기의 양이 많으며, 이 정전기의 양은 연료 공급 속도에 비례하여 더욱 커지게 된다. 따라서 이로 인해 발생된 정전기는 항공기에 축적되어 항공기는 양의 전기적 특성을 띠게 된다.

만약 연료보급 중 연료공급 호스와 항공기의 연료주입 연결 부위에서 연료가 누설되어 이것이 기화되는 경우는 항공기 축적된 정전기가 작업자의 몸을 통해 방전되며 발생한 불꽃이 연료 증기에 점화하게 된다. 연료 증기의 흡입은 매우 해로우므로 주의해야 하고 의복과 피부에 묻은 연료는 즉시 닦아내야 한다.

3.5 급유자의 의무(Refueling crew Duties)

항공기 급유를 트럭에 의해 날개 위에서 수행할 경우 항공기는 에이프런(Apron)이나 이처럼 넓은 공간에 위치시켜야 하며 연료 증기의 점화의 근원이 되는 근처에 위치시켜서는 안 된다. 연료 증기가 점화원 지역으로 날아가지 않도록 바람의 방향을 잡아야 한다. 트럭은 항공기로부터 호스 길이에 해당하는 거리까지 오도록 하는 것이 좋다. 트럭은 날개의 앞쪽과 평행하게 계류시키거나 화재 발생 시 신속하게 운전하여 떠날 수 있는 위치에 계류시켜야 한다. 급유 작업이 끝나는 대로 트럭은 항공기 근처로부터 떠나야 한다. 트럭의 연료탱크 덮개는 탱크에 연료를 보급할 때를 제외하고는 닫혀져 있어야 한다.

이상적으로 대형항공기의 급유자는 4명 정도로 구성된다. 1명은 소화기 옆에 서고 1명은 트럭에 1명은 지상의 연료 호스로 연료를 보급한다.

3.6 소화장치(Fire Extinguishing Equipment)

3.6.1 화재의 분류

상용목적으로 국제화재방지협회(NFPA : National Fire Protection Association)에서는 A급 화재, B급 화재, C급 화재 등 세 가지 기본적인 유형으로 화재를 분리한다.

(1) A급 화재

A급 화재는 연소 후 재를 남기는 화재로서 나무, 섬유 및 종이 등과 같은 인화성 물질에서 발생하는 화재를 말한다.

(2) B급 화재

B급 화재는 가연성 액체 또는 인화성 액체인 그리스(grease), 솔벤트(solvent), 페인트(paint) 등의 가연성 석유 제품에서 발생하는 화재를 말한다.

(3) C급 화재

C급 화재는 전기에 의한 화재로서 전선 및 전기장치 등에서 발생하는 화재를 말한다.

이 외에 정비사가 반드시 숙지해야 하는 네 번째 화재 유형은 D급 화재이다. D급 화재는 활성금속에 의한 화재로 정의 되며, A급, B급 및 C급 화재에 의해 발생하기 때문에 국제화재방지협회는 화재의 기본적인 유형 및 범위에는 포함시키지 않는다. 일반적으로 D급 화재는 마그네슘 또는 항공기 휠(wheel)과 제동장치에 연관되거나 작업장에서 부적절한 용접작업 등에 의해 발생된다. 이러한 유형의 화재들은 항공기 정비를 수행하거나 작동 중에 언제든지 발생할 수 있으므로 화재의 유형에 적합한 소화기에 대해 이해할 필요가 있다.

3.6.2 소화기의 종류

(1) 물소화기

물 소화기는 A급 화재에 가장 적합한 소화기이다. 물은 연소에 필요한 산소를 차단하고 가연물을 냉각시킨다.

B급 화재에는 물이 석유제품에 뜨는 성질 때문에, C급 화재에는 전기적인 화재에 물은 감전의 위험성 때문에, D급 화재의 경우에는 매우 높은 온도에서 연소된 금속이 물의 냉각에 의해 폭발할 위험성 때문에 적합하지 않다.

그림 6-14 물 소화기

(2) 이산화탄소 소화기

이산화탄소 소화기는 가스의 질식작용에 의해서 소화시키기 때문에 A급 화재, B급 화재, C급 화재 등에 사용한다. 또한 물 소화기처럼 이산화탄소가 가연물을 냉각시킨다. 하지만 D급 화재에는 절대 사용해서는 안 된다. 물 소화기처럼 이산화탄소의 냉각 효과는 고온 금속의 폭발을 유발할 수 있기 때문이다. 또한, 이산화탄소 소화기를 사용할 때는 소화기의 모든 부분이 심하게 냉각되고, 사용한 후에도 냉각상태가 유지되므로 동상과 같은 냉해(cold injury)를 예방하기 위해 보호 장구를 착용하거나 예방책을 강구하여야 한다.

그림 6-15 이산화탄소 소화기

(3) 할로겐화탄화수소 소화기

할로겐화탄화수소 소화기는 B급 화재와 C급 화재에 가장 효과적이다. 일부 A급 화재와 D급 화재에도 사용할 수 있지만 효과적이지는 않다.

그림 6-16
할로겐화탄화수소 소화기

(4) 분말 소화기

분말 소화기는 B급 화재와 C급 화재에도 사용 가능하지만 D급 화재에 가장 효과적이다. 중탄산칼륨, 나트륨, 인산염 등을 화학적으로 특수 처리하여 분말 형태로 소화 용기에 넣어 가압 상태에서 보관되어 있으므로 소화기 사용 후 잔류분말이 민감한 전자 장비 등에 손상을 줄 수 있다. 따라서 금속화재를 제외한 항공기 사용에는 권고되지 않는다.

그림 6-17 분말 소화기

3.6.3 소화기 사용

소화기를 사용하기 전에는 반드시 화재등급에 적합한지 확인해야 한다. 대부분 소화기는 안전핀을 뽑고 손잡이를 움켜쥐면 소화액이 분사된다. 불이 난 화점에서 8fcct 정도 떨어져서 손잡이를 움켜쥐고 화재가 소화될 때까지 좌우로 쓸어주듯이 소화액을 분사한다.

4. 항공기 오일 보급(Servicing Aircraft with oil)

항공기 오일탱크는 보통 연료탱크에 급유를 할 때 확인한다. 이와 같은 일반지침에는 몇 가지 예외가 있는데, 이는 일부 제작사가 어떤 제트 엔진의 오일수준은 엔진 정지 후 지정된 시간 내에 검사하는 것을 추천하기 때문이다. 모든 경우, 오일 보급 절차 뿐만 아니라 사용 오일의 형식과 등급에 대해서도 특정 항공기의 제작사 지시에 따라야 한다. 항공기 오일 탱크는 계기가 dipstick에 표시된 만탱크표시(full tank)까지 또는 그 이상으로 채워져서는 안 된다. 이는 오일이 뜨거워지면 팽창하고 고공에서 거품이 생기거나 팽창하기 때문이다.

오일 탱크에서 여분의 공간은 팽창을 허용하고 넘쳐흐른 것을 방지한다. 해당 항공기 오일 요구는 검사되어야 하며 대체오일 사용이 승인되어 있지 않는 한 해당 형식의 오일을 다른 것으로 대체하지 말아야 한다. 오일을 탱크에 넣을 때 걸레조각이나 다른 외부물질이 탱크 속으로 들어가지 않는가를 확인하여야 한다. 오일 계통 내의 외부물질은 오일의 흐름을 제한하며 엔진고장을 초래할 수 있다.

윤활유는 비폭발성이며, 덩어리로는 점화되기가 어려우며 보통 임의연소를 일으키지 않는다. 그러나 오일이 점화되면 가솔린의 경우보다 더 뜨거운 불길을 초래한다. 오일 증기는 공기와 어떤 비율로 혼합될 경우 폭발성을 가진다. 대부분의 석유생산품의 증기는 흡취되거나 섭취되었을 때 대단히 독성을 가진다. 따라서 윤활유를 취급할 때 모든 주의를 기울일 필요가 있다.

5. 산소 보급(Oxygen Servicing)

그림 6-18 이동용 산소 보급 장비

항공기에 산소를 보급하기 전에 해당 항공기에 적합한 보급 장비를 결정해야 한다. 이를 위해 해당 항공기 매뉴얼을 참고해야 한다.

항공기에 기체 산소를 보급하기 위해서는 2인이 필요하다. 한 사람은 보급 장비의 조절밸브에 위치해야 하며, 다른 한 사람은 항공기 산소계통의 압력을 관찰할 수 있는 곳에 위치해야 한다. 이 두 사람은 서로 통신상 연결이 필요하다.

항공기의 급유나 배유 또는 그 외에 점화를 일으킬 수 있는 정비작업을 수행하는 동안은 산소보급을 해서는 안 된다. 또한, 산소보급은 격납고 외부에서 이루어져야 한다. 항공기에서 사용하는 산소는 두 가지 형태로 기체산소와 액체산소로 구분된다. 산소는 해당 항공기에 설치된 장비의 형태에 따라 산소의 유형이 결정된다.

기체산소는 강으로 된 실린더에 저장이 되지만, 액체산소(LOX : Liquid Oxygen)은 액체산소 변환기(converter)에서 사용할 수 있는 가스로 변환되어 저장한다.

산소에는 상업용으로서 조종사의 호흡용, 공업용 및 의료용 등의 세 가지 유형으로 구분된다. 항공기 호흡용 산소계통에 사용되는 산소는 미 연방규정에 부합하는 'Aviator's Breathing Oxygen' 표시가 있는 산소나 이와 같은 등급의 제품이 사용되어야 한다. 공업용 산소는 조종사, 승객, 승무원 등에 해로운 불순물이 함유되어 있으며, 의료용 산소는 순수한 산소이지만, 수분이 함유되어 있어서 산소가 필요한 고고도의 차가운 온도에서 결빙이 될 수 있다.

6. 계류(Tie-down)

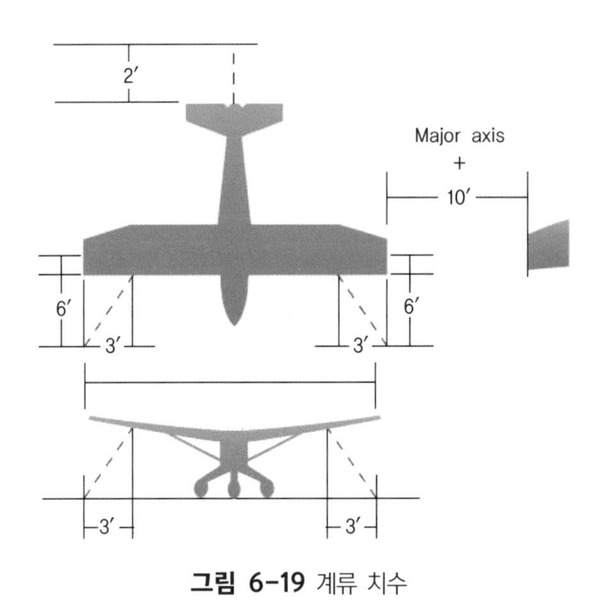

그림 6-19 계류 치수

항공기는 갑작스런 강풍으로부터 파손을 방지하기 위해 매 비행종료 후에는 계류시켜야 한다. 항공기의 계류 형식은 기상조건에 의해 결정되고, 주기 및 항공기의 계류 위치는 예상되는 풍향에 의해 결정된다.

항공기는 주기지역의 고정 계류지점의 위치에 따라 가능하면 정풍으로 향하게 위치시켜야 한다. 그림 6-19와 같이 항공기 계류의 공간은 날개 끝 간격을 유지해야 한다. 또한 계류 위치가 정해졌다면 전륜(nose-wheel) 또는 후륜(tail-wheel)을 고정시켜야 한다.

6.1 계류 앵커(Tie-down Anchors)

모든 항공기 주기장(parking area)은 3점 계류장비가 되어 있어야 한다. 이것은 대부분의 공항에 설치되어 있는 계류 앵커를 사용한다. 일부 'pad eyes'로 불리는 계류 앵커는 주기장을 만들 때 장착되는 고리모양의 피팅이다. 이들은 보통 콘크리트 표면

위 1inch 정도의 높이로 올라와 있다. 사용상 몇 가지 유형의 계류 앵커가 있다. 주기장이 콘크리트 포장 표면, 역청질 포장 표면, 또는 포장되지 않은 잔디 표면일 수도 있기 때문에 앵커 유형의 선택은 항공기 주기장에 사용되는 재질에 의해서 결정된다.

계류의 위치는 보통 흰색 또는 황색의 표시를 한다. 때때로는 계류앵커를 자갈 같은 것으로 둘러쌓는 방법도 사용한다.

소형단발 항공기의 계류 앵커는 각각 최소한 300lbs 정도의 견인력을 가지고 있어야 한다. 말뚝처럼 땅에 박아 넣은 형태의 계류 장치는 메마른 잔디표면에 쓰일 경우 이 최소 견인력이 있다하더라도 땅이 폭풍이나 폭우 등의 소나기로 젖게 된다면 거의 예외 없이 뽑혀질 수가 있다.

6.2 계류 로프(Tie-down Ropes)

경항공기를 고정하는데 약 3000lbs 정도의 견인력에 저항할 수 있는 계류 로프를 사용해야 한다. 대형 항공기를 계류 하는데는 보통 케이블이나 체인을 이용하는 계류를 한다.

마닐라(Manila) 로프는 곰팡이나 부식에 대한 검사를 주기적으로 해야 한다. 나이론이나 Dacron계류 로프는 마닐라 로프보다 양호하다. 마닐라 로프의 단점은 습할 경우 오그라들고 곰팡이로 부식에 약하며 나일론이나 Dacron의 경우보다 인장력이 현저하게 작다.

6.3 계류 케이블(Tie-down Cable)

계류 케이블은 흔히 항공기, 특히 대형 항공기를 고정하는데 사용한다. 대부분의 케이블형 계류방식은 모든 형식의 항공기에 대해 빠르고 신뢰성이 있는 고정을 위해 만들어진 계류 릴(tie-down reel)을 사용한다.

6.4 계류 체인(Tie-down Chains)

체인형 계류 방식은 흔히 대형 항공기를 고정시키기 위한 효과적이고도 강력한 계류방식으로 이용되고 있다. 이와 같이 계류 장비는 모든 부분이 금속으로 되어 있으며, 퀵 릴리스(Quick release)기구, 인장(tensioning)장치 및 갈고리가 달린 체인으로 구성된다.

6.5 경항공기의 고정(Securing Light Aircraft)

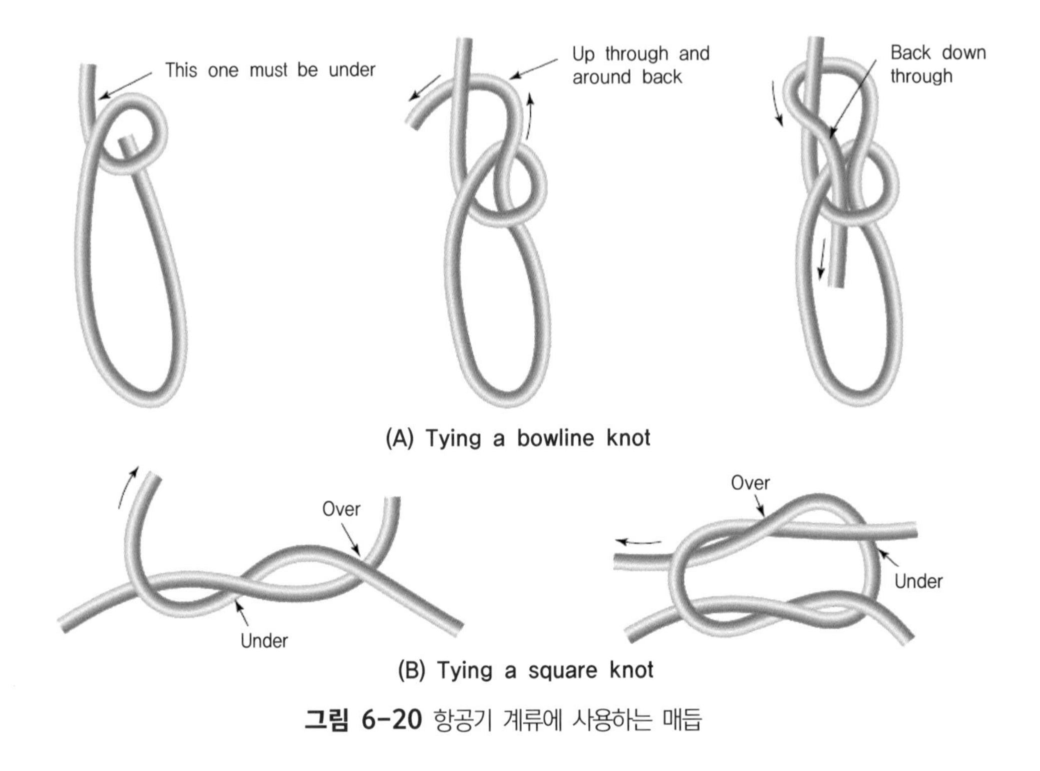

그림 6-20 항공기 계류에 사용하는 매듭

경항공기는 고정을 목적으로 하는 경우 대부분 항공기 계류 고리에 로프로 묶어주는 방법을 많이 사용한다. 로프가 더 이상 느슨해지지 않는 점까지 미끄러질 경우 버팀대를 구부릴 수도 있기 때문에 양력 버팀대(Lift strut)에 묶어서는 안 된다. 마닐라 로프는 젖으면 수축되므로 약 1인치 정도 유격이 있게 느슨하게 묶어야 한다. 그러나 너무 느슨하면 항공기를 갑작스럽게 움직이게 되는 원인이 된다.

계류 로프는 매듭을 지어 고정하게 된다. 그림 6-20과 같이 보우라인(bowline)매듭과 같은 미끄럼방지 매듭(anti-slip knot)은 빠르게 묶고 쉽게 풀어낼 수 있는 방식이다. 계류장치가 없는 항공기는 제작사의 지침에 따라 고정시켜야 한다. 고익 단엽기에서는 버팀대(strut)의 바깥쪽 끝에 묶어야 하고, 제작자가 장치하지 않았을 경우 구조 강도가 허용된다면 적당한 고리장치를 설치해야 한다.

6.6 대형 항공기의 고정(Securing Heavy Aircraft)

대형 항공기의 일반적인 계류는 로프나 케이블 계류방식을 사용한다.

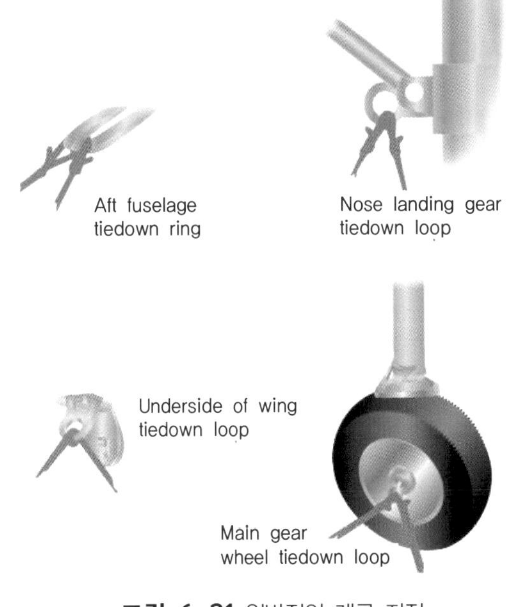

그림 6-21 일반적인 계류 지점

이러한 계류 방식은 예상되는 기상조건에 의해 결정된다. 대부분의 대형 항공기는 항공기를 고정시킬 때 조종면이 움직이지 않도록 서로 맞물리게 하거나 고정 장치를 사용한다. 조종면을 고정시키는 방법은 항공기의 형식에 따라 다르다. 따라서 고정 장치의 장착이나 서로 맞물리게 하는 절차에 대해서는 해당 제작사의 매뉴얼을 참고해야 한다. 일부의 항공기는 만약, 태풍이 예상되는 경우라면 조종면 손상을 방지하기 위해서 배튼(batten)을 장착하기도 한다. 그림 6-21은 4곳의 대형 항공기 계류 지점을 보여주고 있다.

일반적인 대형 항공기의 계류 절차는 다음과 같다.

(1) 가능하면 비행기의 기수는 바람이 부는 방향으로 향하게 한다.
(2) 조종면을 고정하고, 모든 덮개와 가드(Guard)를 장착한다.
(3) 모든 바퀴의 전, 후방에 고임목(chock)을 고인다.
(4) 비행기 계류 루프(Tie-down loop)와 계류 앵커 또는 계류 말뚝에 계류 릴을 부착시킨다. 일시적인 계류일 경우에도 계류말뚝을 사용한다.

계류 릴이 없을 경우, 1/4인치 와이어케이블(wire cable)이나 1/2인치 마닐라선 등을 사용한다.

6.7 헬리콥터의 고정(Securing Helicopters)

헬리콥터도 다른 항공기와 마찬 가지로 폭풍에 의한 구조적인 손상을 방지하기 위해 계류해야 한다. 헬리콥터는 돌풍이나 폭풍이 예상될 경우 가능하다면 안전한 곳으로 대피시켜야 한다. (가능하다면 격납고에 주기해야 함) 그러나 그렇지 못할 경우에는 고정하여 계류해야 한다. 헬리콥터를 계류 시에는 65mph 이상의 풍속에도 견딜 수 있어야 한다. 추가적으로, 헬리콥터는 날아다니는 이물질이나 주위의 나무에서 떨어지는 나뭇가지 등에 의한 파손을 방지하기 위해 장애물이 없는 지역에 계류해야 한다.

밖에 헬리콥터가 주기된 상태에서 폭풍이 예상된다면 주 회전날개(main rotor blade)는 결박해야 한다. 헬리콥터 유형별 상세한 고정 및 계류절차는 해당 제작사의 매뉴얼에서 찾아 볼 수 있다. 그림 6-22와 같이 헬리콥터를 계류하는 방법은 기상상태, 지상에서의 주기되는 시간, 주기장소, 항공기 특성 등에 따라 다르다. 헬리콥터를 고정시키는 장치로는 고임목(wheel chock), 조종 잠금장치(control lock), 계류 로프, 계류 덮개(mooring cover), tip부분의 덮개(tip sock), 계류 어셈블리(tie-down assembly), 주기 제동 장치(parking brake) 및 회전 날개 제동장치(rotor brake) 등이 사용된다.

그림 6-22 헬리콥터 계류의 예

대표적인 계류 절차는 다음과 같다.

(1) 최대 풍속 또는 돌풍(gust)이 예상되는 방향으로 헬리콥터를 향하게 주기한다.
(2) 헬리콥터는 타 항공기로부터 로터 스팬(rotor span)거리보다도 약간 더 멀리 거리를 두고 위치시킨다.
(3) 바퀴가 있는 헬리콥터는 바퀴의 전, 후방에 고임목을 고인다.
(4) 스키드(skid)를 장비하고 있는 헬리콥터는 지상 이동 바퀴(ground handling wheel)을 접어 넣고 헬리콥터가 스키드 위에 얹혀 있도록 낮추고, 바퀴위치 자물쇠(wheel position lock pin)을 장착하거나 지상이동바퀴를 떼어 놓는다. 지상이동바퀴는 항공기 안쪽에 고정시키거나 격납고 또는 저장소 안에 고정하여 보관하여야 한다.

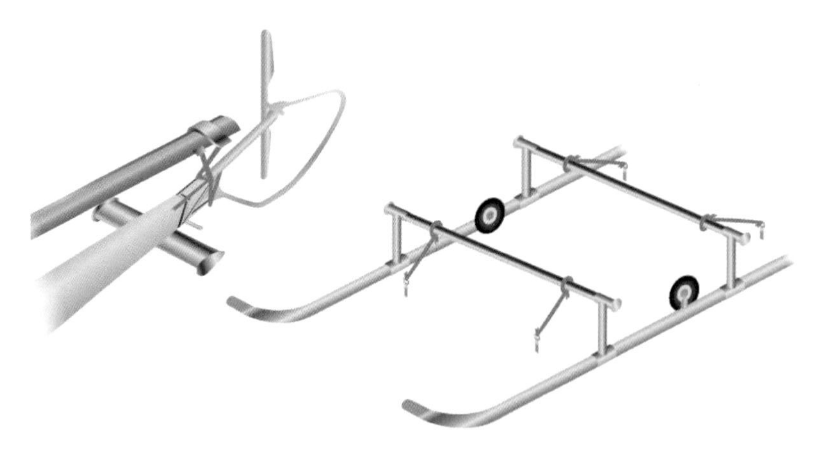

그림 6-23 헬리콥터 깃과 동체의 고정

그림 6-23과 같이 헬리콥터 제작사에 의해 규정된 것처럼 회전날개를 동체에 일직선으로 맞추고, 계류 어셈블리를 장착한다. 습한 날씨에는 결박 띠가 수축되어 회전날개에 지나친 응력을 일으키므로 약간 느슨하게 해주어야 한다.

6.8 강풍파손에 대한 주의 (Precaution Against Windstorm Damage)

강풍파손에 대한 최선의 방지책은 물론 충분한 시간이 있을 경우에는 강풍지역 밖으로 항공기를 비행시키는 것이다. 다음의 최선 방지책은 항공기를 강풍으로부터 보호를 받을 수 있는 격납고나 기타 적당한 피난처에 주기시키는 것이다.

그 다음 항공기를 안전하게 계류 했는가를 확인하는 것이다. 손상을 최대한 줄이기 위해 모든 문이나 창문을 적절하게 묶어야 한다. 왕복엔진이나 가스터빈 엔진의 흡입구, 배기구는 외부물질이 들어오는 것을 방지하기 위해 덮개를 덮어야 한다. 피토 정압관(Pitot static) 등도 파손을 방지하기 위하여 덮개를 덮어야 한다.

최악의 강풍상태에 대비하여야 한다. 이러한 강풍상태에서는 해당 항공기 제작사의 해당 매뉴얼을 확인해야 한다.

다음 사항은 강풍으로부터 항공기의 파손을 감소시키기 위한 사항들이다.

(1) 밖에 위치한 분해된 항공기(특히 엔진이 장탈된 항공기)는 강풍이 예상되면

반드시 격납고에 넣어야 한다. 떨어져 있는 날개를 동체에 묶어놔서는 안 된다. 이들은 격납고 안에 저장해야 한다.

(2) 가능하다면 언제나 예상되는 강풍위험지역 밖으로 비행시켜야 한다. 이것이 불가능할 경우, 강풍으로부터 피할 수 있는 격납고에 넣어야 한다.

(3) 계류 로프에 대해서는 최소 강도를 확인해야 한다.

(4) 날개의 앞전 상부에 일직선으로 적당하게 모래주머니 등을 올려놓는 것은 날개의 양력 발생 위험성을 감소시킨다. 날개에 모래주머니를 너무 무겁게 올려놓으면 안 된다. 만약 예상풍속이 항공기에 양력 발생속도를 초과시키게 되면, 날개의 전 길이에 걸쳐 임시적인 스포일러를 올려놓아야 한다. 그림 6-24와 같이 경항공기를 계류시키는 다른 방법으로는 지상계류지점에 고정되어 있는 U-볼트 앵커를 통과하는 긴 평형 와이어로프를 이용하는 것이다.

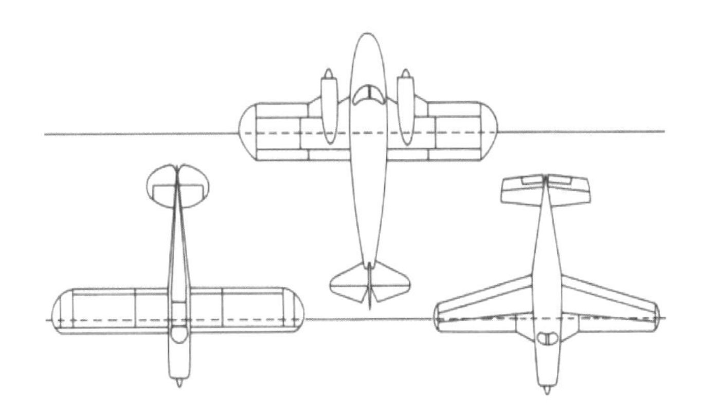

그림 6-24 와이어로프를 이용한 대표적인 항공기 계류

그림 6-25 수직 앵커체인을 사용한 와이어로프 계류

계류 체인은 원형판으로 된 도금한 앵커 고리에 부착시킨다. 이것은 여러형의 항공기가 공간의 손실 없이 수직 계류를 할 수 있도록 계류체인이 와이어로프에 인하여 떠 있도록 하고 앵커점 사이에 변화거리를 주도록 하는 것이다. 수직 앵커는 돌풍상태에서 발생할 수 있는 충격부하를 훨씬 감소시킨다. 로프간의 거리는 계류면적을 차지하는 항공기의 형식에 따라 결정된다.

그림 6-25는 와이어 로프선을 사용하는 적당한 수직 앵커 및 와이어로프와 항공기 날개 사이를 연결시키기 위한 직선의 링크 코일 체인(Link coil chain)을 나타내고 있다. 자유단의 한쪽 링크는 링크의 팽팽한 부분을 통과하고 링크가 되돌아가지 않도록 자물쇠를 사용한다. 체인에 걸리는 부하는 자물쇠 때문이 아니고 체인 자체에 의해서 생기는 것이다.

7. 항공기 견인(Towing of Aircraft)

그림 6-26 견인 트랙터의 예

그림 6-26과 같이 공항, 비행대기선 및 격납고 등으로 대형 항공기를 이동시킬 경우는 일반적으로 "Tug" 라고 부르는 견인트랙터(tow tractor)를 사용하여 견인하게 된다. 소형 항공기의 경우, 짧은 거리를 이동할 때는 손으로 밀어서 이동하기도 한다. 항공기를 견인 시에는 서두르거나 소홀하게 수행할 경우에는 항공기를 손상시킬 수도 있고, 사람을 다치게 할 수도 있다. 다음의 사항들은 항공기 견인에 대한 대표적인 절차로서 개략적인 내용을 소개하고 있다. 그러나 각각의 항공기 모델에 적합한 상세한 견인 절차는 제작사의 매뉴얼에 따라야 한다.

항공기를 견인하기 전에 토우 바(tow bar)가 고장 나거나 고리가 벗겨졌을 경우 제동장치를 작동할 수 있도록 유자격자를 조종석에 배치하여야 한다. 이러한 조치는 항공기를 정지시켜 항공기 손상 등을 방지할 수 있다.

그림 6-27은 일반적인 토우바로서 일부 유형은 여러 형태의 견인작업에 사용될 수 있다. 이러한 대부분의 토우 바는 항공기를 끌어당기기 위해 충분한 인장강도를 갖도록 만들어져 있지만 비틀림 하중이나 뒤틀림 하중은 고려되어 있지 않다. 대부분의 토우 바는 항공기에 연결하거나 분리하여 이동할 수 있도록 소형 바퀴를 가지고 있으며, 토우 바를 항공기에 연결하여 항공기를 움직이기 전에 손상 또는 연결 장치 등에 이상이 없는지 검사해야 한다.

그림 6-27 대형 항공기에 사용하는 토우 바

항공기를 견인할 때에는 견인차는 규정된 속도를 준수하고, 감시자를 배치하여 사주경계를 하도록 해야 한다. 항공기를 정지 시킬 때 견인차의 제동장치에만 의존해서는 안 되고, 견인차의 제동장치와 항공기의 제동장치가 조화롭게 병행하여 사용해야 한다.

토우 바의 연결은 항공기 형식에 따라 다르다. 후륜(tail wheel)이 장착된 항공기는 일반적으로 주 착륙장치(main landing gear)에 토우 바를 연결하여 전방으로 견인하고, 후륜 축에 토우 바를 연결하여 항공기를 거꾸로 견인하는 것도 허용된다. 후륜 항공기의 경우 견인 시에 꼬리바퀴 잠금 장치의 파손을 막기 위해 후륜의 잠금 장치를 풀어줘야 한다.

전륜 착륙장치(tricycle landing gear)가 장착된 항공기는 일반적으로 전륜 축에 토우 바를 연결하여 전방으로 견인한다. 또한 견인 브라이들(towing bridle)이나 특별히 설계된 토우 바를 주 착륙장치의 견인 러그(towing lug)에 연결하여 전방 또는 후방으로 견인하기도 한다. 이러한 방식의 견인은 항공기의 방향조종을 위해 앞바퀴에 조향 바(steering bar)를 부착하여야 한다.

다음의 견인 및 주기(parking) 절차는 대표적인 유형으로서 하나의 예를 든 것이며, 모든 유형에 적합한 것은 아니다. 따라서 항공기 지상조업요원은 견인 항공기의 유형에 맞는 절차와 항공기 지상조업을 통제하는 현지의 운영기준을 충분히 숙지해야 하며, 오직 유자격자만이 항공기 견인을 지휘해야 한다.

(1) 견인차 운전자는 안전하게 차량을 운전하고, 감시자의 비상정지 지시에 따라야 할 책임이 있다.

(2) 견인 감독자는 날개 감시자(wing walker)를 배치시켜야 한다. 날개 감시자는 항공기가 지나가는 길에 있는 장애물과 충분한 거리가 유지되는지 확인할 수 있는 위치에서 각 날개 끝에 있으면서 따라 와야 한다. 후방 감시자(tail walker)는 급회전 시나 항공기가 적절한 장소로 후퇴할 때 꼭 배치되어야 한다.

(3) 항공기의 조종석에 유자격자는 조종석에 앉아 항공기 견인을 확인하면서 필요시 제동장치를 조작해야 한다. 필요한 경우 또 다른 유자격자가 있으면서 항공기 유압 계통 압력을 관찰하기도 한다.

(4) 견인 감독자는 조향 가능한 앞바퀴를 갖춘 항공기에서 잠금 가위(locking scissors)가 견인을 위한 충분한 고리라는 것을 확증해야 한다. 잠금 장치는 토우 바가 항공기에서 제거된 후 다시 원래대로 되어야만 한다. 항공기 내에 있는 사람들은 토우 바가 항공기에 걸려 있을 때, 앞바퀴를 돌리거나 조종해서는 안 된다.

(5) 이런 상황에서 항공기의 앞바퀴와 견인차 사이에서 걷거나 타는 행위를 해서는 안 된다. 뿐만 아니라, 움직이고 있는 항공기의 위나 견인차 위에 타서도 안 된다. 안전성에 대한 호기심으로 움직이고 있는 항공기나 견인차에 타거나 내리는 일은 절대 용납될 수 없는 행위이다.

(6) 항공기의 견인속도는 감시자의 보행속도를 초과해서는 안 된다. 항공기의 엔진은 그 항공기가 견인이 완료될 때까지 보통 작동시키지 않는다.

(7) 항공기의 제동장치계통은 견인이 시작되기 전에 점검해야 한다. 제동장치의 결함이 있는 항공기는 오직 제동장치의 수리를 위해 견인되어야 하고, 비상시를 대비해서 고임목을 든 사람이 따라야 한다. 고임목은 견인 작업 중에 발생하는 긴급한 경우에 즉각적으로 이용될 수 있어야 한다.

(8) 견인 작업 중에 발생 가능한 사람의 상해와 항공기의 손상을 방지하기 위해 출입문을 닫아야 하고, 사다리는 접어 넣고, 기어 다운 락(gear down lock)을 장치해야 한다.

(9) 어떤 항공기라도 견인하기 전에 모든 타이어와 착륙기어 스트러트가 적당히

팽창되었는지 확인한다.(착륙 기어 스트러트의 팽창은 오버홀이나 보관 시 제거해야 한다.)

(10) 항공기를 움직일 때 갑작스런 출발이나 급정지를 해서는 안 된다. 안전성을 증가시키기 위해서는 견인 시 비상시를 제외하고는 항공기 제동장치를 결코 사용해서는 안 된다. 긴급 신호는 견인 감시자들 중 한 사람만이 하도록 해야 한다.

(11) 항공기는 반드시 지정된 장소에만 주기시켜야 한다. 계류된 항공기 열 사이의 간격은 화재발생 같은 긴급한 상황에서 긴급 차량들이 즉각 출동할 수 있을 뿐만 아니라 장비나 자재의 이동이 자유로울 만큼 충분히 넓어야 한다.

(12) 바퀴 고임목은 반드시 주기된 항공기 주 착륙 기어의 앞, 뒤로 괴어야 한다.

(13) 항공기를 주기시킬 때는 반드시 내부나 외부의 조종 잠금쇠(Gust Lock)를 사용해야 한다.

(14) 활주로(Runway 또는 Taxiway)를 횡단하여 비행기를 옮길 때는 먼저, 공항 관제탑과 교신한 후 승인을 얻은 후 이동한다.

(15) 항공기를 접지하지 않고 격납고로 주기해서는 안 된다.

8. 항공기 유도(Taxing Aircraft)

항공기가 착륙하여 주기장으로 들어올 때는 항공기 조종사에게 정확한 유도를 제공해야 한다. 최근에 개항된 신 공항들은 대부분 시각주기시스템(VDGS : Visual Docking Guidance System)이 설치되어 있어서 인력에 의한 수신호를 사용하고 있지 않는 경우가 많다. 그러나 아직도 많은 공항에서는 수신호에 의한 항공기 유도를 해야 할 경우가 발생한다.

국제민간항공기구(ICAO)의 표준 유도신호 동작을 정확히 숙지하고 있어야 한다.

표 6-1 표준 유도 등화 신호

Lights	Meaning
Flashing green	Cleared to taxi
Steady red	Stop
Flashing red	Taxi clear of runway in use
Flashing white	Return to starting point
Alternating red and green	Exercise exterme caution

일반적인 통례상, 승인된 조종사 및 기체, 동력장치 정비사만이 항공기를 시동, 운전 및 유도할 수 있다. 모든 유도조작은 적절한 규정에 준하여 조작하여야만 한다. 표 6-1은 유도 항공기를 조종하기 위하여 관제탑에서 사용하는 표준 유도 등화 신호를 보여 주고 있다.

8.1 유도신호(Taxing Signals)

많은 지상 사고가 유도 중인 항공기에서 부적절한 조작으로 발생해 왔다. 엔진이 정지할 때까지는 조종사가 그 항공기에 대해 궁극적인 책임이 있다고 해도 유도 신호자는 비행대기선(flight line) 주위에서 조종사를 도와 줄 수도 있는 것이다.

그림 6-28 유도 신호자

어떤 항공기의 위치에서, 지상에서부터 조종사의 시계가 방해를 받았다면 그 조종사는 뒤에 무엇이 있는지, 바퀴 가까이 또는 날개 밑에 어떤 방해물이 있는지 알지 못할지도 모른다. 대개 조종사는 신호자에 의해 방향을 잡게 된다.

그림 6-28은 손바닥이 서로 마주보게 하여 양팔을 머리 위로 충분히 펼쳐서 비행기에 준비가 완료했음을 표시하고 있는 신호자이다.

신호자의 표준 위치는 그림 6-29와 같이 왼쪽 날개 끝 선상에서 약간 전방에 위치한다. 따라서 신호자가 항공기를 마주보고 있을 때 기수는 그의 왼쪽에 있어야 한다. 조종사가 그를 잘 볼 수 있도록 날개 끝 전방으로 충분한 위치에 서 있어야만 한다.

그 다음 조종사가 그의 신호를 볼 수 있는지 확실하게 테스트해 보고, 그 때 조종사의 눈과 마주치면 확실한 것이다.

다음에 나오는 내용들은 국제민간항공기구와 국내 항공법 시행규칙 별표 29에 있는 표준항공기유도신호이다. 유도자는 항공기의 조종사가 유도업무 담당자임을 알 수 있는 복장을 해야 하며, 주간에는 형광색 봉, 유도봉 또는 유도 장갑을 이용하고, 야간 또는 저 시정 상태에서는 발광유도 봉을 이용하여 신호를 하여야 한다. 또한 유도자는 다음의 신호를 사용하기 전에 항공기를 유도하려는 곳에 항공기와 충돌할 만한 물체가 있는지를 확인해야 한다.

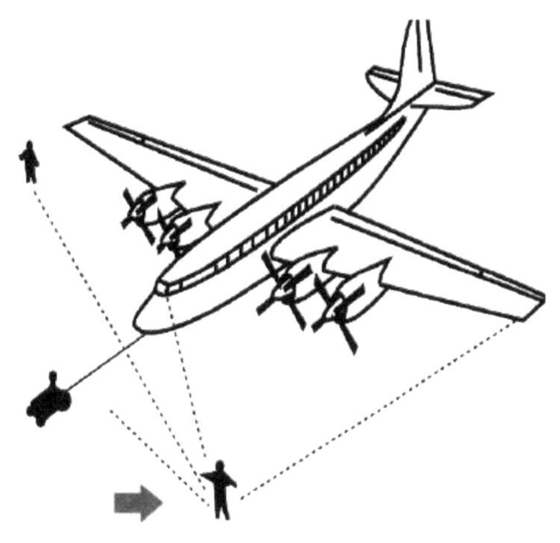

그림 6-29 유도 신호자의 위치

(1) 항공기 안내

오른손의 막대를 위쪽을 향하게 한 채 머리 위로 들어 올리고, 왼손의 막대를 아래로 향하게 하면서 몸쪽으로 붙인다.

(2) 출입문의 확인

양손의 막대를 위로 향하게 한 채 양팔을 쭉 펴서 머리 위로 올린다.

(3) 다음 유도원에게 이동

양쪽 팔을 위로 올렸다가 내려 팔을 몸의 측면 바깥쪽으로 쭉 편 후 다음 유도원의 방향 또는 이동구역 방향으로 막대를 가리킨다.

(4) 직진

팔꿈치를 구부려 막대를 가슴 높이에서 머리 높이까지 위 아래로 움직인다.

(5) 좌회전(조종사 기준)

오른팔과 막대를 몸쪽 측면으로 직각으로 세운 뒤 왼손으로 직진신호를 한다. 신호동작의 속도는 항공기의 회전속도를 알려준다.

(6) 우회전(조종사 기준)

왼팔과 막대를 몸쪽 측면으로 직각으로 세운 뒤 오른손으로 직진신호를 한다. 신호동작의 속도는 항공기의 회전속도를 알려준다.

(7) 정지

막대를 쥔 양쪽 팔을 몸쪽 측면에서 직각으로 뻗은 뒤 천천히 두 막대가 교차할 때 까지 머리 위로 움직인다.

(8) 비상 정지

빠르게 양쪽 팔과 막대를 머리 위로 뻗었다가 막대를 교차시킨다.

(9) 브레이크 정렬

손바닥을 편 상태로 어깨 높이로 들어 올린다. 운항승무원을 응시한 채 주먹을 쥔다. 승무원으로부터 인지신호(엄지손가락을 올리는 신호)를 받기 전까지는 움직여서는 안 된다.

(10) 브레이크 풀기

주먹을 쥐고 어깨 높이로 올린다. 운항승무원을 응시한 채 손을 편다.
승무원으로부터 인지신호(엄지손가락을 올리는 신호)를 받기 전까지는 움직여서는 안 된다.

(11) 고임목 삽입

팔과 막대를 머리 위로 쭉 뻗는다. 막대가 서로 닿을 때 까지 안쪽으로 막대를 움직인다. 비행승무원에게 인지표시를 반드시 수신하도록 한다.

(12) 고임목 제거

팔과 막대를 머리 위로 쭉 뻗는다. 막대를 바깥쪽으로 움직인다. 비행승무원에게 인가받기 전까지 초크를 제거해서는 안 된다.

(13) 엔진시동 걸기

오른팔을 머리 높이로 들면서 막대는 위를 향한다. 막대로 원 모양을 그리기 시작하면서 동시에 왼팔을 머리 높이로 들고 엔진 시동 걸 위치를 가리킨다.

(14) 엔진 정지

막대를 쥔 팔을 어깨 높이로 들어올려 왼쪽 어깨 위로 위치시킨 뒤 막대를 오른쪽·왼쪽 어깨로 목을 가로질러 움직인다.

(15) 서행

허리부터 무릎 사이에서 위 아래로 막대를 움직이면서 뻗은 팔을 가볍게 툭툭 치는 동작으로 아래로 움직인다.

(16) 한쪽 엔진 출력 감소

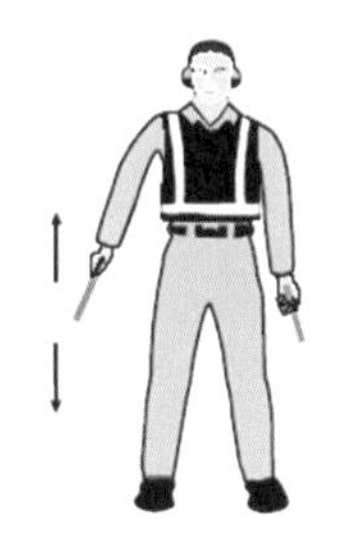

손바닥이 지면을 향하게 하여 두 팔을 내린 후, 출력을 감소시키려는 쪽의 손을 위아래로 흔든다.

(17) 후진

몸 앞 쪽의 허리높이에서 양팔을 앞쪽으로 빙글빙글 회전시킨다. 후진을 정지시키기 위해서는 신호 7 및 8을 사용한다.

(18) 후진하면서 선회(후미 우측)

왼팔은 아래쪽을 가리키며 오른팔은 머리 위로 수직으로 세웠다가 옆으로 수평위치까지 내리는 동작을 반복한다.

(19) 후진하면서 선회(후미 좌측)

오른팔은 아래쪽을 가리키며 왼팔은 머리 위로 수직으로 세웠다가 옆으로 수평위치까지 내리는 동작을 반복한다.

(20) 긍정/모든 것이 정상임

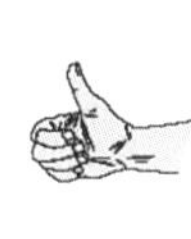

오른팔을 머리높이로 들면서 막대를 위로 향한다. 손 모양은 엄지손가락을 치켜세운다. 왼쪽 팔은 무릎 옆쪽으로 붙인다.

(21) 공중정지(Hover)

양 팔과 막대를 90° 측면으로 편다.

(22) 상승

팔과 막대를 측면 수직으로 쭉 펴고 손바닥을 위로 향하면서 손을 위쪽으로 움직인다. 움직임의 속도는 상승률을 나타낸다.

(23) 하강

팔과 막대를 측면 수직으로 쭉 펴고 손바닥을 아래로 향하면서 손을 아래로 움직인다. 움직임의 속도는 강하율을 나타낸다.

(24) 좌측 수평이동(조종사 기준)

팔을 오른쪽 측면 수직으로 뻗는다. 빗자루를 쓰는 동작으로 같은 방향으로 다른 쪽 팔을 이동시킨다.

(25) 우측 수평이동(조종사 기준)

팔을 왼쪽 측면 수직으로 뻗는다. 빗자루를 쓰는 동작으로 같은 방향으로 다른 쪽 팔을 이동시킨다.

(26) 착륙

몸의 앞쪽에서 막대를 쥔 양팔을 아래쪽으로 교차시킨다.

(27) 화재

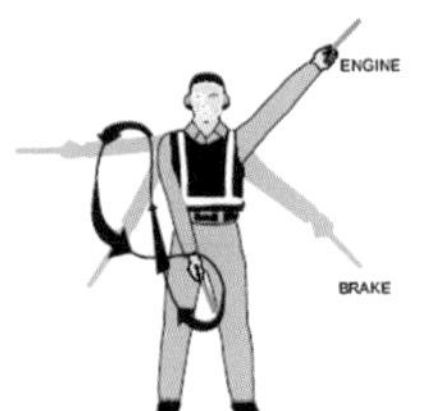

- 화재지역을 왼손으로 가리키면서 동시에 어깨와 무릎사이의 높이에서 부채질 동작으로 오른손을 이동시킨다.
- 야간 - 막대를 사용하여 동일하게 움직인다.

(28) 위치대기(Stand-by)

양팔과 막대를 측면에서 45°로 아래로 뻗는다. 항공기의 다음 이동이 허가될 때 까지 움직이지 않는다.

(29) 항공기 출발

오른손 또는 막대로 경례하는 신호를 한다. 항공기의 지상이동(taxi)이 시작될 때 까지 비행승무원을 응시한다.

(30) 조종장치를 손대지 말 것

머리 위로 오른팔을 뻗고 주먹을 쥐거나 막대를 수평방향으로 쥔다. 왼팔은 무릎 옆에 붙인다.

(31) 지상 전원공급 연결

머리 위로 팔을 뻗어 왼손을 수평으로 손바닥이 보이도록 하고, 오른손의 손가락 끝이 왼손에 닿게 하여 "T" 자 형태를 취한다. 밤에는 광채가 나는 막대 "T"를 사용할 수 있다.

(32) 지상 전원공급 차단

머리 위로 팔을 뻗어 왼손을 수평으로 손바닥이 보이도록 하고, 오른손의 손가락 끝이 왼손에 닿게 하여 "T" 자 형태를 취한다. 밤에는 광채가 나는 막대 "T"를 사용할 수 있다.

(33) 부정

오른팔을 어깨에서부터 90°로 곧게 뻗어 고정시키고, 막대를 지상 쪽으로 향하게 하거나 엄지손가락을 아래로 향하게 표시한다. 왼손은 무릎 옆에 붙인다.

(34) 인터폰을 통한 통신의 구축

몸에서부터 90°로 양 팔을 뻗은 후, 양손이 두 귀를 컵 모양으로 가리도록 한다.

(35) 계단 열기/ 닫기

오른팔을 측면에 붙이고 왼팔을 45° 머리 위로 올린다. 오른팔을 왼쪽 어깨 위쪽으로 쓸어 올리는 동작을 한다.

유도원은 유도신호를 완전 명료하게 수행할 수 있을 때까지 익혀야만 한다. 신호를 받는 조종사는 항상 일정한 거리를 유지하면서 어려운 각도에서는 자주 밖을 내다보며, 살펴야 한다. 신호자의 손은 확실히 구별되어야 한다. 만약 신호가 의심이 가거나 조종사가 신호에 따르지 않는 것으로 보일 경우는 정지 신호 후 다음 신호를 다시 시작해야 한다.

신호자는 항상 항공기가 주기되고자 하는 대략적인 지역을 조종사에게 알려주도록 해야 하고 신호자가 뒤로 이동시에는 프로펠러에 부딪치거나 고임목, 소화기, 계류선 등의 장애물에 걸려 넘어지지 않도록 해야 한다. 야간 수신호시에는 발광 유도봉을 사용하여 유도신호를 해야 한다. 야간신호는 정지신호를 제외하고 주간신호와 같은 방식으로 한다. 야간에 사용되는 정지신호는 긴급정지 신호로서 머리의 앞쪽에 위로 발광 유도봉을 교차하여 'X'를 나타내 표시한다.

9. 항공기의 잭 작업(Jacking Aircraft)

항공기 기술자는 항공 정비나 조사를 위해 항공기의 잭 작업에 익숙해져야 한다. 잭 작업과정이나 안전 주의 사항이 항공기에 따라 다르기 때문에 일반적인 잭 작업 과정이나 주의 사항에 대해 다루고자 한다. 잭 작업 처리를 위해서는 해당 항공기 제작사의 정비 매뉴얼을 참고해야 한다.

여러 가지 항공기 손상이나 중대한 사람의 부상은 부주의하거나 부적절한 잭 작업 과정에 따라 발생한다. 안전한 작업을 위해 사용 전에 잭(jacking) 능력, 안전 잠금(safety lock)의 적절한 기능, 핀의 상태 그리고 일반적인 수리 능력을 확인해야 한다. 매뉴얼 상에서 항공기내에 있는 평형계기(Leveling Instrument)의 실측이 요구되지 않는다면 항공기 내에는 누구도 남아있어서는 안 된다.

들어 올리는 항공기는 바람에 영향이 없도록 수평 위치로 놓아야 한다. 가능하다면 격납고에서 작업을 실시해야 한다. Jack point의 위치는 항공기의 제작사 정비수칙에 따라 결정된다. 이들 Jack point들은 항공기가 잭 위에서 균형을 유지 하도록 항공기의 무게 중심인 곳에 위치한다. 그러나 예외의 경우도 있다. 일부의 항공기는 안전한 균형을 취하기 위해 기수부분이나 꼬리부분에 무게를 증가시킬 필요가 있을 때가 있는데, 보통 모래주머니를 사용하기도 한다.

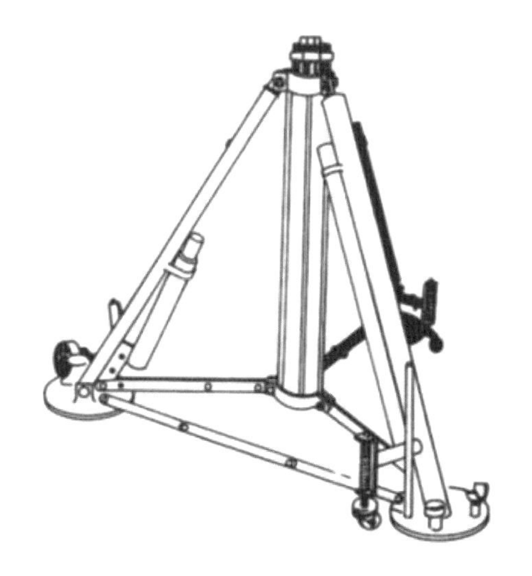

그림 6-30 대표적인 삼각대 잭

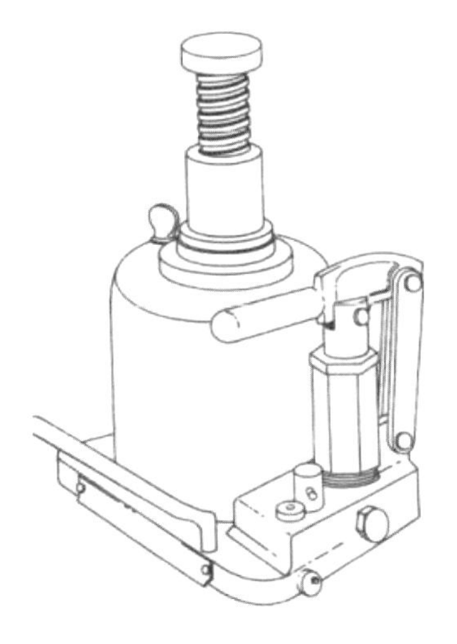

그림 6-31 대표적인 싱글베이스 잭

그림 6-30과 같은 삼각대 잭은 항공기를 완전하게 들어 올릴 때 사용하는 잭이다. 또한 그림 6-31과 같은 작은 싱글 베이스 잭(single-base jack)은 단지 바퀴 하나만을 들어 올리는데 사용하는 잭이다. 항공기에 사용되는 잭들은 좋은 조건하에 유지시켜야 한다. 누설이 되거나 손상된 잭은 결코 사용해서는 안 된다. 그리고 잭 형태마다 최대 한계능력이 있는데 그것을 절대로 초과해서는 안 된다.

9.1 완전한 항공기 잭 작업

항공기 잭 작업에 앞서 항공기가 사람에 대해 위험이 있는지를 살펴보기 위해서는 완전무결한 전체에 걸친 조사를 해야 한다. 항공기에 적당한 삼각대 잭을 항공기의 Jacking point 아래에 놓고 항공기를 들어 올릴 때 삐뚤어져 나가는 것을 방지하기 위해 정확하게 중심을 맞추어야 한다. 항공기가 올려 진 후 행해질 작업에 지장이 없도록, 착륙장치(Landing Gear)를 접어 넣어보는 그런 방법으로 잭의 다리를 검사하여야 한다. 항공기를 들어 잭 작업 시에는 적어도 세 곳에 잭 작업이 필요하다. 어떤 항공기에서는 세 곳에서 들어 올려지고 있는 동안 항공기의 안정을 취하기 위해 네 곳에 하는 경우도 있다.

일반적으로 두 곳의 지점은 양 날개에 있으며 나머지 한 곳은 착륙장치의 설계에 따라 기수 또는 꼬리부분에 위치한다. 대부분의 항공기는 Jack point에 잭받이(Jack pad)를 가지고 있다. 어떤 것들은 잭 작업에 앞서 적당한 곳에 볼트로 조여진 리셉터클(receptacle)에 끼워진 가동 잭받이가 있다. 올바른 잭받이란 어떠한 경우라도 사용할 수 있어야 한다. 잭받이의 기능은 항공기의 하중을 균일하게 분포되도록 하고 오목한 체크봉과 볼록한 베어링 표면이 잘 물릴 수 있도록 하는 것이다.

들어올리기에 앞서 그 항공기의 형태가 잭 작업을 할 수 있는지를 알아야 한다. 잭 작업 중 만약의 경우 중대한 구조상의 손상을 피하기 위해 제거해야 할 장비나 연료가 있을지도 모른다. 만약 항공기가 들어 올려진 상태에서 다른 작업이 진행 중이라면 위험한 물건들이 제거 되었나 확인해야 한다. 어떤 항공기에서는 항공기를 들어 올릴 때 구조상의 손상을 피하기 위해서 적절한 곳에 강도 높은 판넬이나 평판을 이용하기도 한다.

잭받이와 접촉할 때까지 잭을 뽑아 올리고 항공기가 들리기 전에 잭들이 적절히 정돈 되었는지 마지막으로 확인한다. Jacking 하는 동안 대부분의 사고가 잭들이 적절히 정돈되지 않은 상태에서 발생한다. 항공기를 들어 올릴 준비가 완료되면 각 잭마다 한 사람씩 배치되어야 한다. 항공기를 가능한 한 수평으로 유지시켜 어느 잭에도 과부하가 걸리지 않도록 잭을 동시에 올려야 한다. 감독자가 항공기 앞에 서서 잭 작업자들에게 지시를 하여 위와 같은 작업을 바르게 수행할 수 있도록 해야 한다. 그림 6-32는 들어 올려진 항공기를 나타내 주고 있다.

그림 6-32 완전히 들어 올려진 항공기

보통 잭들은 필요 이상의 높이까지 올라가기 때문에 잭 작업을 수행 시 필요한 높이 이상 항공기를 올리지 않도록 주의해야 한다. 항공기가 잭 위에 올려져 있는 동안은 항공기 주위를 안전하게 보호해야 한다. 항공기에 오를 때는 최대한 조용하게 올라야 하고 그 위에 타고 있는 사람은 절대 격렬한 운동을 하여서는 안 된다. 부분적으로 어느 시간 동안 항공기를 올려진 상태로 유지시키려면 가능한 가장 빠른 시간 내에 동체나 날개 밑에 지지대나 필요한 지지물을 받치도록 해야 한다.

Collet을 가진 잭에서 Collet은 올라가는 동안 승강 실린더에 있는 두 개의 나선 사이에 끼워져 있어야 하고, 잭 작업이 완료된 후 고정되지 않도록 실린더로 나사를 완전히 내려야 한다. 잭 압력을 감소시키면서 항공기를 내리기 전에 모든 틀 작업대,

장비 그리고 사람을 멀리 피하도록 하고, 착륙장치(Landing Gear)를 내려 고정시켜야 하며 모든 지상 잠금 장치를 완전하게 장치하도록 해야 한다.

9.2 한 쪽 바퀴만의 잭 작업

그림 6-33 한 바퀴를 들어 올린 잭받이

타이어를 교환하거나 바퀴의 베어링에 그리스를 주입하기 위해 단지 한 쪽 바퀴만 들어 올려야 할 때는 낮은 싱글 베이스 잭(single base jack)을 사용한다. 들어올리기 전에 다른 바퀴들은 항공기가 움직이지 않도록 앞, 뒤로 고임목(chock)을 고여야 한다. 만약 항공기에 꼬리 바퀴가 있을 때는 그것을 고정시켜야 한다. 바퀴는 표면과 떨어져 자유롭게 회전이 가능할 정도로만 충분히 올린다. 그림 6-33은 싱글 베이스 잭을 사용하여 들어 올리고 있는 바퀴를 보여준다.

제7장 정비 관리

1. 항공 정비의 정의
2. 항공정비 생산관리
3. 항공정비 품질관리
4. 항공정비 기술관리
5. 항공정비 자재관리

본 내용은 국토교통부 표준교재 정비일반의 내용을 재편집 하였으며, 일부내용은 저자의 동의하에 항공정비학개론의 내용을 인용하였음을 밝힙니다.

1. 항공 정비의 정의

정비(Maintenance)라 함은 항공기의 지속적인 감항성 확보를 위해 수행되는 점검, 분해, 수리, 검사, 부품의 교환 및 결함의 수정 중 하나 또는 이들의 조합으로 이루어진 작업등을 의미하며, 조종사가 수행할 수 있는 비행 전 점검 및 예방 정비는 포함하지 않는다.

항공기 정비는 항공기의 안전하고 쾌적한 운항을 위해 항공기 품질을 유지 또는 향상 시킬 수 있는 점검(Check), 검사(Inspection), 서비스(Service), 세척(Cleaning) 및 수리(Repair), 개조(Modification)작업 등을 총칭하며, 항공기, 엔진 또는 항공기 장비품에 대한 운항정비, 오버홀, 수리 또는 개조 중 하나 또는 여러 가지를 결합한 행위를 의미한다.

또한 정비의 의미에는 점검/검사, 장비품의 교환, 결함의 수정 또는 서비스 등도 포함된다.

1.1 정비의 개념

일반적으로 항공기가 비행을 안전하게 감당해 낼 수 있는 능력을 감항성이라고 하고 감항성을 유지하기 위한 행위(오버홀, 수리, 검사, 교환, 개조, 결함 수정 등)을 정비라고 한다. 또한 항공기에 감항성이 있다고 하는 것은 해당 항공기가 안전한 비행을 할 수 있는 상태에 있는 경우 감항성이 있다고 표현한다.

항공기는 수백만 개의 부품으로 구성되고 있기 때문에 사용 중에 고장이 발생하게 된다. 고장의 원인으로는 여러 가지가 있을 수 있으나 설계 결함, 제작상의 품질 불량, 사용 중의 조작이나 조절의 불량, 재료의 마모나 주변 환경 조건에 따른 퇴화나 부식 등을 들 수 있다.

이러한 원인에 따라 항공기가 운항 중이나 지상에서 고장이 발생하면 사고로 연결되어 인명과 재산에 막대한 피해를 줄 수 있기 때문에 이러한 고장의 발생 원인을 사전에 발견하고 제거함으로써 감항성이 유지될 수 있도록 하는 것이 정비의 개념이라고 할 수 있다.

1.1.1 수리와 개조(Repair & Alteration)

수리는 점검 후 고장 또는 불만족한 부품을 정비하여, 그 기능을 인가된 기준에 따라 사용 가능한 상태로 회복시키는 것을 의미하고, 개조는 부품이나 구성품의 기본 설계를 인가된 기준에 맞게 변경, 교체, 또는 새로운 부품의 추가로 장착 등을 실시하는 작업을 의미한다.

개조는 대개조(Major Alteration)와 소개조(Minor Alteration)로 분류되는데, 대개조는 항공기, 발동기, 프로펠러 및 장비품 등의 설계서에 없는 항목의 변경으로서 중량, 평형, 구조강도, 성능, 발동기 작동, 비행특성 및 기타 품질에 상당하게 작용하여 감항성에 영향을 주는 것으로, 간단하고 기초적인 작업으로는 종료할 수 없는 개조를 의미하며, 소개조는 대개조 이외의 개조작업을 의미한다.

개조와 같이 수리도 대수리(Major Repair)와 소수리(Minor Repair)로 분류되고, 대수리는 항공기, 발동기, 프로펠러 및 장비품 등의 고장 또는 결함으로 중량, 평형, 구조강도, 성능, 발동기 작동, 비행특성 및 기타 품질에 상당하게 작용하여 감항성에 영향을 주는 것으로, 간단하고 기초적인 작업으로는 종료할 수 없는 수리를 의미하며, 소수리는 대수리 이외의 수리작업을 의미한다.

항공기의 대개조 또는 대수리 작업은 수리개조 설계가 해당 감항성 기준과 일치되도록 국토교통부 지방항공청이 인가했거나, 인정된 설계 데이터에 의거하여 실시되어야 한다. 다만, 대개조 범주외의 작업은 인가된 정비조직에서 확인해야 하고, 대수리 범주외의 작업은 유자격 정비사의 확인으로 가능하다.

또한, 항공기의 대수리 또는 대개조 후 항공기를 사용이 가능한 상태로 환원시키고자 하는 경우(항공기를 운항에 투입하는 경우)에는 해당 한정자격을 보유한 항공정비사나 항공 공장정비사의 확인을 받아야 한다.

1.1.2 오버홀(Overhaul)

오버홀은 공장 정비에서 수리 순환 품목에 대한 최고 단계의 정비이며, 인가된 정비 방법, 절차 등에 따라 분해, 세척, 검사, 부품의 교환 수리, 재조립 등을 포함하며 작업 후 인가된 기준과 절차에 따라 기능시험을 해야 한다.

1.1.3 필수 검사 항목(Required Inspection Items)

작업자 이외의 승인된 정비사 또는 검사원에 의해 검사되어져야 하는 정비 또는 개조 항목으로써 적절하게 작업이 수행되지 않거나 부적절한 부품 또는 자재가 사용된 경우, 항공기의 안전한 작동을 위협하는 고장, 기능장애 또는 결함을 야기할 수 있는 최소한의 중요 항목을 지정하여 검사가 이루어져야 함을 의미한다.

1.1.4 예방 정비(Preventive Maintenance)

예방정비는 처음부터 고장의 발생을 전제로 하여 고장을 예방한다는 개념의 정비이다. 즉 고장이 발생하는 것을 미연에 방지하기 위해 사전에 정해진 주기에 맞추어 점검을 수행하고 특히 한계 사용(시한성) 품목(TRP: Time Regulated Parts)의 경우 정해진 시한이 도래하면 해당 부품의 상태에 관계없이 점검을 수행하거나 교환함으로써 안전성을 미리 확보할 수 있도록 하는 정비이다.

1.1.5 운항 정비(Line Maintenance)

예측할 수 없는 고장 등으로 발생된 비계획 정비나 특수한 장비 및 시설이 필요하지 않은 서비스 또는 검사 등을 포함한 계획정비("A"check 및 "B"check)를 의미한다.

1.1.6 공장 정비(Base Maintenance)

운항정비를 제외한 정비를 의미하며, 공장에서의 정상작업에는 벤치 체크, 수리 및 오버홀 등의 3단계로 구분된다.

1.1.7 정비 규정(Maintenance Control Manual)

항공기에 대한 모든 계획 및 비계획 정비가 만족할 만한 방법으로 정시에 수행되고 관리되어짐을 보증하는데 필요한 항공기 운영자의 절차를 기재한 규정 등을 말한다. 정비 규정에는 점검, 기능시험, 분해검사, 부품교환 등의 방법과 그 시기 등 구체적인 정비작업 절차 및 내용을 기종별, 항목별로 상세히 규정한 항공기 정비프로그램과 정비사의 훈련방법 등을 규정한 정비훈련프로그램 등 다양한 기술적인 내용이 포함되어 있는데, 항공기의 운항규정과 함께 국토교통부 장관의 사전 승인을 받아서 시행하도록 되어있다.

항공정비사는 반드시 정비규정에 따라 정비 업무를 수행해야 한다. 만약 정비규정을 지키지 않고 업무를 수행한 경우에는 항공법에 따라서 저촉을 받는다.

1.2 항공기 정비방침

항공기 정비는 항공기의 안전성을 확보하고 이것을 토대로 정시성을 유지하면서 쾌적한 항공 운송서비스를 제공하는 것을 목적으로 한다. 즉, 고객이 원하는 시간과 장소에 가장 빠르고, 안전하게 이동시키는 항공 운송서비스를 제공할 수 있도록 지원하는데 목적을 두고 있다.

이러한 목적을 달성하기 위해 정비는 관계 제 규정을 준수하고, 항공기, 엔진 및 장비품에 대한 제 기능을 유지 향상시키며, 감항성, 정시성, 쾌적성, 경제성, 인적오류(Human Error)예방 등의 정비방침에 의하여 정비를 실시하여야 한다.

1.2.1 감항성

항공기가 안전하게 비행할 수 있다는 성능을 말하며, 항공운송에 있어 인명과 재산의 보호를 위한 필수적인 항목이다. 항공기 운항 중 안전을 저해하는 다양한 요소를 제거하여 지속적으로 항공기 성능을 유지하도록 해야 한다.

1.2.2 정시성

항공기의 정시 출발태세를 확보하기 위해 계획된 작업을 시간 내에 완수함은 물론 항공기 고장 발생을 미연에 방지하여 정시 출발을 목적으로 한다.

1.2.3 쾌적성

승객에게 만족과 신뢰감을 주기 위해서 정비에서는 항공기가 충분히 제 기능을 발휘하고 항공기 내, 외부에 대한 청결 및 화물에 손상이 없도록 해야 한다.

1.2.4 경제성

정비 종사자는 최소한의 경비로 최대의 효과를 얻을 수 있도록 상기 감항성, 정시성, 쾌적성을 확보함에 있어 제 자원에 대한 경제성을 고려하여 유지시켜야 한다.

1.2.5 인적 오류 예방

정비작업 중 인적오류 발생을 예방할 수 있도록 정비프로그램에는 인적요인 원리(Human Factors Principles)를 적용한다.

1.3 항공기 정비 방식

정비방식(Maintenance Program)은 정비의 기본 목적을 달성하는데 필요한 정비기법(Maintenance Method), 정비요목(Maintenance Requirement), 정비작업, 인적요인(Human Factor) 등 각각의 역할과 상호관계를 결정하여 정비작업을 효율적으로 수행할 수 있도록 하는 정비 체계를 의미한다.

항공기에 대한 정비방식은 예방 정비라는 개념이 주류를 이루었으나 점차 신뢰성 관리에 중점을 두고 있다. 따라서 MSG-2 정비기법을 기반으로 하는 하드타임(HT:Hard Time), 온 컨디션(OC:On Condition), 컨디션 모니터링(CM:Condition

Monitoring)과 B747-400을 비롯하여 A380, A330, B777, B737 등의 항공기는 신뢰성이 크게 향상됨에 따라 경제적인 운용을 고려하여 MSG-3 정비기법인 윤활/서비스(Lubrication/Servicing), 작동점검(Operation Check), 육안점검(Visual Check), 검사(Inspection), 기능점검(Functional Check), 환원(Restoration) 및 폐기(Discard) 등의 정비작업을 병행하여 운영하고 있다.

(1) MSG(Maintenance Steering Group)의 개요

- MSG-1 : 1968년 747 항공기 정비방식 수립을 목적으로 개발되었다.
- MSG-2 : MSG-1을 바탕으로 다른 항공기에 적용하고자 개발되었으며, 항공기 고유의 신뢰도를 유지할 수 있도록 미항공운송협회(ATA: Air Transportation Association of America)에서 개발한 정비방식 개발 분석기법이다. 이것은 장비품의 내구력 감소 발견방법으로부터 분석을 시작하는 상향식 접근방식(Bottom up Approach)의 분석기법이다.
- MSG-3 : 새로운 항공기에 적용하기 위해 MSG-2를 개선한 정비 작업(Maintenance Task) 위주의 정비방식 개발 분석기법이며, 항공기의 계통, 기체구조 및 부위를 기능상실(Functional Failure)의 영향으로부터 분석하는 작업 위주의 방식으로 하향식 접근방식(Top down Approach)의 분석 기법이다.

1.3.1 하드타임(HT: Hard Time, 시한성 정비)

하드타임은 부품이나 장비에 대해 축적된 경험을 바탕으로 사용시간 한계를 설정하여 일정한 사용시간에 도달한 장비품 등을 항공기에서 정기적으로 장탈하여 분해, 수리 또는 오버홀(Overhaul) 등의 정비를 하거나 폐기하는 정비방식이다.

종래부터 행해지고 있는 오버홀이 이 방식에 포함되는 대표적인 정비방식으로서 오버홀 작업을 한 번에 수행하는 것을 완전분해수리(Complete Overhaul), 여러 차례에 걸쳐 나누어서 단계적으로 수행하는 것을 단계적 분해수리(Progressive Overhaul)라고 한다. 그러나 이러한 항공기 장비품 등의 고장의 발생을 전제로 고장을 사전에 예방한다는 생각에 입각한 정비개념인 하드타임을 중심으로 한 예방정비에는 다음과 같은 문제점이 있다.

- 본래 사용시간과 고장의 상관관계가 없는 부품이 많고, 장시간 만족하게 작동될 수 있는 많은 부품이나 장비품이 장탈되고 있다.
- 부품이나 장비품의 장탈, 착, 분해 작업에 따른 초기 고장의 발생 가능성이 내포되어 있다.
- 만족하게 작동하고 있는 부품을 조기에 장탈하고 있기 때문에 부품 본래의 결점을 파악하기 힘들며, 부품의 개량도 진척되지 않는다. 즉, 만족하게 작동하고 있는 부품이나 장비품은 그대로 사용하는 것이 전체적으로 장탈 수가 적어 경제적이며, 고장도 적고 부품의 개량도 빨리 행해지며 결과적으로 품질이 향상될 것이다.

1.3.2 온 컨디션(OC: On Condition, 신뢰성 정비)

온 컨디션은 항공기 장비품과 부분품을 주기적으로 항공기에서 장탈하여 분해 수리하지 않고 항공기에 장착된 상태로 외부검사나 시험을 정기적으로 반복함으로써 장탈할 것인지 또는 계속 사용가능한지를 판정하는 정비방식이며, 판정결과에 따라 불량한 부분품이 있으면 교환하거나 수리 등의 적절한 정비를 수행하는 정비방식으로 다음 사항들이 요구된다.

- 주어진 점검주기를 필요로 한다.
- 주어진 점검주기에 반복적으로 행하는 검사(Inspection), 점검(Check), 시험(Test) 및 서비스(Service) 등이 필요하다.
- 감항성 유지에 적절한 점검 및 작업방법이 적용되어야 하며, 효과가 없을 경우에는 컨디션 모니터링(Condition Monitoring)으로 관리할 수 있다.
- 장비품 등이 주기적으로 항공기에서 장탈되어 분해되지 않고 정비되는 것은 온 컨디션에 포함된다.

1.3.3 컨디션 모니터링(CM: Condition Monitoring, 상태 정비)

컨디션 모니터링은 고장이 발생되더라도 감항성에 직접 문제가 없는 일반부분품이나 장비품에 적용하는 정비방식으로써 정기적인 검사나 수리를 필요로 하는 것이 아니고, 고장이 발생하거나 고장 징후가 나타날 때 정비를 수행하는 정비방식이다.

각각의 부분품을 대상으로 하지 않고, 특정 부분품 그룹 전체로서의 신뢰도를 감시하여 품질수준이 일정한 기준이하로 떨어질 경우에 적절한 정비조치를 취한다.

1.3.4 신뢰성 관리 정비

신뢰성 관리 정비 방식은 예방정비 개념을 대신하여 항공정비 전반의 신뢰성, 즉 지속적으로 품질을 감시하고 일정한 수준이하로 품질이 저하 될 경우에 바로 고장원인을 규명하여 원인을 제거하는 정비제도이다.

신뢰성 향상에 중점을 둔 새로운 정비체계의 확립으로 보다 합리적이고 효율적인 정비를 하도록 고려하는 정비방식이다. 이러한 신뢰성 관리에 의한 정비를 가능하게 한 요인으로는 최근 항공기 설계의 진보와 기자재품질 수준의 향상, 비파괴 검사를 중심으로 한 검사방법의 발달과 온 컨디션 방식에 가능한 구조의 채택, 컴퓨터를 응용한 고장 데이터 처리나 모니터링 방법의 발달 등을 열거할 수가 있다.

이러한 신뢰성 관리 정비방식이 가능한 것은 엔진의 경우 다음과 같은 방법들을 이용하여 지속적인 엔진 상태 감시가 가능하기 때문이다.

1.4 항공기 정비작업(Maintenance Task)

항공기 정비작업은 정상작업(Regular Work Task)과 특별작업(Project Work Task)으로 분류되며, 정상작업은 계획(정시)정비작업(Scheduled Maintenance Task)과 비계획(불시)정비작업(Unscheduled Maintenance Task)으로 나누어진다.

1.4.1 계획 정비 작업

정비요목(Maintenance Requirement)을 수행하기 위해 정기적으로 반복 실시되는 점검, 검사, 서비스 등의 작업을 말한다. 계획 정비라고도 하며, 항공기 정비프로그램에 의해 정해진 주기에 항공기의 감항성을 확인하는 정비작업으로 정시점검 및 엔진, 착륙장치 등 시한성 품목(TRP:Time Regulated Parts)의 교환 작업 등을 말한다. 반복점검 등의 주기 설정은 제작사 권고사항 및 신뢰성 프로그램에 의해서 결정된다.

1.4.2 비계획 정비 작업

고장이나 불량한 곳의 탐구, 수리, 조절 등의 작업이다. 고장의 원인으로 되어있는 불량한 곳을 찾아내는 것을 고장탐구(Trouble Shooting)이라고 한다.

비계획 정비작업은 일종의 불시정비로서 계획에 없거나 예측할 수 없는 상황에서 발생한 정비에 대한 절차, 지침, 및 기준들이 포함된다. 비계획정비의 필요성은 계획 정비 작업, 조종사 보고서, 경착륙이나 과 중량 착륙, 후미 충격, 낙뢰나 엔진 과열과 같은 예측하지 못한 일들의 결과로 생겨난다.

1.4.3 특별 작업

고장원인의 제거 혹은 장비의 변경을 목적으로 해서 항공기자재의 원 설계를 변경하는 작업을 개조(Modification)라 부르며, 이러한 개조나 일시적인 검사 등의 작업을 특별 작업이라 한다.

1.5 항공기 정비직무

항공기 정비직무는 항공기를 정비하는 형태에 따라 운항정비, 공장정비 및 기타 기술지원으로 분류할 수 있으며, 일반적인 항공정비 직무수행절차는 그림 7-1과 같다.

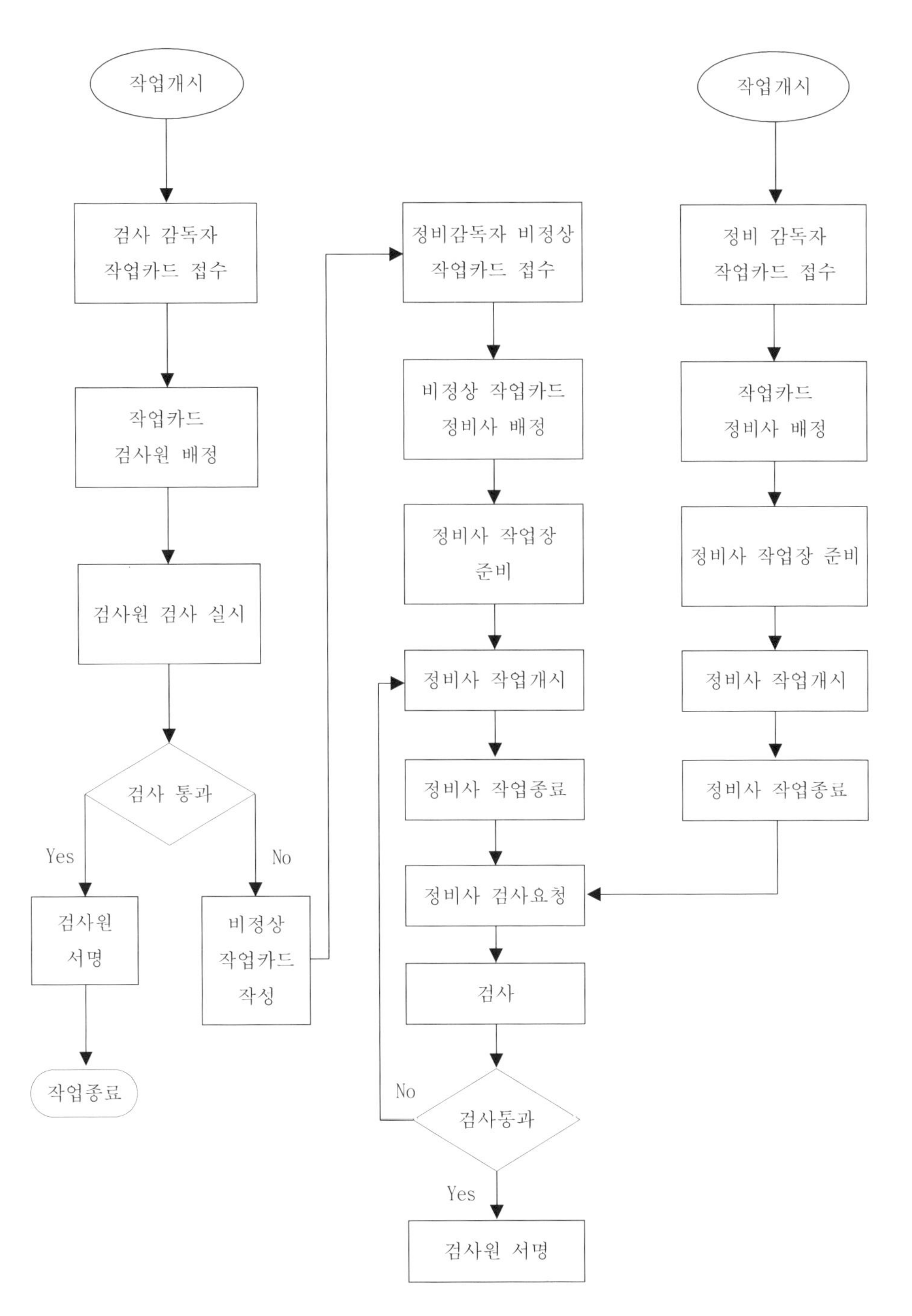

그림 7-1 항공기 정비와 검사 순서도
(Maintenance and Inspection Flow Chart)

항공기의 결함으로 인한 고장탐구 또는 주기점검 등의 작업발생시 일종의 작업지시서인 작업카드(Job Card)가 발행되면 일선의 정비감독자는 해당 자격을 소지한 정비사에게 작업을 배정하게 되고, 정비사는 작업을 실시하고 완료 후에는 검사가 필요한 작업의 경우 검사를 요청하게 된다. 항공기 정비 검사원은 검사를 요청받게 되면 해당 정비규정 및 교범 등에 의하여 작업이 완료되었는지 검사를 실시하고, 이상이 없다면, 검사원 서명 등으로 작업이 종료된다. 그러나 검사 결과 이상이 발견되었거나 검사기준에 미치지 못할 경우에는 비정상 작업카드를 발행하여 재정비 작업을 지시하게 된다.

1.5.1 운항 정비(Line Maintenance)

운항정비는 예측할 수 없는 고장으로 발생된 비계획 정비나 특수한 장비, 시설 등이 필요하지 않은 서비스 및 검사를 포함한 계획점검을 말한다. 즉, 항공기의 계속적인 운항을 위해 발동기 및 부분품은 기체에 장착된 상태에서 수행되는 일상적이고 한정적인 범위의 정비행위이다.

운항 정비에서는 엔진 및 부분품은 기체에 장착된 상태에서 항공기의 정비를 수행하며 부분품에 대한 작업이 필요할 경우는 사용 가능품과 교환함이 원칙이다. 또한 다른 작업을 위해 어떤 부분품이 장탈되어 다시 같은 항공기에 장착하는 것은 운항 정비에 속한다.

그러나 장탈 된 부분품을 같은 항공기에 장착하기 위해 공장에서 수리하는 작업은 공장 정비에 속하고, 특별히 정해진 경우를 제외하고는 운항 정비에서 부분품의 분해·조절 및 수리를 해서는 안 된다.

운항정비는 항공기를 운항하는 과정에서 발생하는 항공기의 제반 결함을 수정하여 항공기 운항의 정시성을 유지하면서 항공기의 상태가 안전하고, 여객 서비스 및 비행계획에 지장이 없도록 출발상태를 갖추는 것으로써 항공정비의 최 일선 정비방식이라 할 수 있다.

따라서 운항정비사는 항공기의 정시운항을 위해서 짧은 시간 내에 작업이 진행되어야 하므로 시간적인 압박에 의한 스트레스를 받는다. 운항정비사의 직무로는 항공기의 출발 태세를 확인하는 점검으로서 중간 점검, 비행 전·후 점검 및 주간 점검 능을 수행한다.

1.5.1.1 중간 점검(TR : Transit Check)

연료의 보급과 엔진 오일의 점검 및 항공기의 출발태세를 확인하는 것으로 필요에 따라 상태점검과 액체, 기체류의 점검도 행한다. 이 점검은 중간기지에서 수행하는 것이 원칙이지만 출발기지에서도 운항편이 바뀔 경우 실시되어야 한다.

1.5.1.2 비행 전/후 점검(PR/PO : Pre/Post Flight Check)

비행 전/후 점검은 그날의 최종비행을 마치고부터 다음 비행 확인 전까지 항공기의 출발태세를 확인하는 점검으로서 액체 및 기체류의 보급, 항공기 결함교정, 항공기 내외의 청결, 세척 및 탑재물의 하역 등을 수행하는 것을 말한다.

수행 시기는 국내선만을 운항하는 경우 최종비행 후 다음비행이 계획된 날 첫 비행 이전에 수행하고, 국제선을 포함하는 경우는 점검수행 후 비행시각으로부터 48시간 이내에 수행하며, 비행이 없을 경우는 생략할 수 있다.

(1) 비행 전 점검의 확인사항

항공기는 다양한 기능성 부분품들의 결합으로 이루어져 있으며 이런 부분품들의 작동을 위한 각 계통의 작동유 상태 및 적정량 여부를 점검하고 필요시 청결한 제 규격의 작동유가 유지되도록 관련 작동유를 교환해 준다.

- **엔진/보조동력장치 오일 보급**

항공기 엔진 및 보조동력장치(APU : Auxiliary Power Unit)는 작동유가 엔진 부분품을 순환하는 과정에서 일부가 소모되므로 비행을 시작하기 이전에 필요한 적정량이 보충되어야만 한다. 매 비행 전에 적정량이 확보되어 있는지를 확인하고 필요시 적정량을 해당 교범에 따라 보급해야 한다.

- **통합 구동 발전기(IDG : Integrated Drive Generator) 오일 보급**

통합 구동 발전기(IDG)는 정속 구동 장치(CSD: Contant Speed Drive)와 교류 발전기(AC generator)가 합쳐져 한 개로 모듈화 되어 있는 기상 전원 발전기이다.

비행 상태에 따라 수시로 변동되는 엔진 회전수를 정속 구동 장치(CDS)에서 항상 일정한 회전수로 변환하여 발전기를 돌려줌으로써 항공기에 필요한 전력(115/200 VAC, 400HZ)을 생산한다.

통합 구동 발전기(IDG) 내부에 있는 정속 구동 장치의 윤활유 소모량에 따라 매 비행 전에 필요한 적정량을 해당 항공기 정비교범에 따라 보충해야 한다.

그림 7-2 항공기 엔진오일과 IDG 오일 보급

- **작동유 보급**

작동 유압은 고속에서 비행하는 항공기의 움직임을 제어(control)하기 위한 비행 조종면을 움직이고 착륙장치를 이·착륙의 목적에 따라 항공기 동체 내로 접어 넣거나, 외부로 팽창시키고, 지상에서 브레이크 제동을 위해 제동장치를 사용하기 위한 동력원으로써 사용된다. 이러한 작동 유압의 생산을 위해서 항상 작동유의 저장량을 확인하여 부족한 경우에는 해당 항공기의 정비 교범에 따라 적정량을 보급해야 한다.

- **산소/음용수 보급**

기내 여압 상실 등의 비상상황에 대비해 고압기체 산소용기 및 산소 발생기 등은 법적인 요구량이 매 비행마다 유지되어야 한다. 또한 기내 음료수 등도 기종별 비행 구간에 맞게 적정량이 공급되어야 한다.

- **비행에 필요한 연료의 보급**

운항관리사는 비행구간, 탑승객 및 화물무게를 고려하여 비행에 필요한 연료량을 산출해야 하며, 정비사에게 통보하고, 정비사는 항공기 연료탱크에 적절하게 연료를 배분하여 탑재하여야 한다. 이 때, 탑재되는 연료는 다음과 같은 연료량을 포함해야 한다.

① 사전에 계획되어진 비행경로의 비행에 필요한 연료
② 착륙공항 상공에서의 채공비행에 필요한 연료
③ 부득이한 경우를 대비한 대체 공항까지의 연료
④ 기상상태에 따른 추가연료 및 여분의 연료

B-747-400 항공기의 경우 ICN-JFK(인천-존 F. 케네디 국제공항) 구간 비행을 위한 연료는 기상상태에 따라 다소 차이는 있지만 대략 350,000 파운드 이상이며 보급 소요시간은 최소 60분(연료보급 차량 2대 동시 급유시) 정도이다.

- **항공기 내/외부의 청결상태 확인**

비행 후 승객 하기가 완료된 이후 비행 중 승객들이 사용한 항공기 물품들의 하기, 기내청소 및 오물의 처리작업이 이루어지며, B747-400 항공기를 기준으로 35분 정도가 소요된다.
기내 청소와 더불어 항공기 결함의 사전 탐지를 위해 기체 외부의 작동유 누설 등을 중점적으로 점검하며, 조종사 시야확보를 위한 조종석 전면창(Windshield)의 세척과 항공기 도색 보호를 위한 외부 세척 작업 등도 이루어진다.

- **최종 비행 준비상태 확인**

확인 정비사는 항공기가 비행에 필요한 모든 작동유, 연료 등의 보급이 완료되고, 항공기 각 계통의 작동점검 및 최종 외부점검을 통하여 항공기의 모든 기능이 비행 가능 상태임을 확인한다.
항공기의 모든 기능이 비행을 위한 정상 상태임을 확인한 후에 비행 기록부(Flight

& Maintenance Log Book)의 확인 정비사 란에 서명(stamp)함으로써 감항성을 입증하게 되고 이를 운항 승무원에게 인계하여 최종 비행 준비를 마치게 된다.

(2) 비행 후 점검

비행 후 항공기의 작동상태를 점검하는 작업으로 주요 점검대상은 항공기 비행 중 또는 점검 중 발견된 비정상적인 항공기 계통 작동상태의 확인 및 결함의 해소와 항공기 각 계통의 작동상태 점검 등으로 구성된다.

- **육안점검(Visual check)**

비행 중 항공기 작동에 따른 기계적 변형 또는 장치 내부의 결함 등에 대하여 육안을 통하여 점검하는 단계로써 조종실 내부로부터 항공기 외부 표피 및 동체 미부에 이르기까지 외부로 드러난 항공기의 모든 부분을 대상으로 광범위한 육안점검과 결함이 의심되는 부분에 대한 세밀한 확인 행위까지를 포함한다.

- **기능 점검(Functional check)**

항공기의 필수적인 부분품들에 대한 기능을 점검하고 정상적인 작동상태를 확인함으로서 감항성을 유지하거나 확보 할 수 있도록 한다.

- **항공기 결함 해소**

비행 중 발견된 기능 이상이나, 비행 후 항공기 외부의 육안점검 및 작동 점검을 통해 탐지된 부분품의 기능 이상은 차기 비행의 안전성을 확보하기 위해 본래의 제 기능 상태로 복원되어야만 한다.

항공기의 기능 이상은 경고등 또는 결함 메시지(Fault Message) 등의 형태로 나타나며, 제작사의 고장탐구교범(Fault Isolation Manual) 및 정비사의 항공기 기술적 지식 등을 토대로 고장탐구를 수행해야 한다.

- **비행 후 주기(Parking)**

비행 후 점검을 통해 차기 비행준비가 완료된 항공기는 차기 비행에 투입될 수가 있으며, 비행계획에 따라 일정기간 주기상태를 유지하기도 한다. 정확한 주기방법은 각 항공기별로 별도로 정한 절차에 따라 정해지며, 기간별로는 24시간 이내의 단기간 주기 또는 그보다 긴 장기간 주기로 나누어질 수 있다.

일반적으로 주기된 항공기는 착륙장치가 계속적으로 펼쳐진 상태에서 유지하도록 착륙장치 고정 핀(Landing gear down lock pin)이 장착되어야 하며, 일정 수량의 고임목(choke)을 고여 경사진 지면에서 항공기가 움직이지 않도록 고정해야 한다.

또한 낙뢰 또는 정전기 발생에 대비하여 항공기와 계류장의 지정된 접지점 사이에 접지선을 연결하여 접지 등도 이루어져야 한다. 민감한 속도감지 계통의 피토 정압관(pitot static tube) 등은 불순물 침투 방지를 위해 덮개를 장착하기도 한다. 물론 이런 보호 장비들은 비행에 투입되기 이전에 항공기로부터 제거 해야만 한다.

1.5.2 공장 정비(Base Maintenance)

공장정비는 격납고에서 수행하는 기체점검정비와 항공기에서 장탈된 엔진을 분해, 수리하는 엔진정비 및 부분품 등을 분해, 수리하는 보기정비 등으로 구분할 수 있다.

1.5.2.1 기체 점검 정비

정시점검정비는 항공기의 레이오버(lay over) 기간 중 또는 작업장에서 수행하도록 여러 내용을 미리 조합해 둔 형태의 정비방식으로서 항공기 운영결과를 토대로 신뢰성 관리방식에 따라 정해진 단계의 일정한 주기에 행하는 예방정비 개념이다.

기체 점검 정비사는 운항정비 기간에 축적된 항공기의 불량상태에 대한 수리 및 기능적으로 운항 저해의 가능성이 많은 제 계통의 예방정비 및 감항성을 확인하고, 운항정비능력을 초과하는 정비를 수행한다. 즉, 항공기 기체에 대한 세부점검 사항이나 기체의 수리, 판금 등의 업무를 수행한다.

기체점검 정비 방식에는 다음과 같은 점검 종류가 있다.

(1) 'A' check

운항에 직접 관련해서 빈도가 높은 정비단계로서 항공기 내외의 Walk Around Inspection, 특별장비의 육안점검, 액체 및 기체류의 보충, 결함 교정, 기내청소, 항공기 외부세척 등을 행하는 점검을 말한다.

(2) 'B' check

'A' check의 점검사항을 포함하며 항공기 내외부의 육안검사, 특정 구성품의 상태점검 또는 작동점검, 액체 및 기체류의 보충을 행하는 점검을 말한다.

(3) 'C' check

기본 'A' check와 'B' check의 점검사항을 포함하며 제한된 범위 내에서 구조 및 제 계통의 검사, 계통 및 구성품의 작동점검, 계획된 보기 교환, Servicing 등을 행하여 감항성을 유지하는 점검을 말한다.

(4) 'D' check

인가된 점검주기시간 한계 내에서 항공기 기체구조 점검을 주로 수행하며, 부분품의 기능점검 및 계획된 부품의 교환, 잠재적 결함 교정과 Servicing 등을 행하여 감항성을 유지하는 기체점검의 최고 단계를 말한다.

(5) I.S.I(Internal Structure Inspection)

감항성에 일차적인 영향을 미칠 수 있는 기체구조를 중심으로 검사하여 항공기의 감항성을 유지하기 위한 기체내부 구조에 대한 표본 검사(Sampling Inspection)를 말한다.

1.5.2.2 엔진 정비

엔진정비(Engine Maintenance)는 엔진이 항공기에 장착되어 있는 상태에서는 하나의 순환품목으로 취급되지만 다른 장비품과는 달리 정비방식을 구별하여 실시하여야 하는데, 엔진 제작사의 권고사항을 기준으로 MSG-2 또는 MSG-3로 설정하여 운영할 수 있다.

소형 엔진들은 MSG-2 정비기법을 적용하여 하드타임으로 운영하고 있으나, 최근의 대형 엔진들은 MSG-2보다 향상된 MSG-3 정비기법을 적용하여 운영하고 있다. 즉, 엔진이 항공기에서 장탈된 경우 해당 공장으로 입고되어, 엔진 형식에 따라 HSI(Hot Section Inspection), 오버홀(Overhaul), LM(Light Maintenance), SVM(Shop Visit Minimum), CSI(Cold Section Inspection), GPR(Gas Path Restoration), HM(Heavy Maintenance) 작업 등으로 구분하여 실시한다.

엔진 정비작업 기법들은 다음과 같다.

(1) SV(Shop Visit)

항공기에서 장탈된 엔진을 공장으로 입고하여 모듈(Module)의 주요 플랜지(major flange)를 분리하여 정비 작업을 실시하는 것을 말한다.

(2) Overhaul

관련 엔진 교범(Engine Manual)에서 명시하는 고유기능 수준으로 복원하는 정비 작업을 말한다.

(3) SVM(Shop Visit Minimum)

엔진의 장탈 이유 및 시간에 관계없이 공장 입고 시 필수적으로 수행되어야 하는 최소한의 작업

(4) GPR(Gas Path Restoration)

엔진 또는 모듈(Module)의 성능 및 안정성을 일정 기준으로 환원시키거나, 필요한 수리, 개조 등을 위해 모듈(Module)을 제한적으로 분해하여 작업하는 것을 말한다.

(5) HM(Heavy Maintenance)

엔진 또는 모듈(Module)을 분해, 점검 및 필요한 수리를 함으로써 지속적인 감항성 유지를 위하여 실시하는 정비작업을 말한다.

(6) HSI(Hot Section Inspection)

엔진에서 Hot Section이란, 연소실(Combustion Chamber) 부분, 터빈 부분(Turbine Section) 및 배기 부분(Exhaust Section) 등을 말하는데, 정비 절차는 기종에 따라 차이가 있으나 일반적인 정비 방법은 다음과 같다.

- **연소실 부분**(Combustion Chamber)

① 내시경(Borescope) 장비를 이용하여 연소실 내부를 육안 검사한다.

② 연소실 내부에 균열, 비틀림, 그을린 자국, 열점 현상 등이 발견되면 기관을 항공기에서 장탈하여 기종에 따라 정해진 절차대로 연소실 부분을 정비한다.

③ 연소실 조립 시 연소 라이너(liner)의 조립은 잘 되었는지 내시경(Borescope) 장비를 이용하여 확인한다.(연소 라이너의 잘못된 조립은 연소 효율과 기관 성능에 큰 영향을 미친다.)

④ 연소 노즐(nozzle)의 분사 상태를 점검하여 불량한 것을 교환한다.

⑤ 점화 플러그의 점화 상태를 점검하여 불량한 것을 교환한다.

- **터빈 부분**(Turbine Section)

① Tail pipe를 통해 터빈 부분을 검사하거나 내시경(Borescope) 장비로 육안 검사한다.

② 터빈 노즐의 균열, 비틀림, 그을린 자국, 열에 의한 터짐 등의 결함이 있는지 육안 검사하여 결함 정도에 따라 기관을 항공기에서 떼어 내어 정비한다.

③ 터빈 깃(turbine blade) 균열은 무조건 허용되지 않는다. 따라서 균열된 터빈 깃은 교환해 주어야 한다.

④ 터빈 깃(turbine blade) 끝에 열에 의한 변색이나 뒷면에 잔물결 모양(rippling)이 있으면 과열 상태에 있는 것이므로, 제작 회사의 정비 매뉴얼을 참고하여 특별한 검사를 실시해야 한다.

⑤ 터빈 깃(turbine blade)을 교환할 때는 터빈 휠(turbine wheel)의 균형을 위하여 Moment Weight가 같은 것으로 교환해 주어야 한다.

⑥ 터빈 깃이 크리프(creep) 현상으로 Shroud ring과 접촉되어 손상된 부분은 없는지 검사해야 한다.(크리프 현상 : 터빈 깃은 작동 중에 열과 원심력에 의해 하중이 발생되고, 이 하중에 의해 터빈 깃이 늘어난다.)

- 배기 부분(Exhaust Section)

① 배기 부분은 고온 고압의 가스가 흐르는 통로이기 때문에 열응력에 의한 균열이나 비틀림 등의 결함이 발생하기 쉬워서 검사를 철저히 해야 한다.

② 후기 연소기(After Burner)가 있는 배기 부분은 그 구성품인 Flame Holder, Spray Bar를 검사하여 정비해야 한다.

③ 후기 연소기(After Burner)의 배기 노즐(Exhaust nozzle)이 불량하면 제작사의 정비 교범을 참고하여 작업을 해 준다.

④ EGT(Exhaust Gas Temperature)를 감지하는 열전쌍(thermocouple)은 Jet Cal Tester로서 시험한 뒤에 불량하면 교환해 준다.

(7) CSI(Cold Section Inspection)

엔진에서 Cold Section이란 공기 흡입구(Air Intake Section), 압축기 부분(Compressure Section)과 디퓨져 부분(Diffuser Section)을 말한다. 정비 질차는 기종에 따라 약간의 차이는 있지만, 일반적인 정비 방법은 다음과 같다.

- 공기 흡입구(Air Intake Section)

① 점검등(light)을 이용하여 공기 흡입 안내 깃(air inlet guide vane)에 침식 상태는 없는지 검사하여 정비해준다.

② 공기 흡입구 부분에 느슨해지고, 벗겨지고, 깨진 부분은 없는지 검사하여 정비해준다.

③ 압축기 전방 부분(Air Intake Section)에 윤활유의 누설 흔적은 없는지 육안 검사한다.

- **압축기 부분(Compressure Section)**

① 압축기 부분은 내시경(Borescope) 장비를 이용하여 압축기 깃(Compressure blade)의 침식 상태와 결함 상태를 검사한다.

② 압축기 깃(Compressure Blade)에 결함이 발견되면 엔진을 항공기에서 장탈하여 결함 정도에 따라 정비 방법을 결정하여 정비한다.

③ 압축기의 실속(compressure stall)을 방지하기 위하여 설치한 에어 블리드 밸브(air bleed valve)와 가변 고정익(variable static vane)의 작동상태를 점검하여 결함이 발견되면 기종에 따라 정해진 절차대로 작업한다.

④ 압축기 케이스(compressure case) 및 디퓨져 부분(Diffuser Section)에 공기의 누설이나 균열 부분은 없는지 검사하여 결함이 있을 경우에는 항공기에서 엔진을 장탈하여 결함 정도에 따라 정비 작업을 결정하여 수행한다.

보기정비(accessory maintenance)는 항공기에서 장탈된 부분품(장비품)의 수리나 상태점검을 위하여 특기별로 편성된 부서단위에서 장비품의 분해검사, 기능시험, 구성부품의 수리 업무를 담당한다. 보기류의 정비방법에는 벤치점검(bench check), 수리(repair) 및 오버홀(overhaul) 등이 있다. 보기 정비 기법들은 다음과 같다.

(1) 벤치 점검(Bench Check)

수리작업장의 벤치에서 부분품 또는 구성품의 사용가능 여부 또는 조절, 수리, 오버홀이 필요한지 여부를 결정하기 위한 기능점검을 말한다.
(벤치 체크에 의해서 사용시간을 '0'으로 환원할 수 없다.)

(2) 수리(repair)

벤치 체크 결과 고장 혹은 불만족한 부분을 정비 또는 손질하여 그 기능을 복구 시키는 작업을 말한다.(수리에 의해서 그 부분품의 사용시간을 '0'으로 환원할 수 없다.)

(3) 오버홀(overhaul)

부분품의 오버홀이란 공장에 있어서의 수리 순환 품목에 대한 최고 단계의 정비이며, 제작사의 수리방법에 따라 분해, 세척, 검사, 구성품의 교환 수리, 조립, 기능시험의 전 과정을 수행한 것을 말한다.

(오버홀에 의해서 그 부분품의 사용시간을 '0'으로 환원할 수 있다.)

1.5.2.3 정비기술지원(Maintenance Engineering Service Engineer)

현장에 근무하는 정비사가 기술적인 문제에 봉착하거나, 정비 교범에 언급되지 아니한 사항이 나타났을 경우, 항공기 제작사로부터 신속한 해결방안을 강구하거나, 현장 정비사가 접하기 어려운 다양한 기술 자료를 제공함으로써 현장 정비사의 문제해결 능력을 지원하는 기술지원(Engineering Service) 부문과 정비공정, 중간과정 또는 최종결과가 정비 교범에 정한 품질규격에 적합한지를 판정하는 검사 업무 및 각종 시험이나 특수공정검사를 통하여 현장 정비를 지원하는 특수검사업무 등이 있다.

특히, 효율적인 정비와 검사가 정비안전에 필수적인 전제조건임을 감안할 때, 검사원의 신뢰성은 효율적인 정비와 검사에 핵심적이라고 할 수 있다 그러므로 제작사와 운항기술기준에 규정한 표준화된 기술 기준을 엄격하게 적용해야 하기 때문에 모든 정비자료를 신중하고 엄격하게 관리하여야 하고, 업무처리는 규정된 기준에 따라 수행하며, 그 결과의 기록을 유지해야하므로 업무수행과정의 융통성은 오히려 정비품질의 수준을 저해할 수 있다.

2. 항공정비 생산관리

항공정비 생산관리는 정비조직이 영업, 운송부서 또는 승객 등의 고객이 원하는 항공기를 특정자원을 투입하여 변환과정을 거쳐 적시적기에 안전성, 정시성 및 쾌적성에 만족하는 좋은 품질의 항공기를 제공하는 시스템 활동으로서 계획, 조직, 설계, 운영, 집행 및 통제하는 일련의 의사결정 과정으로 정의할 수 있다.

2.1 정비 생산관리의 목적

일반적인 제품 생산의 목적과 마찬가지로 정비 또한 효용 창출에 의한 고객 만족과 자원의 최소 투입을 통한 경제적 생산의 극대화를 목적으로 하고 있다.

운항안전을 극대화하여 안전성, 정시성 및 쾌적성 등 서비스 효용의 극대화를 통해 고객을 만족시킨다는 외적인 측면과 최소의 정비비용으로 항공기 가동률을 극대화시켜 경제적인 생산이라는 내적인 측면으로 구분할 수 있다.

2.2 정비 생산관리의 특징

정비생산관리의 가장 큰 특징은 다품종 소량 생산시스템으로서 동일한 제품은 거의 없고 제품별 생산량이 소량인 생산 활동을 특징으로 하는 시스템이며, 제품의 기술, 품질, 공정 등 작업의 표준화, 단순화 및 전문화가 어려운 특성이 있다.

또한, 제품생산에 연속성이 없는 단속적 생산시스템으로 매 제품마다 투입되는 제자원의 소요량, 생산공정 및 납기 등의 관리 통제가 매우 복잡한 특성을 갖는다.

특히 항공운송업의 특성상 영업계획의 변동에 대한 의존도가 큰 편이며, 고객에게 제공하는 상품인 항공기(좌석)은 사용상의 시간적 제약성으로 인하여 재고로 확보할 수 없으므로 재고개념이 없다는 특징이 있다.

2.3 항공기 정비생산관리 시스템

2.3.1 정비관리 시스템의 설계(Design of Maintenance System)

정비관리 시스템의 설계는 그림 7-3과 같이 수행하여야 할 정비작업을 설계하고, 작업방법과 작업측정 등에 대해 구체적으로 설정되어야 한다.

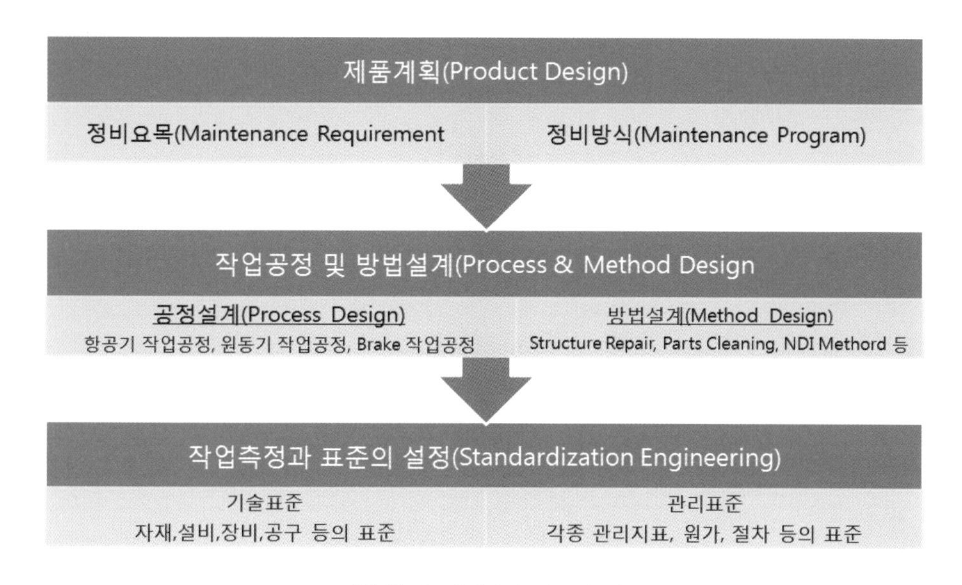

그림 7-3 정비관리 시스템 체계

(1) 정비관리 조직 설계(Organization Design)

항공정비조직의 작업능력 및 범위와 규모 등에 따라 두 가지 형태로 설계된다.

생산계획 및 통제기능이 특정부서에 집중되어 있는 형태의 조직인 중앙 집권적 조직(Centralization) 과 생산계획 및 통제기능이 현장부서에 분산되어 있는 형태의 조직인 현장 분산조직(Decentralization)의 형태로 구분된다.

중앙 집권적 조직에서의 현장부서는 생산계획 통제부서의 작업지시에 따라 작업을 수행하면 되지만, 현장 분산조직에서의 현장 부서는 작업계획을 수립하고, 작업을 지시, 작업통제, 생산 분석 등을 실시할 뿐 아니라 작업도 수행해야 한다.

(2) 시설 설비 배치

생산시스템의 유효성이 크도록 기계, 원자재 및 작업자 등의 생산요소와 생산시설의 배열을 최적화를 목표로 하며, 이는 운반거리의 최소화, 작업공정의 균형, 공간의 효과적 활용, 배치의 유연성 등이 고려되어야 한다.

2.3.2 정비시스템 운영/관리

(1) 생산계획/통제

정비시스템 능력을 영업계획 등 외부의 수요에 대해 시간적 수익적 차원에서 계획하고 통제하여야 한다.

(2) 작업관리

정비활동의 직접부분인 작업문서의 준비, 작업지시, 작업수행 및 인력, 자재, 장비 등의 자원을 효과적으로 운용과 통제를 수행함으로써 정비활동의 목표를 달성해야 한다.

(3) 품질관리

고객의 요구에 맞는 품질목표를 설정하고, 합리적이고 경제적으로 달성할 수 있도록 효율적인 조직의 구성, 계획의 수립, 시행, 결과의 측정분석, 시정조치 및 재발방지를 도모해야 한다.

(4) 자재관리

정비의 목표를 지속적으로 유지하면서 재고투자의 절감과 자재지원의 극대화라는 자재관리의 궁극적인 목표를 달성하기 위해 자재의 수급계획, 구매, 재고관리와 재고투자의 효용도를 평가하고 분석해야 한다.

(5) 비용관리

정비목적을 달성하는데 투입된 경제가치인 재료비, 노무비 및 기타경비 등의 원가요소가 고려된 정비활동을 통하여 최소의 비용으로 최대의 효과를 달성해야 한다.

(6) 설비유지관리

항공기 정비에 소요되는 설비 및 장비는 사용함에 따라 나타나는 마모, 부식 및 파손 등 열화현상을 수리나 보수를 통하여 성능과 기능을 유지해야 한다.

2.4 항공기 생산계획/ 통제

항공기의 생산계획/통제의 목적은 생산에 관련되는 각각의 생산요소들을 총체적인 차원에서 조정하고 통제함으로써 기업 전체의 생산력을 최대로 발휘하게 하는 것이다.

항공기 정비 부문에서는 항공기 정비능력을 외부의 수요에 대해 시간적, 수익적 차원에서 어떤 정비를 언제(시간), 어떻게(방법/공정), 얼마나(수량) 수행할 것인가를 계획, 조정, 통제하는 것이다.

즉, 정비 작업량 예측으로부터 운항을 위한 항공기 정시 지원 및 분석/평가의 전 과정이 생산 계획 및 통제의 범위에 포함된다.

(1) 생산 예측

생산 부문의 활동을 계획하는 첫 단계로 수요예측에 의거 생산해야 할 생산량을 결정하는 단계로서 장기계획에 의거 정비와 제 자원 요구량 등에 따라 수립되어진다.

(2) 생산 계획

변화하는 수요에 대해 생산시스템의 내적 자원을 활용하고, 장기적인 측면과 단기적인 측면에서 생산능력을 조정하여 적응해 나갈 수 있도록 중/단기 생산능력 계획을 수립하는 것으로 다음의 요소들을 고려해야 한다.

- 연간 사업계획 및 동/하계 항공기 영업계획
- 항공기 운용계획
- 항공기 정비방식 및 기술지시
- 제 자원의 가용능력

(3) 생산일정계획

수요의 시간적 차원에 맞추어 생산 활동을 언제 시작해서 언제 완료할 것인지 생산자원을 어디서, 누가, 얼마를 사용할 것인가를 구체적으로 작업 실시계획을 수립하는 것이다.

항공기 정비일정계획은 시설, 장비, 공구, 정비인력 및 자재 확보현황과 향후 제 자원의 확보계획 등을 고려하여 항공기 및 부품의 운용제한시간 범위 내에서 수행될 수 있도록 연간, 월간, 주간 및 일일단위로 항공기 작업량 계획을 수립한다.

항공기 정비작업량 계획은 작업의 단위, 우선순위 및 작업할당 등을 고려해 수립하여야 한다.

(4) 생산 통제

생산 스케줄에 계획된 작업을 일정 및 공정 계획에 따라 작업지시하고 실제 작업 진행이 일정대로 진행되는지 확인 및 감독하는 단계이다. 작업 준비 상태 확인, 작업 지시서 발행, 작업 인원 확인, 인원 배정, 작업완료 시기의 추정 및 완료된 작업의 작업 지시서 별 소요 작업시간(man hour)기록 등이 수행된다.

(5) 생산성과 분석

생산성 향상을 목적으로 작업이 완료되었을 때 계량적 실적자료 또는 비계량적 실적자료를 이용하여 작업성과를 분석하고 평가하여 작업 수행시 발생되었던 제 자원 또는 각종 지표 측면의 이상 상태를 찾아내어 작업 환경, 작업 방법 및 생산 요소 등의 미비한 점을 보완/개선하여 생산계획 단계로 피드백 시키는 단계로서 다음과 같은 요인들을 분석한다.

- 항공기 가동률과 정비 작업시간
- 인력 가동률 및 생산성
- 계획 대 실적 작업시간에 대한 차이 분석
- 정비 소요예측에 대한 차이 분석 및 향후 적용방향 등

3. 항공정비 품질관리

3.1 정비품질의 목표

정비품질의 목표는 다음 사항들을 통하여 최상의 항공기 정비로 안전운항 확보 및 정비품질 향상을 달성하는 것이다.

- 사람 및 항공기의 안전을 최우선으로 한다.
- 제 규정에 부합하도록 관리 유지한다.
- 고객 및 직원의 참여, 개발 및 동기부여를 제공한다.
- 고객의 요구사항을 충족하기 위해서 고품질의 항공기를 제공한다.
- 투명한 기업구조를 통해 경쟁력 있는 비용으로 최적의 자산 및 자원을 활용한다.
- 사업의 가치창출과 성장을 위하여 회사의 역량 및 잠재력을 생산 및 서비스 분야에 투자한다.
- 사업추진에 필수적인 것들을 지원하고, 미래지향적인 사업 경영 시스템을 개발한다.
- 최고의 전문 기술, 지식인으로서의 장인정신을 갖는다.

이에 따라 항공사는 존경받는 서비스 제공자로서 고객에 의해 요구된 품질 및 서비스 기준을 제공하고 그 기준을 유지 및 지속적으로 향상시켜야 하며, 품질 및 서비스 기준을 달성하기 위한 기본적인 품질요건을 규정에 기술하여야 하며, 품질관련 업무를 수행하는 정비조직의 모든 정비사는 품질방침 및 목표를 이해하고 개개인에게 주어진 책임과 역할을 성실히 수행해야 한다.

(1) 품질 보증

정비조직의 품질보증은 운항, 객실, 운송, 영업부문 및 승객의 요구를 만족시킬 수 있는 안전하고도 쾌적한 항공기를 정시에 이들에게 제공하는 것을 보증하는 것이며, 품질보증활동이란 이러한 품질보증을 기하기 위해 수행되는 모든 활동이다.

(2) 품질 관리

품질보증의 수단으로서 가장 경제적인 수준에서 품질보증을 달성할 수 있도록 하기 위해 효과적인 조직을 만들고, 계획을 작성(표준화)하여 이를 철저하게 실천함은 물론, 통계적 기법을 응용하여 결과를 측정/분석하고 계획(표준)에서 벗어난 것에 대한 시정조치 및 재발방지를 도모하는 조직적 활동을 말한다.

(3) 품질 기준

품질기준은 정비규정, 정비조직절차매뉴얼, 정비업무 규칙, 지침, 도면, 규격, 정비지시, 정비업무 지시, 기술지시, 정비교범 및 사양서 등에 설정된 품질에 관한 기준을 말한다.

(4) 항공기 기자재

항공기재란 항공기, 부분품, 부품 및 재료 등을 총칭한다.

(5) 품질 심사

품질심사란 항공기 기자재의 품질을 보증하기 위한 하나의 수단으로써 다음 사항을 행하는 것을 말한다.

- 공정상의 품질에 관한 조사
- 품질기준의 타당성 조사
- 품질에 관한 각종 관리현상의 조사

• 요구품질을 만족시키기 위한 외주회사의 공정능력 조사

(6) 검사

항공기재의 생산업무 및 관련 업무를 수행함에 있어, 그 상태가 설정된 품질기준에 합치되고 있는가를 판정하는 행위를 말한다.

3.2 품질관리 기준

3.2.1 품질제도/관리

품질에 영향을 미치는 기능을 구분하여 효율적인 조직을 편성하고 관련자의 권한과 책임을 명확히 규정하여야 하며, 품질보증활동상 요구되는 관리기준을 설정, 문서화하고 항시 최신의 상태로 유지될 수 있도록 관리하여야 한다. 요구되는 관리기준은 본 기준의 요구사항을 충분히 만족시킬 수 있는 것이어야 하며, 항공기 결함과 같은 불만족 사항에 대하여 예방하거나 조기에 발견하여 적시에 적극적인 시정조치가 행하여지도록 하여야 한다.

품질에 관한 업무를 수행하는 관련자는 품질상의 문제점에 대한 식별, 평가 및 해결책의 수립을 위하여 지식 및 경험이 풍부하여야 하며, 충분하고 명확한 책임과 권한이 부여되고 조직상 활동의 자유가 보장되어야 한다.

항공기를 비롯한 장비품 등의 신뢰성 관리와 향상을 위하여 통계적 품질관리기법을 이용하며, 이에 부가하여 다른 기법을 이용할 수 있다. 표본검사는 품질보증 상 비교적 중요하지 않는 사항에 대한 검사/시험에 유용지만, 표본검사가 채택된 경우에는 표본검사 계획을 별도로 제정하여 운영하여야 한다.

기재의 품질 상태를 명확하게 식별할 수 있도록 기준과 방법이 수립되어야 하고 검사 완료된 제품에는 검사인 또는 기타 적절한 방법으로 그 상태를 표시하여야 한다.

3.2.2 작업 표준서

기자재의 품질에 영향을 미치는 자재의 선택/취급, 부품의 제작/장탈/장착, 작동점검, 시험비행, 검사, 시험 및 개조 등의 모든 정비작업은 정비조직의 실정에 적합한 형태로 문서화된 작업 기준서 및 각종 정비 교범, 도면 등의 작업 표준서에 의거 수행되어야 한다.

3.2.3 기록

수행된 모든 정비작업은 품질에 대하여 객관적 증거가 될 수 있도록 그 내용이 완전하고 신뢰할 수 있도록 기록되어야 한다. 기자재의 검사 또는 시험에 관한 기록에는 최소한 실제로 관측한 내용, 발견된 결함 및 이의 시정조치내용이 포함되어야 한다.

3.2.4 정비설비, 측정 및 시험장비

기자재의 품질을 보증하기 위하여 필요한 정비설비를 확보 유지하여야 하며, 설비를 활용함에 있어 기재의 품질에 악영향을 미치지 않도록 관리하여야 한다. 또한 기술상 요구되는 계량계측기기 및 시험 장치를 확보 유지하여야 하며, 항상 사용목적에 따라 정확하게 관리되어야 하고, 정밀도를 유지하기 위하여 표준기기에 의한 정기적인 교정 또는 검사가 이루어질 수 있도록 충분한 관리가 이루어져야 한다.

3.2.5 외주 정비 및 수리

국내외 외주에 의하여 구입되거나 정비/수리되는 기재는 요구되는 품질기준이 보증되도록 하여야 한다. 외주업체 선정 시는 원칙적으로 사전에 해당 업체의 품질관리능력을 조사하여 능력이 있다고 인정된 업체를 선정하여야 한다. 다만, 업체가 당해 정부 또는 이와 동등의 기관으로부터 정비 또는 수리에 대한 능력이 있음을 인정받은 경우에는 품질관리능력에 관한 조사를 관련 서류에 대한 검사로 대체할 수 있다.

납품되는 기자재가 해당 업체에 의하여 보증된 것일지라도 수령 시에 기상상의 요구에 합치되는가를 확인하기 위한 수령검사를 실시하여야 하며 그 검사방법은 업자의 품질관리능력 및 과거의 납품실적에 의해 적절히 조정될 수 있다.

외주 의뢰 시 제품에 대한 주문서나 계약서에는 적용되어야 할 기술적 요구사항이 구체적으로 모두 포함되거나 인용되어야 하며 품질관리를 위하여 시험, 검사, 기록 등에 관한 요구사항도 모두 포함되도록 하여야 한다.

외주품의 품질보증을 계속 유지하기 위하여 업자의 품질관리 유효성과 안전성에 대해 외주품의 복잡성과 양에 따른 적절한 주기적인 품질심사를 실시하여 외주품의 수령검사 및 업자에 대한 품질 심사 시 발견된 결함이나 문제는 그 중요도 및 빈도에 따라 개선대책 및 재발방지 조치가 취해져야 한다.

3.2.6 기자재 관리

기자재의 취급 및 저장 중 제품의 손상, 변형, 성능 저하 등을 방지하기 위한 보호수단을 강구해야 한다.

보관 중 변형이나 성능저하를 초래할 우려가 있는 품목에 대해서는 그 품목을 본래의 사용목적에 지장 없이 최대한으로 사용할 수 있는 시한을 지정하고 이에 수반되는 특정한 검사, 발송, 운반 등에 관한 기준을 규정하여 이에 의거 처리되도록 관리하여야 하며, 사용 가능품으로 판정되지 않은 부적격 기자재는 사용 가능품과 혼용되지 않도록 요 수리품, 폐품 또는 작업대기, 부품대기, 검사 또는 시험대기 등으로 구분하여 명확하게 식별되고 격리 보관되어야 한다. 또한 적격 기자재의 수리 또는 재생작업 등은 성문화된 기준에 따라 처리되어야 한다.

기자재는 품질저하, 오염, 부식, 손실, 파손 등을 방지하기 위하여 적절히 취급, 저장 및 수송되어야 하며, 취급이나 저장 중에 오염이나 부식된 기자재는 세척하여 저장하여야 한다. 또한 취급 및 수송 시 물품파손을 막기 위한 기준이 요구되며, 그 기준에는 특수상자, 용기, 수송 장비 및 기자재의 취급에 대한 사항이 포함되어야 한다.

3.2.7 작업관리

모든 기재의 정비작업은 작업 표준서를 준수하여 관리된 상태하에서 수행되어야 하며 결함의 수정과 재발방지를 확실히 하여 항상 품질의 보증과 향상에 노력하여야 한다.

적절한 작업관리와 품질보증을 기할 수 있도록 항상 현재의 정비능력이 파악되어 있어야 한다. 품질보증과 정비능력의 파악을 위하여 공정중의 적절한 개소에서 해당 작업이 작업 표준서에 부합된 것인가를 효과적으로 확인하도록 하여야 하며, 처리된 작업에 대한 물리적 확인이 불가능하거나 불편할 경우에는 그의 처리방법, 설비, 기구 및 인원 등을 심사하는 간접적인 관리방법이 준비되어야 한다. 또한, 공정중의 확인기록은 완성품의 품질증거로 이용 가능한 것이어야 한다.

완성품이 요구된 품질에 일치하고 있음을 확인하기 위하여 필요한 검사, 시험을 실시하여야 한다. 이러한 검사, 시험은 제품의 사용목적 또는 기능이 충분히 확인될 수 있는 것이어야 한다. 만일, 완성검사 또는 시험 후에 수리, 개조 또는 교환 등이 이루어졌을 경우에는 그것에 의하여 영향을 받는 특성에 대하여 재검사나 재시험을 실시토록 하여야 한다.

3.3 지속적 분석 및 감독 시스템 (Continuing Analysis & Surveillance System)

CASS(Continuing Analysis & Surveillance System)는 외주업체가 수행한 정비를 포함하여 전 정비조직 시스템을 점검하기 위하여 사용된다. 품질심사는 회사 규정 및 절차들이 지속 감항성 정비프로그램에 부합하다는 보증이 필요하다.

지속적 분석 및 감독 시스템은 정비조직의 정비프로그램을 분석하고, 감시 감독을 통하여 정비프로그램의 수행 및 유효성을 파악하고, 이를 통해 부족한 점과 문제점을 개선하여 정비프로그램이 추구하는 목적을 달성하기 위한 문서화된 품질보증시스템이다.

품질보증시스템의 방법론적인 방식으로 품질심사는 정비프로그램의 목적을 달성하는데 도움을 주며, 종사자들이 안전 저해 요인을 파악하고 수정하기 위한 공식적인 절차를 제공함으로써 정비조직의 안전문화를 향상시키는데 도움을 주고 정비프로그램의 유효성과 수행정도의 척도로서 사용될 수 있는 조직화된 절차를 제공한다.

품질심사는 지속적으로 수행되는 감사, 조사, 자료수집 및 분석, 수정행위, 수정행위 모니터링 및 다시 감시를 반복하는 폐쇄 순환과정을 통해 이루어져야 한다. 아울러 신뢰성 프로그램은 지속 분석 감독시스템의 기계적 감시 모니터링 기능을 수행하기 위해 사용된다.

3.4 품질심사 프로그램

항공기자재의 생산에 관계되는 전 부서나 공장에서의 품질보증 활동 상태와 효율성을 평가하기 위하여 규칙적인 심사가 실시되어야 한다. 그러므로 품질심사는 지속감항성 정비프로그램에 의하여 관리 및 운영되는지를 지속적으로 확인, 분석 및 개선함으로써 항공기의 지속적인 감항성을 유지하고, 정비업무가 효율적으로 이행되도록 하면서 정비조직 내 시스템적인 문제가 없는지 확인하는 것이다.

품질심사의 절차는 그림 7-4에 보여주고 있다.

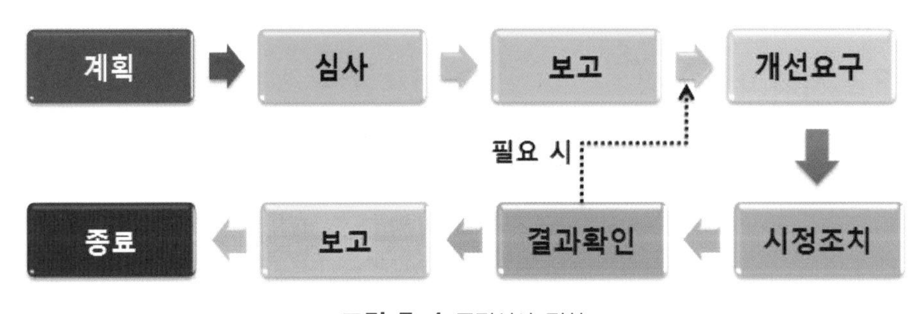

그림 7-4 품질심사 절차

3.4.1 품질심사의 방침

심사의 기준은 지속 감항성 정비프로그램에 의하여 설정하여야 하며, 판정은 객관적이고 합리적이며 공개적으로 해야 한다.

품질심사원은 소속에서 별도로 독립적으로 활동하여야 하며, 지속 감항성 정비프로그램의 항목을 기준으로 하여 작성된 품질심사 점검표 및 기타 객관적 자료에 의거 심사해야 한다.

심사보고서는 발췌된 현존 또는 잠재적인 문제들을 경영층에게 제공하여야 하며,

심사 지적사항들은 단지 문제점만 나열하는 것이 아니라 조직의 일체성을 가늠할 수 있는 지표로 경영층에 의해 사용되어야 한다.

3.4.2 품질심사 프로그램의 구성

품질심사 프로그램은 심사 주체에 따라 내부 심사와 외부 심사로 구성되며, 실시 시기에 따라 정기심사와 부정기 심사로 분류된다.

내부 심사 및 외부 심사 중 정기심사는 실시주기 및 방법에 의거 실시함을 원칙으로 한다. 부정기 심사는 정기 심사 외에 다음과 같이 필요하다고 판단할 경우 수시로 실시할 수 있다.

- 정비조직의 기능상 중요한 변경이 있는 경우
- 심사 지적 사항의 재발에 따라 시정조치 확인이 필요한 경우
- 기타 항공기 정비품질을 위해 필요한 경우

3.5 신뢰성관리 프로그램

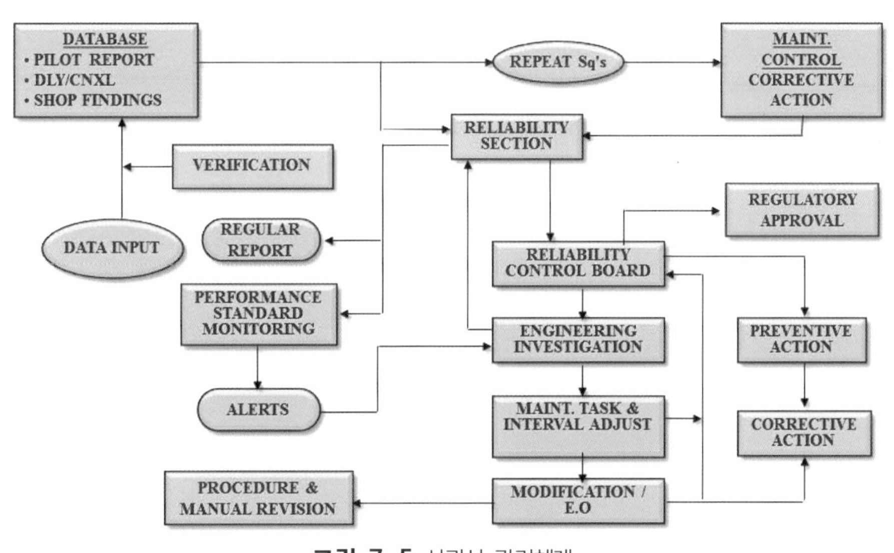

그림 7-5 신뢰성 관리체계

항공기재의 신뢰성 자료를 감시하여 발견된 제반문제에 대한 원인분석, 합리적 대책 등에 관한 절차를 정함으로써 항공기의 정시성, 쾌적성, 안전성을 보증하고 정비원가 절감에 기여하기 위하여 신뢰성 관리 프로그램을 운영하여야 한다.

그림 7-5는 신뢰성 관리 체계를 보여준다.

3.5.1 자료 수집

정비조직의 신뢰성 관리를 위해서 수집되어야 할 자료의 종류는 다음과 같다.

- 기장보고서(pilot report)
- 검사 결과 보고서
- 부분품 결함검출 보고서
- 엔진 데이터

3.5.2 신뢰성 측정

항공기 계통, 부분품, 추력계통의 신뢰성 지표는 관리 상한을 설정하여 감사하고 관리 상한을 초과하는 경우 실제 문제점 여부를 검토하여 신뢰성분석을 실시한다.

(1) 신뢰성 지표의 종류

① 항공기
- 1,000 출발 당 비행 장애율(flight interruption)
- 1,000 출발 당 비행 중 결함 발생률(pilot report)
- 1,000 출발 당 지연 및 결항 발생률(technical delay & cancellation)

② 부분품
- 1,000 부분품 시간당 비계획 부분품 장탈율
  (component unscheduled removal rate)

③ 추력 계통

- 1,000 엔진 시간당 비행 중 엔진 정지율(in-flight shut down rate)
- 1,000 엔진 시간당 엔진 비계획 장탈률

(2) 관리 상한

관리 상한은 목표치에 전년도 실적의 표준편차를 일정배율 더한 값으로 정하며, 3개월 이동평균 발생률이 관리 상한을 초과한 경우에 분석을 실시함을 원칙으로 한다.

3.5.3 신뢰성 분석

신뢰성 분석은 신뢰도가 설정된 수준에 도달하지 못하는 경우, 원인을 규명하여 재발방지에 필요한 대책을 찾아내기 위함이며, 분석 기법 및 활동은 효과적인 시정대책 도출을 위해 제작사와 실무현장의 현실을 수렴해야 한다.

3.6 감항성 확인(Airworthiness Release)

감항성 확인을 위한 기본책임은 정비작업을 수행하는 작업자와 그 정비작업을 관리 감독하는 관리자에게 있다. 검사원은 수행된 정비 등이 현행 항공법령 및 정비방식에 의거 수행되었는지를 결정하여야 한다.

3.6.1 감항성 확인 방침

항공품목에 대한 감항성 확인은 자격이 있는 확인정비사 및 검사원이 수행해야 하며, 정비확인은 해당 항공기의 형식 또는 장비품의 업무분야에 한하여 수행되어야 한다.

- **항공기** : 해당 항공기의 교육을 이수한 정비사 자격증명 소지자

- **기체/보기/비상장구** : 기체 업무한정 정비사 자격증명 소지자
- **전기/전자/계기** : 전기/전자/계기 업무한정 정비사 자격증명 소지자

정비완료는 항공품목의 정비 및 검사가 국토교통부 장관이 정하는 방법에 따라 만족스럽게 수행되었음을 확인정비사 및 검사원이 수행해야 한다. 다만, 작업 지침서의 검사원의 검사를 요하는 Q항목에 대하여는 확인정비사는 해당 "MECH" 란에 인장날인하고, 검사원은 해당 "INSP" 란에 인장 날인해야 한다.

정비확인 및 정비완료는 정비작업 또는 감독을 직접 수행한 해당 정비사 또는 검사원 자신이 수행해야 한다.

3.6.2 검사 방침

작업에 대한 정비확인과 검사는 동일인이 이중으로 할 수 없으며, 검사원이 서명 및 날인을 할 경우에는 반드시 등록된 서명과 스탬프(stamp)로 해야 한다.

항공기 및 부분품에 대한 검사는 관련 항공법에 정해진 감항성 확보를 목적으로 실시되며, 다음 검사기준에 의거 실시한다.

- 정비조직의 규정, 기준 및 작업지침서
- 정비조직에서 설정하였거나 승인한 사양서, 규격, 도면, 주문서 또는 기타 기술기준
- 기자재 제작사의 규정, 규격, 도면 또는 기타 기술기준
- 정비조직에서 승인한 타 항공사 또는 외주업체의 기술기준
- 관련 법규 및 국토교통부의 지시서
- 기타 국토교통부에서 인정하는 기술기준

또한, 검사원은 검사를 요하는 작업사항에 대하여 감항성을 확인해야 하며, 운항의

정시성도 고려되어야 하지만 이로 인한 검사행위의 생략은 허용되지 않는다. 검사원의 검사를 요하는 작업사항은 다음과 같다.

- 감항성 개선지시(AD) 및 수리 개조를 필요로 하는 작업
- 시험비행을 필요로 하는 작업
- 작업 지침서의 'Q' 항목
- 중량과 평형(weight & balance) 측정 작업
- 필수검사항목
- 비파괴검사(NDI) 및 보어스코프(BSI) 항목
- 기타 별도로 정한 감항성에 중요한 영향을 미치는 작업

다만, 상기 사항 중 점검항목의 상태 및 기능이 정상인가를 확인하는 단순한 정비행위와 국내외 지점에서 비행 중 또는 지상점검 중 발견되는 운항정비의 경우에는 검사원의 검사를 받지 않고 작업할 수 있다.

3.6.3 검사책임의 지속

검사책임의 지속이라 함은 항공품목들이 수리, 오버홀, 개조, 시험, 검/교정 등의 다양한 단계를 거치는 동안 수령검사, 숨겨진 손상검사, 과정검사, 최종검사가 완료되기 전 업무를 종료한 검사원이 다음 교대 검사원에게 인수/인계하여 최종 품목의 감항성을 결정하기 위해 검사원간의 지속적인 검사책임을 보장하는 것이다. 그러므로 검사원은 검사책임의 지속을 보장하기 위해 완료되지 않은 작업사항에 대해 정형화된 서식에 작성하여 다음 교대하는 조원에게 인수/인계해야 한다.

3.6.4 정비완료 및 정비확인

(1) 정비완료

정비완료는 수행된 정비행위가 만족스럽게 수행됨을 보증하거나 또는 작업의 완료에 대해서만 사용된다. 모든 작업항목은 당해 항공품목이 정비확인 전에 반드시 완료되어야 하고 모든 정비완료 및 정비확인은 서명 또는 스탬프로 해야 한다.

항공기 등을 수리 또는 개조한 경우에는 항공법에서 정하는 기술기준에 적합한지 여부에 관하여 해당 검사원이 검사해야 하며, 대수리, 대개조 인 경우에는 검사원은 과정검사를 수행하고 최종검사는 수석검사원 또는 해당 항공공장정비사 또는 업무한정 자격증명을 소지한 검사원이 수행한다.

(2) 정비확인

항공기 확인정비사는 정비 등이 완료된 항공기에 대하여 운항정비를 수행한 후 항공일지의 Maintenance Release 란에 서명이나 인장 날인하여 정비확인을 해야 한다.

장비품 확인정비사는 정비, 수리 또는 오버홀 된 장비품에 대한 정비확인을 위해 작업서 및 지시서, 사용가능 표찰(Serviceable Tag) 또는 감항성 인증서(Airworthiness approval tag)에 서명 또는 인장을 날인해야 한다.

검사원의 검사 없이 장비품 확인정비사가 정비확인을 수행할 수 있는 부분품의 선정기준은 다음과 같다.

- 비행조종, 엔진, 착륙장치 계통 등 항공기 감항성에 직접적인 영향을 주지 않는 부분품
- 객실 부분품/부품 교환 시 항공일지기록 및 검사원 확인사항에서 검사원의 확인을 요구하지 않는 부분품 또는 부품
- 객실 서비스 관련 부분품

정비, 수리/개조된 항공품목에 대해 정비완료를 하기 위해 검사원은 작업서 및 작업지시서 검사란 및 항공일지의 수정조치 란에 인장 날인해야 한다. 추가로, 계획정비('C'check 이상)인 경우, 항공기 검사원이 정비완료 진술문을 작성하고, 대수리/개

조인 경우 담당 검사원이 대수리 및 개조 승인서를 작성한다. 이러한 진술문과 승인서는 관련 정비기록에 첨부되어야 한다.

4. 항공정비 기술관리

기술관리란 현재 운용하고 있는 항공기에 대해서 안전한 비행, 확실한 운항, 쾌적한 서비스를 경제적으로 달성하기 위해 적법한 기술적 제 기준과 정책을 설정하여 그에 따른 정비방식을 제공하며, 정비업무 수행에 필요한 각종 정보를 전파하는 업무를 총칭한다. 따라서 기술관리 업무는 크게 다음과 같은 분야로 구분한다.

- 정비정책의 수립
- 정비방식의 설정
- 항공기 성능 개선을 위한 개조관리
- 기술지원 등

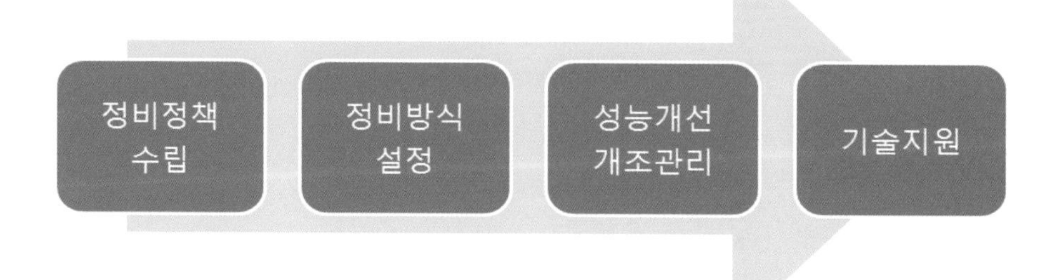

그림 7-6 항공정비 기술관리 업무

4.1 기술관리 업무

4.1.1 정비기준 및 정책 설정

항공기 정비 수행을 위한 제반 기술적 기준, 방법 및 절차 등을 수립한다.

(1) 운영기준/정비규정/정비조직 내 지침 등의 제,개정

운영기준, 정비규정은 항공법/시행령/시행규칙 등 규정에 부합하도록 기본적인 정비정책을 정한 것이며, 정비조직 내 지침은 운영기준 및 정비규정의 세부 이행 절차와 기준을 정한 것으로 이의 제정과 개정을 주관한다.

(2) 정비방식 설정

항공법/시행령/시행규칙 및 규정을 비롯하여 국제민간항공기구의 기술기준 및 제작사의 정비교범, 기술회보, 각종 기술 검토서 등의 자료를 검토하여 항공기의 안전 운항을 위해 수행해야 할 정비방식을 설정한다.

(3) 자재, 표준 공정

항공기 정비에 적용하는 세척, 페인팅 및 제거, 방빙, 실링(sealing) 등과 같은 작업공정과 금속, 비금속 자재의 사양에 대한 제작사, 부분품 제작사(vendor)의 다양한 자료를 종합 검토하여 표준 규격 및 표준 공정을 수립하며, 각종 환경 규제에 대한 기술검토를 수행한다.

4.1.2 항공기 특별점검과 항공기 사양/개조 관리

항공기 안전성과 신뢰성 향상, 회사의 정책 반영 및 규제 법규의 충족을 위해 기존 정비방식, 정비요목으로 설정되어있지 않은 특별 점검, 개조사항 등에 대해 국내외 감항당국에서 발행하는 감항성 개선 지시서(AD:Airworthiness Directive), 항공기 제작사 또는 부분품 제작사에서 발행하는 정비개선 회보(SB:Service Bulletin)등을 검토하여 보유 항공기에 적용 여부를 결정한다.

적용이 결정된 사항에 대해서 필요한 제 자원을 확보하고 기술지시(E·O: Engineering Order)를 발행한다. 개조 기술지시 수행 시는 변경 내용을 정비교범(MM: Maintenance Manual), 전기배선도 교범(WDM: Wiring Diagram Manual), 부분품 도해명세서(IPC: Illustrated Parts Catalog) 등의 각종 기술 도서에 반영하고, 항공기 특별점검 수행 현황, 항공기 사양 변경 및 개조 현황 등을 관리해야 한다.

4.1.3 기술정보, 자료관리

항공기 제작사 및 부분품 제작사, 국제기구 등에서 입수하는 신기술 정보/자료를 접수하여 기술 검토하고, 이를 정리하여 관리하며 관련 부서에 기술정보 또는 기술검토서 등을 발행하여 정비 실무에 활용토록 한다.

4.1.4 항공기 도입 및 송출관리

도입 항공기의 사양(specification)검토 및 항공기 구매/매각/임대/임차 계약서를 검토하고, 도입 항공기의 정비지원 계획을 수립한다. 또한 항공기 도입, 송출 등의 업무를 주관하고, 항공기 인수 및 인도 관련 작업 계획을 수립한다.

4.1.5 기술도서 관리

항공기 제작사, 부분품 제작사에서 발행하는 정비 기술에 대한 교범, 기타 정비 업무에 참고가 되는 기술서적, 항공잡지 등을 종합 관리한다.

4.1.6 기술지원

항공기의 고장, 기술지시 또는 정비작업 중 기술적인 문제 발생 시 현장 지원하는 것으로 장기적으로 근본적인 문제 해결이 요구되는 사항은 기술 검토 및 제작사 또는 공급사와의 협의를 통해 대책을 강구한다.

4.2 감항성 개선지시(AD : Airworthiness Directive)

감항성 개선지시서(AD:Airworthiness Directive)라 함은 항공기 등에 존재하는 불안전한 상태가 동일한 계열로 설계된 다른 항공기 등에도 존재하거나 진전될 가능성이 있는 경우, 항공기 등의 감항성을 확보하기 위하여 정해진 기한 내에 항공기 소유자 등이 반드시 수행하도록 국토교통부 장관이 발행하는 정비 개선지시서를 의미한다.

4.2.1 AD 처리 및 수행

(1) AD 처리

국토교통부 홈페이지를 통해 발행 공시하는 AD를 항공기 소유자가 접수하여 보유 항공기, 엔진 또는 장비품에 해당되는지를 확인하고, 기술관리 시스템에 등록한다.

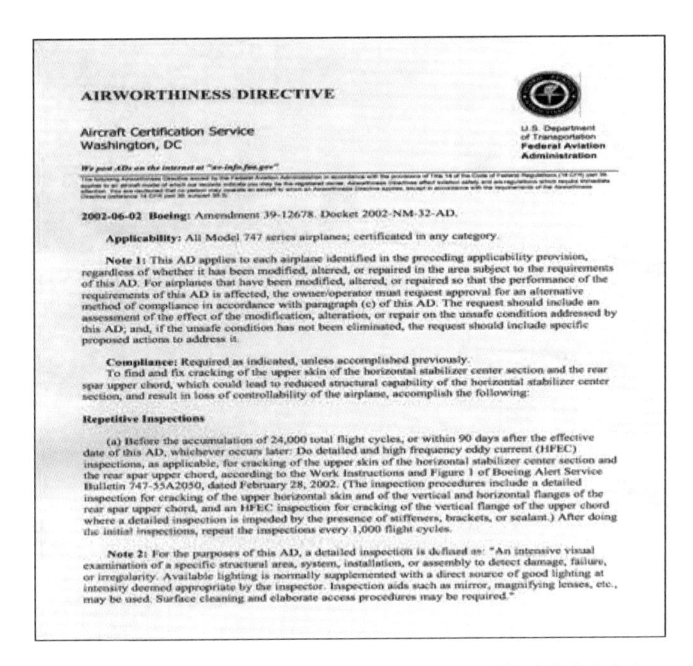

AIRWORTHINESS DIRECTIVE

Aircraft Certification Service
Washington, DC

U.S. Department of Transportation
Federal Aviation Administration

We post ADs on the internet at "av-info.faa.gov"

2002-06-02 Boeing: Amendment 39-12678. Docket 2002-NM-32-AD.

Applicability: All Model 747 series airplanes; certificated in any category.

Note 1: This AD applies to each airplane identified in the preceding applicability provision, regardless of whether it has been modified, altered, or repaired in the area subject to the requirements of this AD. For airplanes that have been modified, altered, or repaired so that the performance of the requirements of this AD is affected, the owner/operator must request approval for an alternative method of compliance in accordance with paragraph (c) of this AD. The request should include an assessment of the effect of the modification, alteration, or repair on the unsafe condition addressed by this AD; and, if the unsafe condition has not been eliminated, the request should include specific proposed actions to address it.

Compliance: Required as indicated, unless accomplished previously.
To find and fix cracking of the upper skin of the horizontal stabilizer center section and the rear spar upper chord, which could lead to reduced structural capability of the horizontal stabilizer center section, and result in loss of controllability of the airplane, accomplish the following:

Repetitive Inspections

(a) Before the accumulation of 24,000 total flight cycles, or within 90 days after the effective date of this AD, whichever occurs later: Do detailed and high frequency eddy current (HFEC) inspections, as applicable, for cracking of the upper skin of the horizontal stabilizer center section and the rear spar upper chord, according to the Work Instructions and Figure 1 of Boeing Alert Service Bulletin 747-55A2050, dated February 28, 2002. (The inspection procedures include a detailed inspection for cracking of the upper horizontal skin and of the vertical and horizontal flanges of the rear spar upper chord, and an HFEC inspection for cracking of the vertical flange of the upper chord where a detailed inspection is impeded by the presence of stiffeners, brackets, or sealant.) After doing the initial inspections, repeat the inspections every 1,000 flight cycles.

Note 2: For the purposes of this AD, a detailed inspection is defined as: "An intensive visual examination of a specific structural area, system, installation, or assembly to detect damage, failure, or irregularity. Available lighting is normally supplemented with a direct source of good lighting at intensity deemed appropriate by the inspector. Inspection aids such as mirror, magnifying lenses, etc., may be used. Surface cleaning and elaborate access procedures may be required."

그림 7-7 미 연방항공청(FAA)에서 발행된 감항성개선지시서

(2) AD 수행

AD의 수행은 AD에 명시된 수행시한 이전에 수행해야 하며 AD 요약서의 조치내용에 따라 수행하며 다음을 기본 수행방침으로 정의한다.

- 개조 및 일회성 검사의 수행이 요구되는 경우, 기술지시(EO), 자체 수행 불가

능시 외주 SB수행 의뢰서를 발행하여 수행

- 반복적 검사 또는 반복적으로 부분품 교환이 요구되는 경우, 기술팀장의 승인된 EO 또는 AD card에 의해 초도 수행 후, 반복수행은 AD card에 의거 수행

AD가 특정 정비개선회보(SB)의 수행을 명시한 경우는 수행시한 이전에 해당 SB를 수행해야 하며, 반복적 검사 혹은 부분품교환이 요구되는 SB를 수행하는 AD는 기존 정시점검 card가 있을 경우, AD card로 전환하여 수행할 수 있도록 조치한다.

4.2.2 AD 수행 결과보고

(1) 결과보고서의 작성 및 내부보고

기술 담당은 다음의 경우 AD 결과 보고서를 작성한 후, 조직 내 결재절차를 거쳐 보고해야 한다.

- 일시점검 및 개조작업(AFM 개정작업 포함)을 지시하는 AD의 모든 해당 항공기 또는 엔진/장비품에 대한 작업이 완료되거나 반복점검을 종결하는 부분품교환 및 개조작업의 수행완료
- 종결조치에 대한 언급 없이 지속적인 반복점검 또는 교환이 필요한 AD의 경우 반복점검 또는 교환을 위한 AD card 발행

(2) 국토교통부 보고

해당 기술담당은 AD의 수행결과를 국토교통부 감항성 개선지시 결과보고 홈페이지를 통해 보고한다.

4.2.3 AD 수행시한의 연기 및 대체방법에 의한 수행

특별한 사유로 인해 수행시한 내에 AD 작업을 수행할 수 없는 경우 항공기 및 장

비품 제작사의 권고 및 대체방법에 대해 국토교통부 장관의 승인을 득하여 그 수행 시한을 연장 또는 대체방법으로 전환할 수 있다.

4.2.4 유지 및 보관

국토교통부로부터 접수한 AD와 국토교통부로 보고한 문서를 일원화하여 항공기 폐기 및 매각 시까지 보관해야 한다.

4.3 정비개선회보(SB : Service Bulletins)

정비개선회보(SB)는 항공기 감항성 유지 및 안전성 확보, 신뢰도 개선 등을 위해 항공기 및 엔진 등의 제작사에서 발행하는 기술자료이다.

주요(Mandatory, Alert) SB는 제작사에서 권고하는 수행 시한 내에 수행해야 하며, 해당 SB가 AD(감항성 개선지시)로 발행된 경우에는 AD 수행시한을 준수해야 한다.

다만, 항공기 및 엔진 제작사의 권고 또는 항공안전본부장이 인정하는 범위 내에서 수행 시한을 연장하거나 항공기의 감항성 및 안전성 유지에 지장이 없는 대체 방법으로 전환할 수 있다.

4.3.1 장비품 및 구성품 관련 정비개선회보

일반적으로 장비품, 구성품 등에 발행되는 SB는 선택적으로 적용할 수 있는 변경사항과 장비의 성능개선에 대한 내용이다. 해당 운영기준에 수록된 회사가 사용하는 장비에 대한 SB를 접수하면, 검토, 기록 및 제작사 발행문건 관리문서에 보관하도록 회람한다.

이러한 SB는 수용할 필요가 있거나 타당하다고 결정된 경우, 오버홀이나 수리작업 시에 수행하게 된다. SB는 상황에 따라 회사자체에서 제작사나 위탁정비업체에서 수행한다. 장비품 또는 구성품에서 일반적인 범위를 벗어나는 결함이 발생하는 경우,

보관 중인 SB에 그 상황에 해당하는 내용이 있는지 점검한다.

SB의 수행으로 매뉴얼의 내용, 절차, 부품 목록 및 고장탐구 기법에 영향을 주는 내용은 그 내용에 따라 정리한다.

4.3.2 항법장비/ 통신장비의 정비개선회보

통신/항법장비에 대한 정비개선회보는 일반 장비품에 대한 SB와 같은 절차를 따른다. 해당 운영기준에 수록된 제작사가 사용하는 장비에 대한 SB를 접수하면, 검토, 기록 및 제작사 발행문건 관리문서에 보관하도록 회람한다. SB는 상황에 따라 회사 자체에서, 제작사 또는 위탁정비업체에서 수행한다. 장비품 또는 구성품에서 일반적인 범위를 벗어나는 결함이 발생하는 경우, 보관 중인 SB에 그 상황에 해당하는 내용이 있는지 점검한다.

SB의 수행으로 매뉴얼의 내용, 절차, 부품 목록 및 고장탐구 기법에 영향을 주는 내용은 그 내용에 따라 정리해야 한다.

4.3.3 항공기/엔진에 대한 정비개선회보

해당 운영기준에 수록된 회사가 사용하는 장비에 대한 SB를 접수하면, 검토, 기록 및 제작사 발행문건 관리문서에 보관하도록 회람한다. SB는 상황에 따라 회사자체에서 제작사나 위탁정비업체에서 수행한다.

4.4 대수리/개조의 기술적 판정

항공기, 엔진, 장비품에 대한 수리나 개조는 정비규정/정비조직절차매뉴얼, 제작사 정비교범 및 필요에 따라 국토교통부에 의해 인정된 시방에 의거 수행되도록 한다.

4.4.1 기술적 판정

항공기/장비품에 대한 수리나 개조는 기골수리교범(SAM)을 포함하는 제작사가 제공한 기술지침(SB, 정비교범, 도면 등) 또는 제작사가 제공한 수리지침의 내용에 따라 작업이 수행되어야 한다.

기술지침에서 정한 한계를 벗어나거나 수리지침이 없는 경우, 제작사 또는 제작사의 해당 정부의 감항당국이 승인한 기술 자료에 의해 수리작업이 수행되어야 한다.

승인된 기술 자료(Approved Data)들은 다음과 같다.

- 형식 증명서(Type Certificate Data Sheets)
- 추가형식 증명 자료(Supplemental Type Certificate Data)
- 감항성 개선지시(Airworthiness Directive)
- 해당 감항 당국에 의해 승인되거나 인정된 제작사의 정비교범
- 항공법 19조에 따라 승인된 기술 자료(수리/개조 승인서)
- 기타 제작사의 기술 자료

4.4.2 대수리/대개조의 구분

(1) 수리

항공기 또는 항공제품을 인가된 기준에 따라 사용 가능한 상태로 회복시키는 것을 의미한다.

(2) 개조

항공기, 엔진 또는 부분품의 사양서에 명시되어 있지 않은 변경 등을 의미한다.

(3) 소수리/소개조

대수리 및 대개조 작업에 포함되지 않는 모든 수리/개조 작업을 의미한다.

4.4.3 대수리

항공기, 발도이기, 프로펠러 및 장비품 등의 고장 또는 결함으로 중량, 평형, 구조강도, 성능, 발동기의 작동, 비행성능 및 기타 품질에 상당하게 작용하여 감항성에 영향을 주는 것으로 간단하고 기초적인 작업으로는 종료할 수 없는 수리를 의미한다.

4.4.4 대개조

항공기, 발동기, 프로펠러 및 장비품등의 설계서에 없는 항목의 변경으로서 중량, 평형, 구조강도, 성능, 발동기의 작동, 비행성능 및 기타 품질에 상당하게 작용하여 감항성에 영향을 주는 것으로 간단하고 기초적인 작업으로서 종료할 수 없는 개조를 의미한다.

5. 항공정비 자재관리

자재관리라는 것은 생산에 필요한 다양한 자재를 합리적으로 관리하여 생산을 지원하는 일을 의미하고, 필요한 자재를 적정한 가격으로 필요한 부분에 필요한 시점에 공급할 수 있도록 계획을 세워 구매하고 보관하는 일을 말한다.

5.1 항공정비 자재의 특징

항공기 정비를 위해 사용되는 부품들은 항공기의 감항성에 영향을 주기 때문에 감항관리에 필요한 부품이 적합하다는 증명 및 문서들이 요구되며, 대부분 외국에서 제작되므로 국내에서 사용하기 위해서는 통관절차가 필요하다. 또한 다품종 소량으로 소요되기 때문에 부품가격이 유동적이고, 항공기 및 부품 등의 개조가 자주 발생하며, 사용 시간에 제한을 받는 특징 등이 있다.

5.2 재고관리

효율적 재고관리를 위해 구매 시기, 구매 비용, 구매 원가 등의 구매기준 측면에서 자재구매, 운송, 수리 등을 고려해야 한다.

5.2.1 적정 재고 수준

적정재고 수준이라는 것은 수요를 가장 경제적이고 효과적으로 충족시켜줄 수 있는 재고량을 말하며, 최소의 비용으로 수요를 충족시킬 수 있는 경제성과 효과성 모두를 만족하는 재고수준을 의미한다. 이는 언제라도 신청행위만 있으면 즉시 불출할 수 있도록 대비하는 계속공급의 원칙과 수요를 충족함에 있어서도 무제한의 재고량을 확보 유지하는 것이 아니라, 재고 투자액을 가장 절감할 수 있는 경제성 확보의 원칙이 균형을 이루는 점에서 적정재고 수준이 성립된다.

적정 재고 수준을 결정할 때에는 구매에서 입고될 때까지의 소요기간과 소요량의 변화, 기자재 운영 정책의 변경, 부품의 가격과 감항성에 미치는 영향등을 고려해야 한다.

5.2.2 수요 예측

적정 재고 수준은 예측사용량, 확보에 소요되는 시간, 목표 지원 수준 등의 주요 요소에 의해 설정된다. 예측사용량은 자재관리 전산시스템을 이용하여 과거의 예측치, 실제사용량 및 사용경향 등을 고려하여 품목별로 예측사용량을 2개월 단위로 자동 산정한다. 또한 자재확보 소요시간은 자재의 수요예측, 재고량의 결정 등을 위한 요소로서 자재의 이동에 수반되는 제반 시간적 개념을 총칭하는 것과 같다.

5.2.3 소모성 자재관리

계속 소요가 예상되는 소모성 자재의 재고 고갈로 인한 문제점을 피하기 위해서는 재고 확보가 필요하다. 재고관리 이론의 주요 목적은 구매 발주시점과 발주량을 결정하는데 있다.

5.2.4 수리순환품 재고관리

수리순환(Rotable) 품목은 소모성(expendable)과는 달리 수리 후 재사용이 가능하므로, 소모성 자재처럼 재 발주점이나 경제적인 발주량에 의해 구매량이 결정되는 것이 아니라, 수리기간동안 항공기 지원에 필요한 수량에 따라 결정된다.

장탈량 증가 또는 수리 지연 등으로 인한 자재 지원상의 문제 방지를 위한 안전재고량을 합한 수량이 적정 예비부품이 된다.

5.2.5 자재 신청의 우선순위

자재 수요에 대한 적기에 공급할 수 있도록 그 수요에 맞는 긴급도를 부여하는 것으로 긴급도에 따라 나누게 된다.

5.3 수불 관리

5.3.1 자재 검수

구매, 외주수리, 임차 또는 임대 등 외부로부터 반입되는 물품들에 대해 규정이나 요구된 내용에 따라 적합성 여부 및 수량의 과부족, 상태 등을 검사하여 사용의 적합성 여부를 판단하고 그에 따른 조치를 행하는 것을 의미한다.

5.3.2 저장관리 업무

자재의 저장이라는 것은 검수 완료된 자재를 수요의 발생 또는 처분 등 사용자의 요구에 응할 수 있도록 본래의 상태로 유지 관리하는 행위를 의미하며, 효율적인 저장관리는 지원 효율 향상과 경제적인 자재지원을 가능하게 하는 중요한 요소이다.

5.3.3 불출 업무

물자의 불출이란 것은 수요자의 요구에 의해 요구된 품목을 인도하는 행위를 의미한다. 저장관리의 마지막 단계로 적정의 물자가 인도되어 수요자의 요구를 충족시켜야 함은 물론 선입 선출이 준수되어 불필요한 잉여품이 발생되어 비경제적인 요소가 발생되지 않도록 해야 한다.

5.4 스테이션(Station) 지원 업무

모기지 이외의 국내외 지점(station)에서 정비 수요발생 시 필요한 자재의 적기지원을 통하여 항공기 운항의 정시성 및 신뢰성을 확보하기 위하여 지점 자재지원이 요구되며, 노선에 투입되는 기종, 거리, 운항빈도 및 공항 특성 등을 고려하여 경제적이고 합리적인 지원방법이 요구된다.

[참 고 문 헌]

1. 항공정비사 표준교재, 항공기 기체, 국토교통부 자격관리과
2. 항공정비사 표준교재, 항공정비 일반, 국토교통부 자격관리과
3. 김천용 저, 항공정비학개론, 노드미디어
4. 김봉수 외3, 항공정비실무, 태영문화사
5. 김귀섭 외3, 항공기 기체, 대영사

항공학 시리즈 ❻

항공정비실무

발 행 일 | 2017년 2월 3일
개정 2쇄 | 2019년 8월 1일

글 쓴 이 | 서홍적·한용희·이성종
발 행 인 | 박승합
발 행 처 | 노드미디어

주 소 | 서울특별시 용산구 한강대로 341 대한빌딩 206호
전 화 | 02-754-1867
팩 스 | 02-753-1867
이 메 일 | enodemedia@daum.net
홈페이지 | http://www.enodemedia.co.kr

등록번호 | 제302-2008-000043호

I S B N | 978-89-8458-307-8 93550

정가 32,000원